KATHY REICHS

Kathy Reichs vit au Canada. Anthropologiste judiciaire à Montréal et à Charlotte (Caroline du Nord),
elle enseigne l'anthropologie à l'université de
Caroline du Sud. Elle s'impose en France avec *Déjà
dead* puis confirme son succès avec *Passage mortel*.
Depuis, elle a publié aux éditions Robert Laffont
puis chez Pocket *Mortelles décisions* et *Voyage fatal*.

PASSAGE MORTEL

DU MÊME AUTEUR
CHEZ POCKET

KATHY REICHS

PASSAGE MORTEL

ROBERT LAFFONT

Titre original :
DEATH DU JOUR

Traduit de l'américain par Laurence Ink

Mississippi Mills
Public Library

© Kathy Reichs, 1999.
© Traduction française : Éditions Robert Laffont, S.A., Paris, 2000.
ISBN 2-266-11200-7

À tous ceux qui ont survécu à la grande tempête de verglas de 1998 au Québec.
Nous nous souvenons.

Avertissement

L'action se déroule principalement à Montréal (Québec) et à Charlotte (Caroline du Nord). Certains autres lieux de même que certains organismes mentionnés sont bien réels, mais les personnages et les événements décrits ici n'ont jamais existé que dans l'imagination de l'auteur.

1.

Si les corps étaient bien là, je ne parvenais pas à mettre la main dessus.

Le vent hurlait. Dans l'enceinte de la vieille église résonnaient le raclement lugubre de ma truelle et le ronronnement du système de chauffage. Dehors, des branches griffaient le contreplaqué qui condamnait les fenêtres.

Derrière moi, à distance respectueuse, je les entendais changer d'appui, se balancer d'une jambe sur l'autre. La terre gelée crissait sous la semelle des bottes. Personne ne parlait. Le froid nous avait réduits au silence.

Je regardais disparaître le cône de terre que je venais de placer sur la grille du tamis. Cette première couche avait été une agréable surprise. Je me serais plutôt attendue à une terre gelée sur toute la hauteur de l'excavation. Les deux semaines précédentes avaient été particulièrement douces pour la saison, et la neige avait fondu, la terre s'était ramollie. Ma bonne étoile, une fois de plus. Le sol devenait, grâce à cette tiède embellie, facile à creuser. Super. La nuit dernière, la température avait chuté à moins dix. Pas super.

Même si le sol n'avait pas regelé, l'air était glacial. Je pouvais à peine plier les doigts.

Nous en étions à notre deuxième tranchée. Toujours

rien : des petits cailloux et des fragments de roches. Je ne m'étais pas attendue à grand-chose à cette profondeur, mais on ne savait jamais. Aucune exhumation ne se déroulait comme prévu !

Je me suis tournée vers mon voisin, vêtu d'un parka noir et coiffé d'un bonnet. Ses bottes de cuir étaient lacées jusqu'aux genoux, et il avait rabattu par-dessus les tiges deux épaisseurs de chaussettes. Son teint virait couleur soupe à la tomate.

— Encore quelques centimètres, lui ai-je dit, avec un geste de la main comme pour caresser un chat. Allez-y doucement.

Il a hoché la tête, puis enfoncé d'un élan sa pelle dans l'étroite tranchée, avec un ahan digne de ceux de Monica Seles à sa première balle de service.

— Doucement ! ai-je glapi, les doigts crispés sur le manche de ma truelle.

J'ai répété la démonstration, vue maintes fois au long de la matinée.

— Il nous faut des prélèvements en minces lamelles, ai-je ajouté en anglais, puis dans mon français lent et laborieux.

Visiblement, il ne partageait pas mon point de vue. C'était peut-être lié au caractère ingrat du travail. Ou à l'idée de déterrer des morts. Soupe à la tomate n'avait qu'une envie : en finir et se tirer d'ici.

— Un nouvel essai, Guy, s'il vous plaît ? a dit une voix d'homme derrière moi.

— Oui, mon père, a-t-il grogné.

Branlant du chef, Guy s'y est remis, soulevant des pellicules de terre qu'il déversait ensuite dans le tamis.

Cela durait depuis des heures et je commençais à percevoir une certaine tension ambiante. Le balancement des religieuses s'était accéléré. Me retournant, je leur ai adressé un sourire que j'espérais rassurant. Difficile, avec des lèvres insensibles.

Six visages crispés de froid et d'anxiété m'ont renvoyé mon regard. Six petits nuages de vapeur apparaissaient, puis s'évanouissaient autour de leurs bouches. Sourires. J'ai senti monter une envolée de prières.

Quatre-vingts minutes plus tard, nous étions presque deux mètres plus bas. Et il n'était sorti que de la terre. J'avais certainement tous les orteils gelés, et Guy était prêt à utiliser une pelleteuse. Il était temps de se concerter.

— Mon père, je pense qu'il faudrait de nouveau vérifier le registre des tombes.

— Oui. Bien sûr. Bien sûr, dit-il après un moment d'hésitation. Et nous en profiterons tous pour aller prendre un café et un sandwich.

Le prêtre se dirigea vers une série de portes en bois, à l'autre extrémité de l'église, suivi des religieuses, tête baissée, qui avançaient à pas précautionneux entre les mottes de terre. Les voiles blancs retombaient en demi-cercle au dos de leurs manteaux de laine noire. Des pingouins. Qui disait ça déjà ? Ah, oui, les Blues Brothers.

Je leur ai emboîté le pas, scrutant le sol et sidérée par le nombre de fragments d'os qui le jonchaient. Génial. Nous avions creusé dans le seul coin où il n'y avait pas de tombes.

Le père Ménard poussa une des portes et, en file indienne, nous sortîmes. Il fallut un instant pour que nos yeux s'accommodent. Le ciel plombé semblait enserrer le sommet des immeubles et tout le complexe construit autour du monastère. Un vent aigre balayait les Laurentides et faisait claquer cols et voiles.

Notre petit groupe, arc-bouté contre le vent, se rendit jusqu'à un édifice adjacent, de pierre grise comme l'église. Quelques marches conduisaient à un porche en bois sculpté.

À l'intérieur, il faisait chaud et sec. Agréable après le froid mordant. Cela sentait le thé, les boules à mites et des années de friture.

Sans un mot, les sœurs retirèrent leurs bottes, me sourirent l'une après l'autre et disparurent au moment même où une minuscule religieuse, vêtue d'un énorme pull de ski, traversait le hall à pas traînants. Des caribous bruns et duveteux caracolaient sur sa poitrine et s'éclipsaient sous le voile. Clignant les yeux derrière les verres épais de ses lunettes, elle me fit signe de lui donner mon parka. J'eus un moment d'hésitation, il était bien lourd ; n'allait-il pas l'entraîner à terre ? Mais elle insistait, avec un hochement de tête vigoureux et un geste expressif de la main. J'ai donc posé mon manteau sur son bras avec mon chapeau et mes gants. C'était la plus vieille femme encore en état de respirer que j'aie jamais vue.

J'ai suivi le père Ménard le long d'un couloir pauvrement éclairé, jusqu'à une petite pièce.

Odeur de vieux papier et de craie. Un crucifix barrait le mur au-dessus d'un bureau si large que je m'étonnais qu'on ait pu le faire entrer. Des boiseries de chêne montaient presque jusqu'au plafond d'où nous contemplaient des statues aux visages sombres.

Le père Ménard m'indiqua une chaise. Bruissement de la soutane. Cliquètement des grains du chapelet. Brusquement, j'étais de nouveau à Saint-Barnabas. Face au père supérieur. Et en fâcheuse posture.

Suffit, Brennan. Tu as dépassé quarante ans, tu exerces une profession libérale. Anthropologue judiciaire. Ces gens ont fait appel à toi parce qu'ils ont besoin de ton expertise.

Le prêtre a pris sur la table un registre relié de cuir et l'a ouvert à la page marquée d'un ruban vert. Prenant une grande inspiration, il a pincé les lèvres et expiré par le nez.

Le tableau m'était connu. Une grille formée de colonnes divisées en lots rectangulaires, numérotés ou désignés par des noms. La veille nous avions passé des heures penchés là-dessus, en rapprochant les descriptions des tombes situées dans le quadrillage. Puis nous avions arpenté le site en identifiant les emplacements exacts.

Sœur Élisabeth Nicolet était supposée se trouver

dans la seconde rangée depuis le mur nord de l'église, le troisième lot depuis l'extrémité ouest. Juste à côté de mère Aurélie. Mais elle ne s'y trouvait pas. Pas plus qu'Aurélie.

J'ai indiqué une tombe dans le même arc de cercle, quelques rangs plus bas et à droite :

— O.K., Raphaël semble être ici. — Puis, descendant d'un cran : — Avec Agathe, Véronique, Clément, Marthe et Éléonore. Ce sont les tombes datant des années 1840, c'est bien ça ?

— C'est ça.

J'ai fait glisser mon doigt vers la partie du plan correspondant au coin sud-ouest de l'église.

— Et ici se trouvent les tombes les plus récentes. Les repères que nous avons trouvés correspondent à ce qu'indiquent vos registres.

— Oui. Ce sont les dernières, juste avant que l'église soit abandonnée.

— Elle a été fermée vers 1914...

— Oui, vers 1914.

Il avait l'étrange habitude de répéter mots et phrases.

— Élisabeth est morte en 1888 ?

— C'est ça, en 1888. Mère Aurélie en 1894.

Cela n'avait pas de sens. Il aurait dû y avoir des vestiges. Visiblement, des artefacts des inhumations de 1840 subsistaient. Un prélèvement dans cette zone avait révélé des fragments de bois de cercueil. Dans une enceinte protégée, et avec ce type de sol, les squelettes seraient en assez bon état. Alors, où étaient Élisabeth et Aurélie ?

La vieille religieuse vint nous apporter du café et des sandwichs. La vapeur s'élevant des tasses avait embué ses lunettes et elle progressait à petits pas saccadés. Le père Ménard se leva pour lui prendre le plateau.

— Merci, sœur Bernard. C'est très gentil. Très gentil.

La religieuse hocha la tête et repartit, sans prendre la peine d'essuyer ses lunettes. Tout en la suivant des

13

yeux, je me suis servie du café. Ses épaules étaient à peine plus épaisses que mon poignet.

— Quel âge peut-elle avoir ? ai-je demandé en me penchant pour prendre un sandwich saumon-mayonnaise garni de salade flétrie.

— Elle était déjà là lorsque je venais au couvent, enfant, avant la guerre. La Seconde Guerre mondiale, j'entends. Ensuite, elle est partie enseigner dans des missions étrangères. Au Japon, longtemps. Puis au Cameroun. Disons qu'elle doit avoir quatre-vingt-dix ans passés.

Il a bu une gorgée. Plutôt sonore.

— Elle est née dans un petit village du Saguenay et dit être entrée dans les ordres à l'âge de douze ans. (Rebruitage.) Les registres n'étaient pas tellement fiables à cette époque dans les campagnes. Pas tellement fiables.

J'ai mordu dans mon sandwich, puis serré la tasse dans mes mains. Délicieuse chaleur.

— Mon père, y a-t-il d'autres registres ? Des vieilles lettres, des documents que nous n'aurions pas examinés ?

J'ai remué les orteils. Aucune sensation.

Du bras, il a montré les papiers qui encombraient son bureau.

— Vous avez là tout ce que sœur Julienne m'a donné. C'est l'archiviste du couvent, voyez-vous...

— Oui.

Nous avions déjà eu nombre d'échanges, sœur Julienne et moi. Son premier courrier m'avait tout de suite intriguée. Le cas était très différent de ceux que traite un anthropologue judiciaire. D'habitude, les morts m'attendent chez le coroner. L'archevêché me demandait d'exhumer les restes d'une sainte. À vrai dire, elle ne l'était pas encore. La question était justement là. Élisabeth Nicolet avait été proposée pour la béatification, et il me fallait trouver les os, vérifier qu'ils étaient bien les siens ; la canonisation, le Vatican, lui, s'en chargerait...

Sœur Julienne m'avait assuré qu'il s'agissait des bons registres. Toutes les tombes de l'ancienne église y étaient répertoriées et situées. La dernière inhumation remontait à 1911. L'église avait ensuite été abandonnée, et condamnée en 1914 à la suite d'un incendie. En remplacement, on en avait bâti une plus spacieuse. Site condamné. Bonne documentation. Du gâteau.

Alors, où était donc Élisabeth Nicolet ?

— Sœur Julienne a peut-être d'autres documents qu'elle a jugés sans importance.

Il était sur le point de dire quelque chose, puis se reprit.

— Je vais le lui demander, mais sœur Julienne a passé beaucoup de temps sur ces recherches. Beaucoup de temps, a-t-il répété avant de sortir.

J'ai fini le sandwich, en ai grignoté un deuxième. Ramenant mes pieds sous mon siège, j'ai remué mes orteils. Bien. La sensibilité revenait. Tout en buvant mon café, j'ai pris une des lettres sur le bureau.

Je l'avais déjà lue. 1885, 4 août. Épidémie de variole à Montréal. Élisabeth Nicolet écrit à l'évêque Édouard Fabre, le suppliant d'ordonner la vaccination pour les paroissiens non atteints, et le recours aux hôpitaux laïcs pour ceux qui l'étaient déjà. L'écriture était ferme et le style désuet.

Le couvent de Notre-Dame-de-l'Immaculée-Conception était totalement silencieux. Mon esprit s'évadait. D'autres exhumations me revenaient en mémoire. Saint-Gabriel : dans ce cimetière-là, les cercueils étaient empilés sur trois rangées. Celui de Beaupré se situait quatre emplacements plus loin que prévu. Et aussi cet homme à Winston-Salem qui n'était pas dans le bon cercueil. À sa place, il y avait une femme avec une robe longue à fleurs. Ce qui nous avait laissés avec un double problème : où était le défunt ? et qui était dans le cercueil ? Sa famille ne pourrait jamais rapatrier le grand-père en Pologne. Au moment de mon départ, les avocats en étaient à fourbir leurs armes.

Très loin, j'entendis une cloche sonner, puis les pas traînants de la vieille religieuse approcher dans le couloir.

— Des serviettes ?

Le timbre strident de sa voix m'a fait sursauter et j'ai renversé du café sur ma manche. Quelle voix puissante pour un corps si menu !

— Merci, ai-je répondu en tendant la main.

Ignorant mon geste, elle s'est mise à frotter la tache. Un minuscule appareil auditif pointait derrière son oreille droite. Je sentais l'effleurement de son souffle. Elle avait des poils de duvet blanc sur le menton et il émanait d'elle un parfum de laine et d'eau de rose.

— Et voilà. Lavez-la quand vous rentrerez chez vous. À l'eau froide.

— Oui, ma sœur.

Vieux réflexe.

Ses yeux sont tombés sur la lettre que je tenais en main. Qui heureusement avait échappé au café. Elle s'est penchée.

— Élisabeth Nicolet était une grande âme. Une âme de Dieu. Si pure. Si austère.

Pure. Austère. Tout à fait le ton des lettres d'Élisabeth.

— Oui, ma sœur.

J'avais neuf ans, à nouveau.

— Elle va être canonisée.

— Oui, ma sœur. C'est pour cela que nous cherchons ses ossements. De manière qu'ils soient traités comme il se doit.

Je ne savais pas très bien ce que signifiait « comme il se doit » pour une sainte, mais cela sonnait bien.

J'ai pris le croquis pour lui montrer.

— Ceci est l'ancienne église.

Suivant la rangée jusqu'au mur nord, j'ai indiqué un rectangle.

— Sa tombe est là.

La vieille sœur a examiné le plan pendant très long-temps, le visage à quelques millimètres de la page.

— Ce n'est pas là qu'elle est ! a-t-elle hurlé.

— Pardon ?

Elle a tapoté l'emplacement d'un doigt crochu.

— Ce n'est pas la bonne place.

Le père Ménard entra, accompagné d'une grande religieuse avec de gros sourcils noirs qui se rejoignaient au-dessus du nez. Il me la présenta comme sœur Julienne. Elle me salua et sourit.

Il n'était pas nécessaire d'expliquer ce que sœur Bernard venait de dire. Nul doute qu'ils l'avaient entendu du couloir. On devait l'entendre jusqu'à Ottawa !

— Ce n'est pas là, répétait-elle. Vous ne cherchez pas à la bonne place.

— Que voulez-vous dire ? a demandé sœur Julienne.

— Elle n'est pas là, insistait-elle.

J'ai regardé le père Ménard.

— Où est-elle, ma sœur ?

De nouveau, elle s'est penchée sur le croquis, puis brusquement elle a pointé son doigt sur le coin sud-est du plan de l'église.

— Elle est là. Avec mère Aurélie.

— Mais, ma sœur...

— Ils les ont bougées. Mises dans un autre cercueil et inhumées sous un autel spécial. Ici.

Et, encore une fois, elle a montré le coin sud-est.

— Quand ? avons-nous demandé en chœur.

Elle a fermé les yeux. Sa bouche toute plissée de vieillesse remuait en un silencieux calcul.

— 1911. L'année où je suis entrée ici comme novice. Je m'en souviens parce que, quelques années après, l'église a brûlé et qu'ils l'ont fermée. J'étais chargée de venir déposer des fleurs sur l'autel. Je n'aimais pas ça. De venir là toute seule, ça donnait la chair de poule. Mais je l'ai offert à Dieu.

— Et l'autel, qu'est-ce qu'il est devenu ?

— Ils l'ont enlevé de là dans les années trente. Maintenant, il est dans la chapelle de l'Enfant-Roi, dans la nouvelle église.

Elle a commencé à replier les serviettes et à rassembler la vaisselle du café.

— Il y avait une plaque qui marquait la place de ces tombes. Plus personne n'entre là-bas maintenant. Cela doit faire des années que la plaque a disparu.

J'ai croisé le regard du père Ménard, qui m'a répondu d'un petit haussement d'épaules.

— Ma sœur, ai-je dit alors, vous croyez que vous pourriez nous montrer où se trouve la tombe d'Élisabeth ?

— Bien sûr.

— Tout de suite ?

— Pourquoi pas ? a-t-elle fait, au milieu du tintement de la faïence entrechoquée.

— Ne vous occupez pas de la vaisselle, ma sœur, a dit le père Ménard. Allez prendre votre manteau et vos bottes, s'il vous plaît.

Dans la vieille église, la situation ne s'était pas améliorée, peut-être même faisait-il plus froid et humide que dans la matinée. Le vent hurlait toujours et les branches frappaient les planches.

Sœur Bernard suivait un chemin à peine visible, le père Ménard et moi la soutenant chacun par un bras. Sous l'épaisseur des vêtements, on la sentait légère comme une plume.

Nous étions suivis par les mêmes religieuses venues en observatrices caquetantes, sœur Julienne armée d'un bloc et d'un stylo, Guy fermant la marche.

Sœur Bernard fit halte. Nous l'observions tournant la tête d'un côté, de l'autre, attentive à certains repères, cherchant à s'orienter. Elle avait enfoncé par-dessus son voile un bonnet vert clair tricoté main dont elle avait noué les pattes sous le menton. Tous les yeux étaient fixés sur ce seul point coloré dans l'intérieur sinistre de la chapelle.

Je fis signe à Guy d'installer un projecteur. Sœur Bernard n'y prêta pas attention. Au bout d'un moment, elle s'éloigna du mur. Coup de tête à droite, à gauche, à droite. Plus haut. Plus bas. Dernière vérification, puis, du talon de sa botte, elle a essayé de creuser une ligne sur le sol.

— Elle est là.

Sa voix perçante rebondissait sur les murs de pierre.

— Êtes-vous sûre ?

— Elle est là.

Sœur Bernard ne manquait pas d'assurance.

Nous regardions tous la ligne qu'elle avait tracée.

— Elles sont dans des petits cercueils. Pas ceux de d'habitude. Il n'y avait plus que des os, si bien que tout y tenait.

De ses bras maigres, tout tremblotants, elle indiquait une longueur correspondant à une taille d'enfant. Guy a orienté le faisceau de lumière sur ses pieds.

Le père Ménard a remercié la vieille religieuse et prié deux des sœurs de la raccompagner. J'ai suivi leur retraite des yeux. On aurait dit une enfant, tellement petite que l'ourlet de son manteau effleurait le sol.

J'ai demandé à Guy de rapporter l'autre projecteur, tandis que je récupérais ma sonde laissée un peu plus loin le matin même. En plaçant la pointe à l'endroit indiqué par sœur Bernard, j'ai donné une poussée. Aucune réaction. Ce coin-là n'était pas autant dégelé. J'utilisais une sonde en céramique pour ne pas risquer d'abîmer quelque chose en dessous, et la pointe, en forme de bille, ne traversait pas facilement la première couche de terrain. Nouvel essai, cette fois-ci avec plus de force.

Vas-y mollo, Brennan. Ils ne seront pas contents si tu pulvérises un panneau du cercueil. Ou si tu fais un trou dans le crâne de la bonne sœur.

Au nouvel essai, j'ai senti une résistance. J'ai replanté la sonde quinze centimètres plus à droite. Un contact à nouveau. Il y avait un élément solide enterré près de la surface.

Levant le pouce en direction du prêtre et des religieuses, j'ai demandé à Guy de m'apporter le tamis. Une pelle à bout plat a remplacé la sonde, et j'ai commencé à prélever des pellicules de terre de moins de trois centimètres, que je versais ensuite sur le tamis, mes yeux allant et venant de la tranchée à la grille. En moins d'une demi-heure, j'ai trouvé ce que je cherchais. Les toutes dernières pelletées étaient foncées, noires, en comparaison du brun-rouge contenu dans le tamis.

Passant à la truelle, je me suis penchée au-dessus de la cavité pour racler le sol. Presque immédiatement est apparue une forme ovale sombre. D'à peu près un mètre de long. Quant à la largeur, je ne pouvais que la deviner, car la moitié était encore sous terre.

— Là, il y a quelque chose, ai-je déclaré en me redressant.

Vapeur suspendue devant ma bouche.

Comme un seul homme, les religieuses et le prêtre se sont rapprochés. Du bout de ma truelle, j'ai encerclé l'ovale. Au même instant, l'escorte de sœur Bernard rejoignait le troupeau.

— Ça peut être une sépulture, bien que cela paraisse plutôt petit. J'ai creusé un peu à gauche, il va donc falloir que je déblaye cette partie-ci.

J'indiquais l'endroit où je m'étais accroupie.

— Je vais creuser tout autour de la tombe, pour ensuite procéder vers l'intérieur et en profondeur. Cela nous donnera une vue latérale et en plus c'est moins fatigant pour le dos. Et une tranchée extérieure nous permettra de retirer le cercueil du côté qui nous arrange.

— C'est quoi, cette tache foncée ? a demandé une jeune religieuse genre scout.

— Quand quelque chose ayant une haute teneur organique se décompose, cela teinte la terre. Cela peut être dû au cercueil en bois ou aux fleurs enterrées avec.

Je ne tenais pas à entrer dans le détail des processus de décomposition.

— Une telle coloration est presque toujours le premier signe révélant une sépulture.

Deux des sœurs se sont signées.

De nouveau, le bruit de la truelle et du tamisage. Quand soudain une religieuse a dit :

— Il y a quelque chose, là.

Je me suis redressée, heureuse du prétexte pour m'étirer. Elle m'indiquait un petit fragment d'un brun rougeâtre dans le tamis.

— Mais nom de D..., je..., vous avez parfaitement raison, ma sœur. On dirait du bois de cercueil.

J'ai sorti un paquet de sacs en papier. J'ai noté sur le premier la date, l'emplacement, ainsi que toutes les informations nécessaires, et l'ai mis dans le tamis. Mes doigts étaient maintenant complètement gourds.

— Eh bien, au travail, mesdames. Sœur Julienne, vous notez tout ce que nous trouvons. Vous l'écrivez sur le sac et l'inscrivez dans le registre, comme nous l'avions dit. Nous sommes... — un coup d'œil dans l'excavation — à environ trois quarts de mètre de profondeur. Sœur Marguerite, vous filmez en vidéo ?

Hochement de tête de sœur Marguerite, sa caméra à bout de bras.

Ils s'activèrent tous avec entrain, après ces longues heures d'observation passive. Je pelletais, sœur Scout tamisait. Il y avait de plus en plus de fragments et, en peu de temps, on vit se dessiner un contour dans la terre teintée. Du bois. Sacrément abîmé. Mauvais.

De mes mains nues et à la truelle, j'ai continué à dégager ce que j'espérais être un cercueil. Bien que la température fût bien en deçà du point de congélation et que toute sensibilité eût disparu au niveau de mes doigts et de mes orteils, je transpirais à grosses gouttes sous mon parka. *Faites que ce soit elle, je vous en prie...* Il fallait croire que c'était mon tour de prier.

En agrandissant le trou centimètre par centimètre vers le nord, je découvrais de plus en plus de bois. Lentement émergeait une forme hexagonale. Une

forme de cercueil. J'eus du mal à ne pas crier : Alléluia !
D'une parfaite religiosité mais pas franchement professionnel.

Des deux mains, j'ai balayé la terre. C'était un petit cercueil et je progressais du pied vers la tête. Changement d'outil pour un pinceau. Mon regard a croisé celui d'une des sœurs affectées au tamis. Sourire. Sourire. Le dessous de son œil dansait le foxtrot.

J'ai brossé et rebrossé la surface de bois, délogeant des décennies de terre incrustée. Tout le monde s'est arrêté pour regarder l'objet qui apparaissait sur le couvercle du cercueil. Exactement là où une plaque aurait dû se trouver. C'était maintenant mon cœur qui battait la chamade.

J'ai brossé jusqu'à ce que l'objet soit parfaitement visible. Ovale, métallique, avec une bordure ciselée. Puis, avec une brosse à dents, j'en ai doucement nettoyé la surface. Des lettres se dessinaient.

— Ma sœur, me passeriez-vous ma lampe de poche ? Dans le sac...

De nouveau, elles se penchèrent comme un seul homme. Des pingouins autour d'un trou d'eau vive. J'ai dirigé le faisceau sur la plaque : *Élisabeth Nicolet 1846-1888. Femme contemplative.*

— Nous l'avons trouvée, ai-je déclaré à la cantonade.

— Alléluia ! s'est exclamée sœur Scout.

Autant pour la religiosité !

Les deux heures suivantes furent occupées à exhumer les restes d'Élisabeth. Les religieuses, et même le père Ménard, se mirent à la tâche avec la fougue d'étudiants procédant à leur première fouille. Robes et soutane virevoltaient autour de moi, le tamis filtrait la terre, les sacs étaient remplis, identifiés et fermés d'une agrafe, tandis que toute l'opération était filmée. Même Guy apportait son aide, quoique toujours avec réticence. C'était bien la plus curieuse équipe que j'aie jamais dirigée.

Sortir le cercueil n'était pas une mince affaire. Il était de petite taille, mais le bois se révélait en piteux état et, avec la terre dont il était rempli, il pesait dix tonnes. La tranchée latérale avait été une idée judicieuse, pourtant j'avais sous-estimé la place qui nous serait nécessaire. Il fallut agrandir le trou de presque un mètre pour pouvoir glisser dessous une planche de contreplaqué. Finalement, on put soulever tout l'ensemble avec des cordes.

À cinq heures et demie, nous buvions le café dans la cuisine du couvent, épuisés. Nos doigts, nos pieds et nos visages dégelaient tranquillement. Élisabeth Nicolet et son cercueil étaient enfermés dans la camionnette de l'archevêché, avec mon équipement. Demain, Guy viendrait à Montréal, au laboratoire de médecine légale où je travaillais comme anthropologue judiciaire pour la province de Québec. Bien que les morts historiques ne relèvent pas du domaine judiciaire, une autorisation spéciale avait été obtenue auprès du bureau du coroner me permettant d'effectuer des analyses. J'en avais pour deux semaines.

J'ai posé ma tasse, fait et refait mes adieux. Les sœurs m'ont remerciée, et remerciée encore, grands sourires éclairant des visages soucieux, déjà inquiets de ce que j'allais trouver. Elles étaient très fortes pour sourire.

Le père Ménard vint me raccompagner à ma voiture. La nuit était déjà noire et il tombait une petite neige. Sur mes joues, les flocons paraissaient étrangement chauds.

Le prêtre me demanda une nouvelle fois si je ne préférais pas passer la nuit au couvent. Derrière lui, la neige scintillait en passant en rafales devant la lumière du porche. Je déclinai encore son invitation. Deux ou trois détours, et j'étais sur mon chemin.

Vingt minutes de route à double sens et je commençais à regretter ma décision. Les flocons, qui avaient d'abord dansé gentiment dans le faisceau de mes phares, formaient maintenant un rideau uniforme qui frappait en biais. La route et les arbres de chaque côté étaient recouverts d'une membrane blanche qui, de seconde en seconde, devenait plus opaque.

Les mains crispées sur le volant, paumes moites dans mes gants, j'ai ralenti à soixante. Cinquante. À intervalles réguliers, je testais mes freins. Bien que vivant au Québec par intermittence depuis des années, je ne m'étais toujours pas habituée à la conduite d'hiver. Je me considère comme une femme solide, mais mettez-moi sur quatre roues quand il neige et je suis la reine des poules mouillées. J'ai toujours, face à une tempête, la réaction typiquement sudiste. Oh, il neige ! Alors nous ne sortirons pas, bien sûr. Les Québécois me regardent faire et rigolent.

La peur a une contrepartie positive. Cela dissipe la fatigue. Malgré mon épuisement, je restais sur le qui-vive, mâchoires serrées, cou tendu, muscles bandés. L'autoroute des cantons de l'Est valait un peu mieux que les petites routes mais tout juste. Du lac Memphrémagog à Montréal, on met normalement deux heures. Cela m'en prit presque quatre.

Peu après dix heures, j'entrai dans mon appartement sombre, exténuée mais heureuse de me retrouver chez moi. Mon chez-moi québécois. Depuis presque deux mois que j'étais en Caroline du Nord, je n'y étais pas revenue. *Bienvenue...* Mentalement, j'étais déjà repassée aux expressions du pays.

Remonter le chauffage. Regarder dans le réfrigérateur. Déprimant. J'ai envoyé un taco surgelé dans le micro-ondes, puis je l'ai noyé d'une limonade à la température de la pièce. Pas de la haute gastronomie mais reconstituant.

Les bagages que j'avais déposés mardi soir étaient

toujours dans ma chambre. Pas question de ranger maintenant. Demain. Direction mon lit, avec pour objectif au moins neuf heures de sommeil.

Quatre heures plus tard, j'étais réveillée par le téléphone.

— Allô, *yes...*, ai-je grommelé, mon logiciel de transfert linguistique encore dans les limbes.

— Temperance ? C'est Pierre LaManche. Je suis vraiment désolé de vous réveiller à cette heure.

J'ai attendu la suite. Depuis sept ans que je travaillais avec lui, le directeur du labo ne m'avait jamais appelée à trois heures du matin.

— J'espère que les choses se sont bien passées au lac Memphrémagog... — Il s'est éclairci la gorge. — Je viens de recevoir un appel du bureau du coroner. Il y a le feu, dans une maison de Saint-Jovite. Les pompiers sont en train d'essayer de le maîtriser. Les enquêteurs du service des incendies criminels y seront à la première heure demain matin, et le coroner veut que nous y soyons également... — Nouveau raclement de gorge. — Un voisin a dit que les occupants devaient s'y trouver. Les voitures sont dans l'allée.

— Et vous avez besoin de moi pour quoi ?

— Apparemment, le feu est très intense. S'il y a des victimes, les corps seront presque entièrement carbonisés. Peut-être réduits aux os calcinés et aux dents. La récupération pourrait être difficile.

Oh, Seigneur ! Pas demain...

— À quelle heure ?

— Je passe vous prendre à six heures ?

— D'accord.

— Temperance, il est possible que ce soit dur. Il y avait des enfants.

J'ai mis mon réveil pour cinq heures et demie. *Bienvenue...*

2.

Toute ma vie d'adulte s'est déroulée dans le Sud. Pour moi, il ne fera jamais trop chaud. J'adore la plage en août, les robes d'été, les ventilateurs, respirer les cheveux des enfants quand ils ont eu chaud, le bourdonnement des mouches dans la moustiquaire. Et pourtant je passe tous mes étés et les vacances scolaires au Québec. Pas un mois de l'année universitaire sans que je m'envole de Caroline du Nord — faculté d'anthropologie de l'université de Charlotte — pour Montréal, au laboratoire de médecine légale. Au bas mot, près de deux mille kilomètres. Franc nord.

Quand c'est au cœur de l'hiver, j'ai souvent un petit débat intime au moment de débarquer. Il va faire froid, rappelle-toi. Très froid. Mais tu vas t'habiller en conséquence. Et tu y es préparée. C'est ça. Mais jamais assez. C'est toujours un choc de quitter le terminal et d'inspirer la première, saisissante, bouffée d'air glacial.

À six heures du matin, ce 10 mars, le thermomètre sur ma terrasse indiquait moins dix-sept. J'avais enfilé tout ce qui était humainement possible. Collant et combinaison à manches longues, un jean, deux pulls, des bottes de randonnée et, sous les chaussettes en laine, des chaussons thermostatiques, conçus pour garder brûlants, même sur Pluton, les pieds des astronautes.

Soit l'équipement de combat de la veille. J'aurais sans doute tout juste chaud.

Au coup de klaxon de LaManche, j'ai remonté la fermeture de mon parka, mis mes gants, enfoncé mon bonnet de ski, et je suis sortie comme une bombe. Cette petite expédition m'emplissait d'un tel enthousiasme qu'il n'était pas question en plus de le faire attendre. D'autant que j'avais vraiment très, très chaud.

Je m'étais attendue à une petite voiture noire, mais il m'a fait signe d'une jeep. Quatre roues motrices, rouge vif, avec des bandes latérales de voiture de course.

— Jolie voiture, ai-je dit en montant.

— Merci.

Il m'a montré, calés entre nos sièges, deux gobelets de café et un sac de beignets Dunkin' Donuts. Béni sois-tu... Je me suis décidée pour un pomme-cannelle.

Sur la route de Saint-Jovite, il me fit part de ce qu'il savait. Ce qui n'allait pas beaucoup plus loin que ce que j'avais entendu à trois heures du matin. Les voisins d'en face avaient vu les occupants de la maison arriver vers neuf heures ce soir-là. Eux-mêmes se rendaient chez des amis un peu plus loin. Ils étaient rentrés tard, vers deux heures du matin, et avaient aperçu une lueur en bas de la route, puis des flammes jaillir de la maison. Une autre voisine pensait avoir entendu des bruits d'explosion un peu après minuit, mais elle n'en était pas sûre, et s'était rendormie. Le quartier se trouve loin du centre et est peu habité. La brigade des pompiers volontaires était arrivée à deux heures et demie et avait immédiatement demandé du renfort. Cela avait pris plus de trois heures aux deux équipes pour neutraliser les flammes. LaManche avait reparlé au coroner à six heures moins le quart. Deux victimes pour le moment, mais on s'attendait à en trouver d'autres. Certaines zones étaient encore brûlantes, ou dangereuses pour poursuivre les recherches. L'origine criminelle était évoquée.

Nous roulions vers les Laurentides. La nuit commençait à s'éclaircir. LaManche n'était pas bavard, ce qui me convenait parfaitement. Je ne suis pas du matin. Par ailleurs, c'était un accro de musique, et il enchaînait cassette sur cassette. Classique, pop, même country & western. Ce mélange formait une musique genre fond sonore lénifiant d'ascenseur ou de salle d'attente. Cela me mettait les nerfs en boule.

— On est à combien de Saint-Jovite ? dis-je en me resservant, cette fois-ci, un double chocolat-miel.

— Nous en avons pour deux heures. Saint-Jovite est à vingt-cinq kilomètres environ avant le mont Tremblant. Vous y êtes déjà allée skier ?

Il portait un parka kaki qui lui recouvrait les genoux, avec un capuchon bordé de fourrure. De profil, tout ce que je pouvais voir, c'était le bout de son nez.

— Mmm... Magnifique.

J'avais failli m'y geler les pieds. C'était la première fois que je faisais du ski au Québec et j'étais habillée pour les Blue Ridge Mountains. Au sommet, le vent aurait congelé de l'hydrogène liquide.

— Comment ça s'est passé à Memphrémagog ?

— Elle n'était pas là où nous le pensions, mais est-ce vraiment original ? Apparemment, elle a été exhumée et réenterrée en 1911. Bizarre qu'on n'en ait gardé aucune trace.

« Très bizarre », me suis-je dit en buvant mon café tiède. Version instrumentale de *Born in the USA,* de Springsteen. Il fallait tenter un barrage psychologique.

— En tous les cas, nous l'avons trouvée. Les restes seront portés au labo aujourd'hui.

— Ce feu tombe vraiment mal. Je sais que vous espériez avoir toute la semaine pour cette analyse.

Au Québec, l'hiver est plutôt tranquille pour les anthropologues judiciaires. La température monte rarement au-dessus du point de congélation. Les rivières et les lacs sont couverts de glace, le sol devient dur comme du roc et la neige enterre tout. Les larves disparaissent et bien des rongeurs rentrent dans leurs

trous. Résultat : il n'y a plus de cadavres qui se putréfient. Pas de navigateurs qu'on repêche dans le Saint-
Laurent. Les gens, eux aussi, rentrent dans leurs trous.
Chasseurs, randonneurs et amateurs de pique-nique
cessent de sillonner forêt et campagne, et certains des
morts de fin de saison ne sont retrouvés qu'à la fonte
de printemps. Les affaires qui me sont habituellement
réservées, les sans-visage en quête de nom, se font plus
rares de novembre à avril.

À l'exception des incendies domestiques, en augmentation durant les mois les plus froids. La plupart
des brûlés reviennent à l'odontologiste, qui les identifie grâce aux dossiers dentaires. Ayant l'adresse, on
connaît généralement les occupants, ce qui permet de
faire sortir les fichiers *ante mortem* pour comparaison.
C'est quand on retrouve un corps carbonisé, anonyme,
que mon aide peut s'avérer nécessaire. Ou en cas de
récupération de corps en mauvais état. LaManche avait
raison. J'avais compté sur un emploi du temps dégagé
de toute obligation. Aller à Saint-Jovite ne m'enchantait pas.

— Mais mon aide ne sera peut-être pas requise pour
l'analyse.

Cent mille et une cordes attaquèrent *I'm sitting on
the top of the world.*

— On aura probablement les dossiers dentaires de
la famille.

— Probablement.

Nous étions arrivés à Saint-Jovite en moins de deux
heures. Le soleil s'était levé et peignait la ville et la
campagne environnante de teintes glacées et pastel.
Nous prîmes vers l'ouest une route, à double voie,
pleine de tournants. Presque immédiatement, deux
camions à plate-forme nous croisèrent, chargés l'un
d'une vieille Honda grise, l'autre d'une Plymouth
Voyager rouge.

— Apparemment, ils ont saisi les voitures, a dit
LaManche.

J'ai regardé les véhicules disparaître dans mon rétroviseur. Il y avait des sièges d'enfants dans la familiale et un autocollant *Smile* collé sur le pare-chocs arrière. J'imaginais un gosse tirant la langue à la fenêtre, grimaçant à la face du monde. Avec ma sœur, on appelait cela « faire les gros yeux ». Cet enfant-là était peut-être dans une des chambres, tellement brûlé qu'on ne le reconnaîtrait pas.

Quelques minutes plus tard, nous avons aperçu, alignés le long du trottoir, des véhicules de police, des camions de pompiers et des services municipaux, des camionnettes dépêchées par la presse, des ambulances et des voitures banalisées qui encombraient les deux côtés d'une longue allée de graviers.

Les journalistes se tenaient par petits groupes. Certains restaient assis dans les voitures, au chaud, en attendant le rapport officiel. On pouvait en remercier le froid et l'heure matinale, les curieux étaient étonnamment peu nombreux. De temps à autre, une voiture passait, puis revenait lentement sur ses pas. Des badauds en vadrouille. Il y en aurait bien plus tout à l'heure.

LaManche mit son clignotant et s'engagea dans l'allée. Un policier nous fit signe de nous arrêter. Il portait un blouson d'uniforme vert olive, avec un col de fourrure noire, une écharpe et un chapeau du même vert dont les rabats étaient relevés sur le dessus de sa tête. Ses oreilles et son nez étaient rouge framboise et, quand il parlait, sa bouche dégageait un nuage de vapeur. J'ai failli lui dire de se protéger les oreilles, mais le sentiment que j'ai eu d'agir comme ma mère m'a fait taire. C'était un grand garçon. Si ses lobes se cassaient en deux, il s'en arrangerait.

LaManche a présenté sa carte, et le garde nous a fait signe d'aller nous garer derrière le camion bleu de la section d'identité judiciaire. L'équipe de terrain était déjà là. Et sans doute, aussi, celle des incendies criminels.

Le ciel était maintenant bleu azur, la lumière du soleil scintillait sur la neige tombée durant la nuit. L'air était si glacial qu'il en semblait cristallin et donnait à tout une apparence nette et acérée. L'ombre des voitures, des bâtiments, des arbres et des poteaux électriques se projetait sur le sol enneigé, noire, parfaitement découpée, comme sur un film très contrasté.

Les restes calcinés d'une maison, ainsi qu'un garage intact et une espèce de cabanon, plus petit — tous dans le même style alpin minable — se trouvaient en haut de l'allée. Des traces de pas reliaient les trois bâtiments. Des conifères entouraient la maison, les branches si chargées de neige que les pointes fléchissaient. Un écureuil a couru le long d'une branche et a déclenché la chute en cascade de gros paquets de neige, qui sont venus cribler le tapis blanc, puis il est revenu se réfugier contre le tronc.

Le toit de la maison, haut et pointu, en tuiles d'un rouge orangé maintenant noircies, tenait encore partiellement debout. Mais il se trouvait pris dans la glace. La partie de mur qui n'avait pas brûlé était recouverte d'un revêtement crème. Les fenêtres aux vitres cassées s'ouvraient en trous sombres et béants, la corniche turquoise était recouverte de suie.

Le feu avait embrasé la partie gauche de la maison et détruit en grande partie l'arrière. Côté jardin, on apercevait des poutres charbonneuses au départ du toit. Des volutes de fumée s'échappaient encore.

La façade était un peu moins abîmée. Une véranda en bois s'étendait sur toute la longueur, et des balcons dépassaient au premier étage. Tous avec les mêmes balustrades de petites lattes roses, rondes au sommet et ornées à intervalles réguliers de découpes en forme de cœur.

Je me suis retournée vers l'allée. De l'autre côté de la rue, il y avait un chalet semblable, celui-là soigneusement peint en rouge et bleu. Un homme et une femme, dehors, bras croisés, mains gantées glissées sous les aisselles, contemplaient la scène en silence plissant les yeux dans la luminosité matinale, leurs visages grimaçant sous les mêmes casquettes de chasse orange. Les voisins, qui avaient signalé le feu. J'a scruté la rue. Aucune autre maison à perte de vue Celle qui pensait avoir entendu des explosions devai avoir une bonne ouïe.

Avec LaManche, je me suis approchée de la maison Nous croisions des dizaines de pompiers, hauts en couleur, avec combinaison jaune, casque rouge, ceinturon d'outils bleu et bottes en caoutchouc noires. Certains portaient une bouteille d'oxygène attachée dans le dos La plupart semblaient rassembler leur équipement.

Un policier en uniforme attendait près de la porte d'entrée. Comme le garde de tout à l'heure, il relevait de la Sûreté du Québec, probablement du poste de Saint-Jovite ou d'une ville avoisinante. La police provinciale du Québec a juridiction partout hors de l'île de Montréal, sauf dans quelques villes qui maintiennent leur propre police. Saint-Jovite étant de trop petite taille pour cela, c'était la Sûreté qui avait été appelée, peut-être par le capitaine des pompiers, ou par le voisin. À leur tour, les policiers avaient joint les enquêteurs des incendies criminels de notre laboratoire. Section Incendie et Explosion. Je me demandais qui avait pris la décision de contacter le coroner. Combien de victimes allions-nous trouver ? Et dans quel état ? Pas fameux, sûrement. Mon cœur a changé de tempo.

LaManche a tendu son badge.

— Un instant, docteur, s'il vous plaît, a dit l'homme en levant une main gantée.

Appelant un des pompiers, il a désigné sa tête. En quelques secondes, nous étions équipés de casques et de masques.

— Faites attention, a-t-il dit, désignant d'un mouvement de menton la maison.

Oh, que oui, j'allais être prudente !

La porte d'entrée était grande ouverte. En passant le

seuil au-delà duquel le soleil ne pénétrait plus, la température chutait de cinq degrés. Il y faisait humide et cela sentait le bois brûlé, le plâtre et le linge mouillés. Tout était enduit d'un film visqueux et noir.

Droit devant, un escalier montait à l'étage. À droite et à gauche s'ouvraient ce qui avait dû être le salon et la salle à manger. Ce qui restait de la cuisine se trouvait à l'arrière.

Je n'avais jamais vu de lieu dans un tel état de dévastation après un incendie. Il y avait des planches carbonisées partout, tels des débris projetés contre une digue par la tempête. Empilées au-dessus d'un fouillis de chaises et de canapés, appuyées contre l'escalier, les murs et les portes. Des restes de mobilier s'entassaient en masses sombres. Les fils électriques pendaient, des tuyaux étaient tordus. Les cadres de fenêtres, les rampes d'escalier, les planches, tout était bordé de dentelles de glace noire.

La maison était pleine de gens casqués, discutant, prenant mesures, photos et films vidéo, récupérant des pièces à conviction, griffonnant sur des calepins. J'ai reconnu deux de nos enquêteurs du département Incendie, tenant un mètre. L'un accroupi tandis que l'autre, décrivant un cercle, inscrivait des données tous les deux trois pas.

LaManche, ayant repéré quelqu'un du bureau du coroner, s'est frayé un chemin jusqu'à lui. Je l'ai suivi en contournant des rayonnages métalliques tordus, des éclats de verre et une masse entortillée qui ressemblait à un sac de couchage rouge, vomissant sa bourre d'entrailles charbonneuses.

Le coroner était très gros, très rouge. Il s'est légèrement redressé à notre approche, a soupiré en laissant retomber sa lèvre inférieure. D'un geste circulaire, il a désigné le désastre environnant.

— Alors, monsieur Hubert, on parle de deux morts ?

LaManche et Hubert étaient physiquement aussi différents, contrastés, que deux couleurs opposées sur la gamme chromatique. Le pathologiste tout en longueur et en os, avec son visage de limier, le coroner rond de partout. L'un se pensait en horizontales, l'autre en verticales.

Hubert a répondu d'un hochement de tête, et un triple menton a trembloté au-dessus de son écharpe.

— Là-haut.

— D'autres ?

— Pas encore, mais ils n'ont pas terminé en bas. Le feu a été beaucoup plus intense à l'arrière. Ils pensent que c'est probablement parti d'une des pièces qui jouxtent la cuisine. La zone a été totalement dévastée et le plancher s'est écroulé dans la cave.

— Vous avez vu les corps ?

— Non. J'attends qu'ils aient fini de déblayer pour monter. Le capitaine veut être sûr qu'il n'y a pas de danger.

J'étais pleinement de l'avis du capitaine.

Nous sommes restés plantés là, à observer la pagaille. Le temps passait. Je pliais et dépliais doigts et orteils, pour tenter de les assouplir. Finalement, trois pompiers sont descendus. Avec leur attirail, ils avaient une tête à avoir trifouillé dans des stocks d'armes chimiques.

— C'est bon, a dit le dernier en retirant son masque. Vous pouvez monter maintenant. Simplement, regardez où vous mettez les pieds et gardez votre casque. Tout le maudit plafond peut bien descendre d'un coup. Mais les planchers ont l'air corrects.

Il partait vers la porte, quand il s'est retourné.

— Ils sont dans la chambre à gauche.

Nous avons pris l'escalier tous les trois. Des morceaux de verre et des gravats crissaient sous nos talons. Mon estomac commençait déjà à faire des nœuds et une sensation de vide creusait ma poitrine. Cela a beau être mon métier, je ne suis toujours pas immunisée contre le spectacle de morts violentes.

En haut de l'escalier, deux portes s'ouvraient de

chaque côté, et tout au bout on apercevait une baignoire. Malgré les dégâts causés par la fumée, comparées au rez-de-chaussée, les choses semblaient relativement intactes.

À gauche, on pouvait voir une chaise, une bibliothèque et l'extrémité d'un lit à une place. Par-dessus, une paire de jambes. LaManche et moi sommes entrés dans cette chambre, tandis qu'Hubert allait inspecter celle de droite.

Le mur du fond avait partiellement brûlé. Les poutres d'un noir charbonneux, à la surface rugueuse et tachetée, « en peau de crocodile », comme dirait le rapport officiel, apparaissaient par endroits sous le papier peint à fleurs. Des débris calcinés et gelés craquaient sous nos semelles, il y avait de la suie partout.

LaManche a regardé longuement autour de lui, puis a sorti un minuscule dictaphone de sa poche. Il a enregistré la date, l'heure et le lieu, et s'est lancé dans la description des victimes.

Les corps étaient étendus sur des lits jumeaux, placés en L dans l'angle le plus éloigné, de chaque côté d'une petite table. Étrangement, ils semblaient complètement habillés bien que la fumée et la carbonisation aient maquillé tout signe révélant le sexe. La victime le long du mur du fond portait des chaussures de tennis, l'autre, sur le côté, était en chaussettes. Une chaussette de sport, en partie tirée, laissait apparaître une bande de cheville noire de fumée. L'extrémité pendouillait au bout des orteils. Deux adultes. L'un apparemment plus robuste que l'autre.

— Victime numéro un, poursuivait LaManche.

Je me suis forcée à approcher pour regarder de plus près. La victime numéro un avait les avant-bras levés, fléchis, comme si elle se préparait au combat. En position de boxeur. Si, faute de temps ou de force, le feu n'avait pu entièrement consumer les chairs, il avait, en se propageant le long du mur du fond, dégagé assez de chaleur pour cuire les membres supérieurs et entraîner la contraction des muscles. En dessous des coudes, les bras étaient gros comme des baguettes. Des masses de tissu calcinées restaient attachées à l'os. Les mains n'étaient plus que des moignons noircis.

Le visage me rappelait la momie de Ramsès. Les lèvres, totalement consumées, laissaient voir les dents, à l'émail noir et fendu. Une mince lisière d'or soulignait une incisive. Le nez était brûlé et rétréci, les narines pointées vers le haut comme le museau d'une chauve-souris. Des fibres musculaires étaient apparentes autour des orbites, s'étirant sur les pommettes et les mâchoires, comme sur un croquis anatomique. Il y avait au fond de chaque cavité un globe oculaire séché et racorni. Plus de sourcils. Ni de cheveux.

La victime numéro deux était mieux conservée. Une partie de la peau était noire et fissurée, mais, à plusieurs endroits, elle n'était que parcheminée. De fines lignes blanches partaient du coin des yeux et les oreilles avaient blanchi à l'intérieur du pavillon et sous les lobes. Les cheveux avaient frisé pour ne plus former qu'une calotte crépue. Un bras reposait sur le lit, l'autre était largement écarté du corps, dans un semblant de tentative pour atteindre son camarade dans la mort. La main était recroquevillée comme une griffe noircie et osseuse.

La voix monocorde de LaManche poursuivait sombrement la description. Je n'écoutais qu'à moitié, soulagée qu'on n'ait pas besoin de moi. À moins que... ? On avait parlé d'enfants. Où étaient-ils ? Par la fenêtre ouverte, j'apercevais des conifères, la neige qui scintillait sous le soleil. Dehors, la vie continuait.

Un silence me tira de mes réflexions. LaManche avait cessé de dicter et remplaçait ses gants de laine par des gants en latex. Il souleva les paupières de la victime numéro deux, inspecta l'intérieur du nez et de la bouche. Puis il roula le corps vers le mur et releva le pan de la chemise.

La peau était fendue. Retroussée sur les rebords. La

pellicule d'épiderme paraissait translucide, comme la fine membrane d'un œuf. En dessous, les tissus étaient rouge vif, marbrés de blanc là où ils s'étaient trouvés en contact avec les draps froissés. LaManche a pressé du doigt un muscle du dos, et un point blanc est apparu sur la chair écarlate.

Hubert nous rejoignit au moment où LaManche replaçait le corps sur le dos. Nous l'avons l'un et l'autre interrogé du regard.

— Il y a deux berceaux dans l'autre chambre. D'après les voisins, il y avait des jumeaux. Ils n'y sont pas.

Il respirait avec difficulté.

Nos visages restaient figés dans la même expression.

Hubert a sorti un mouchoir et essuyé son visage cramoisi. Sueur et température arctique ne faisaient pas un bon cocktail.

— Et ici, vous avez quelque chose ?

— Cela demandera évidemment une autopsie complète, a dit LaManche de sa mélancolique voix de basse, mais, en me basant sur une première analyse, je dirai que ces personnes étaient vivantes lorsque le feu s'est déclaré. Du moins, l'un des deux... Il a montré du doigt le corps numéro deux. J'en ai encore pour à peu près une demi-heure, ensuite vous pourrez les faire enlever.

Approuvant d'un hochement de tête, Hubert sortit pour prévenir son équipe de transport.

LaManche passa au premier corps, puis revint sur le second. J'observais en silence, soufflant dans mes mains au travers des gants. Finalement son examen arriva à son terme. Je n'avais pas besoin de le questionner.

— De la fumée, dit-il. Autour des narines, dans le nez et les voies respiratoires.

Il s'est tourné vers moi.

— Ils respiraient pendant l'incendie.

— Oui. Quoi d'autre ?

— La lividité cadavérique. La coloration tissulaire

rouge cerise. Cela laisse entendre une présence de monoxyde de carbone dans le sang.

— Et... ?

— La décoloration lorsqu'on a appliqué une pression. La pâleur cadavérique n'est pas encore totalement fixée. Il n'y a de décoloration que pendant les premières heures suivant le début de l'apparition de la lividité.

Il a regardé sa montre.

— Oui... Il est tout juste huit heures passées. Il est théoriquement possible que celui-ci ait été encore en vie vers les trois ou quatre heures du matin... Il a retiré ses gants de latex. Théoriquement, mais les pompiers sont arrivés ici à deux heures trente, la mort date donc d'avant. L'apparition de la lividité est extrêmement variable. Quoi d'autre ?

La question est restée en suspens. Un choc s'est fait entendre en dessous et des pas ont ébranlé l'escalier. Un pompier est apparu sur le seuil, le visage congestionné et la respiration haletante.

— *Ostid'câlice de tabernac !*

J'ai survolé mentalement mon lexique québécois. Expression inconnue. J'ai regardé LaManche. Avant qu'il puisse traduire, l'homme a continué.

— Y a quelqu'un qui s'appelle Brennan ici ? a-t-il demandé à LaManche.

De nouveau, cette sensation de vide dans ma poitrine.

— On a un cadavre dans la cave. Ils disent qu'ils vont avoir besoin de ce type, Brennan.

— Je suis Tempe Brennan.

Il m'a regardée un bon moment, casque coincé sous le bras, tête penchée de côté. Puis il s'est essuyé le nez d'un revers de main et s'est tourné vers LaManche.

— Vous pouvez descendre dès que vous aurez le feu vert du capitaine. Et prenez une petite cuillère... De l'autre là-bas, il ne reste pas grand-chose.

3.

Le pompier bénévole nous emmena au fond du rez-de-chaussée. Une grande partie du toit avait disparu et le soleil plongeait dans la pièce. Des particules de suie et des cendres voltigeaient dans le froid.

À gauche, dans la cuisine, on devinait ce qui restait d'un plan de travail, d'un évier et de plusieurs gros appareils ménagers. Tout ce que contenait le lave-vaisselle, ouvert, était noir et fondu. Partout, des planches brûlées, le même jeu de mikado géant que dans les pièces de devant.

— Restez là, le long du mur, nous dit le pompier, tandis qu'il disparaissait par l'encadrement de la porte.

Il revint quelques secondes plus tard. Derrière lui, le dessus du comptoir de cuisine s'enroulait sur lui-même comme un gigantesque rouleau de réglisse où se trouvaient emprisonnés des tessons de bouteille et toutes sortes de boules non identifiables.

Avec LaManche, nous le suivions, rasant le mur, longeant le comptoir, demeurant aussi loin que possible du centre de la pièce. Partout, des gravats, des récipients en métal ayant implosé et des bouteilles de propane roussies. Arrivée à la hauteur du pompier, j'ai tourné le dos au comptoir de cuisine pour faire un tour d'horizon du carnage. La cuisine et la pièce adjacente n'étaient que cendres. Le plafond avait disparu, les murs se réduisaient à quelques poutres calcinées. Le plancher n'était qu'un trou béant d'où jaillissait une échelle coulissante, pointant dans notre direction. Par l'ouverture, j'apercevais des hommes casqués déplaçant des débris.

— Il y a un corps en bas, dit notre guide en désignant le trou du menton. On est tombés dessus quand on a commencé à nettoyer ce qui est descendu avec le plafond.

— Un seul ou plus ? ai-je demandé.

— Maudit chris, j'en sais rien. Ça a pas franchement tête humaine.

— Adulte ou enfant ?

Il m'a lancé un regard, genre « z'êtes stupide ou quoi, ma petite dame ? ».

— Et quand vais-je pouvoir y aller ?

Ses yeux se sont portés sur LaManche, puis sont revenus vers moi.

— C'est au capitaine de décider. Ils sont encore en train de nettoyer. Ce serait dommage que votre joli petit crâne se fasse abîmer.

Cela dit avec un sourire qu'il considérait à coup sûr comme engageant. Il s'y exerçait probablement devant son miroir.

En dessous, les pompiers balançaient des planches, passaient et repassaient avec leurs chargements. D'au-delà de mon champ de vision me parvenaient des plaisanteries et le bruit d'objets arrachés et qu'on traînait.

— Est-ce qu'ils ont pensé qu'ils risquaient de détruire des pièces à conviction ?

Le pompier ne m'aurait pas regardée autrement si j'avais laissé entendre que c'était une comète qui avait frappé la maison.

— C'est que des lattes du plancher et la maudite cochonnerie qui est tombée d'ici.

— Cette « maudite cochonnerie » peut nous permettre de reconstituer la chronologie... — Ma voix était aussi glaciale que les stalactites qui pendaient du comptoir... — Ou la disposition des corps.

Son visage s'est durci.

— Il peut encore y avoir des foyers en bas, ma petite dame. Vous ne voulez pas qu'y en ait un qui vous explose en pleine figure, non ?

Je devais admettre que je n'y tenais pas.

— De toute manière, ce gars-là, c'est plus son problème.

Sous le casque, je sentais une veine battre sur le côté de mon joli petit crâne.

— Si la victime est aussi brûlée que vous semblez le dire, vos collègues pourraient détruire des parties essentielles du corps.

Les muscles de ses mâchoires tressaillirent tandis que son regard allait chercher de l'aide auprès de LaManche. Qui n'a rien dit.

— D' façon, le capitaine ne vous laissera probablement pas descendre là-dedans.

— Je dois y aller immédiatement pour fixer ce qui s'y trouve. Notamment les dents.

J'ai pensé aux bébés. Si seulement il pouvait y avoir des dents. Plein de dents. Toutes adultes.

— Si elles y sont encore.

Le pompier m'a détaillée de la tête aux pieds, jaugeant mon mètre soixante-cinq, mes cinquante-cinq kilos. Malgré les couches d'isolant thermique qui noyaient mes formes et le casque qui cachait mes cheveux longs, il en voyait assez pour être convaincu que je n'étais pas de la même planète.

— C'est pas vrai qu'elle va aller là-dedans ?

Du regard, il tenta de se faire un allié de LaManche.

— C'est le docteur Brennan qui va effectuer la récupération du corps.

— Ostid'câlice de tabernac !

Cette fois-ci, nul besoin de traduction. Pour Macho le pompier, ce travail nécessitait une paire de testicules.

— Les foyers ne sont pas vraiment un problème, lui ai-je dit en le fusillant du regard. Je dirais même que, d'habitude, j'aime travailler directement dans les flammes. Il y fait plus chaud.

Sur ce, il a agrippé les montants de l'échelle et il s'est laissé glisser jusqu'en bas, sans jamais effleurer de ses pieds les barreaux. Prodigieux. En plus, il fait des tours d'adresse ! J'imaginais facilement le tableau qu'il allait brosser à son capitaine.

— Ce sont des bénévoles, a fait remarquer La Manche, ébauchant un sourire. (Il avait quelque chose de Jolly Jumper, avec son casque.) Il faut que je termine au premier étage, mais je vous rejoins rapidement.

Il a retraversé la pièce en zigzaguant jusqu'à la porte, sa grande silhouette encapuchonnée voûtée par la concentration. Quelques secondes plus tard, le capitaine pointait la tête en haut de l'échelle. C'était lui qui nous avait conduits aux cadavres à l'étage.

— Vous êtes le docteur Brennan ?

J'ai répondu d'un petit signe de tête, prête à l'affrontement.

— Luc Grenier. Je dirige la brigade de pompiers de Saint-Jovite. — Il a détaché sa jugulaire et l'a laissée pendre. Il était plus âgé que son misogyne coéquipier. — Il nous faut attendre environ dix, quinze minutes, pour que le niveau inférieur soit sans danger, il peut encore rester des foyers. — La jugulaire se balançait en rythme. — C'en a été tout un et on n'a aucune envie que ça reprenne. — Il a montré quelque chose derrière moi. — Vous avez vu le tuyau, comme il est déformé ?

Je me suis retournée.

— C'est du cuivre. Pour faire fondre du cuivre, il faut monter à plus de onze cents degrés centigrades... — Il a secoué la tête et la jugulaire a suivi le mouvement. — C'en était vraiment tout un.

— Savez-vous comment ça a pris ? ai-je demandé.

À mes pieds se trouvait une bouteille de propane.

— À date, on a retrouvé douze de ces trucs. Soit y en avait un qui savait exactement ce qu'il faisait, ou bien il a loupé son barbecue en chris. — Il a imperceptiblement rougi. — Excusez...

— Origine criminelle ?

Le capitaine Grenier a tout à la fois haussé épaules et sourcils.

— Ça, c'est pas mon registre. — Il a bouclé sa jugulaire et attrapé les montants de l'échelle. — Nous, on se contente de repousser les débris pour s'assurer que le feu est bien froid. La cuisine était pleine de cochonneries. C'est ça qui a permis au fuel de flamber directement au travers du plancher. On va faire particulièrement attention autour des ossements. Je sifflerai quand ça sera bon.

— Surtout ne répandez pas d'eau dessus...

Il m'a fait un signe de la main et a disparu en bas de l'échelle.

Cela prit une demi-heure avant que je sois autorisée à descendre. Entre-temps, j'étais retournée au camion récupérer mon équipement et trouver un photographe. Repérant Pierre Gilbert, je lui ai demandé qu'on m'installe un tamis et un projecteur en bas.

La cave était un grand espace ouvert, sombre et humide, et plus froid que Yellowknife en janvier. Tout au fond se devinait la chaudière hérissée de tuyaux noirs et noueux comme les branches d'un immense chêne mort. Cela m'a rappelé une autre cave que j'avais visitée il n'y avait pas si longtemps. Où se terrait un tueur en série.

Les murs étaient en béton. La plupart des gravats avaient été déblayés et repoussés sur les côtés, laissant la terre à nu. Par endroits, le feu lui avait fait prendre une coloration brun-roux, à d'autres, elle était noire et aussi dure que le roc, comme des tuiles de céramique après cuisson. Tout était recouvert d'une mince pellicule de givre.

Le capitaine Grenier m'entraîna vers l'endroit où le plafond s'était effondré. D'après lui, on n'avait pas trouvé d'autres victimes ailleurs. J'espérais qu'il avait raison. Rien qu'à la perspective d'avoir à passer au crible toute la cave, j'en aurais pleuré. Me souhaitant bonne chance, il partit rejoindre son équipe.

Un faible rayon de soleil provenait de la cuisine. J'ai sorti de mes affaires une puissante lampe de poche. En un seul coup d'œil, mon adrénaline était au poste. Je ne m'étais pas attendue à cela.

Les restes, pour une grande part à l'état de squelette et présentant des degrés divers d'exposition au feu, étaient éparpillés sur au moins trois mètres.

Il y avait un tas avec la tête, entourée de fragments d'os de tailles et de formes diverses. Certains noirs et brillants, comme le crâne. D'autres d'un blanc crayeux et apparemment extrêmement friables. Aucun doute : ils tomberaient en morceaux si on ne les manipulait pas correctement. L'os brûlé est d'une légèreté de plume et excessivement fragile. Oui, cela promettait d'être une reconstitution délicate.

À environ un mètre cinquante du crâne se trouvait un assortiment de vertèbres, de côtes et d'os longs redessinant grossièrement la configuration anatomique. Eux aussi blanchis ou complètement carbonisés. J'ai noté l'orientation des vertèbres. Le squelette était sur le dos, l'un des bras ramené sur la poitrine, l'autre au-dessus de la tête.

En dessous des bras et de la poitrine, on voyait une masse noire en forme de cœur et deux os longs fracturés, qui n'étaient plus dans leur axe. Le bassin. Plus bas, les os calcinés et morcelés des jambes et des pieds.

Je me sentais soulagée et en même temps assez perplexe. Il n'y aurait là qu'une victime, et adulte. Mais était-ce certain ? Les os d'enfant sont très petits et terriblement cassants. Ils pouvaient facilement être en dessous. J'ai prié silencieusement afin de ne rien trouver d'autre en fouillant les cendres.

J'ai pris des notes, effectué quelques clichés au polaroïd. Puis j'ai commencé par brosser la terre et les cendres à l'aide d'un petit pinceau en poils de sanglier. Les os émergeaient lentement. Chaque débris était mis soigneusement de côté, pour être examiné et passé ensuite au tamis.

LaManche revint au moment où j'achevais de les nettoyer. Sans un mot, il m'a observée tandis que je sortais de mes affaires quatre piquets, un rouleau de corde et un mètre rétractable.

J'ai planté le premier piquet dans le sol, devant l'amas crânien, et accroché les extrémités de deux rubans au clou fixé au sommet de celui-ci. J'ai compté trois mètres et j'ai installé mon deuxième piquet. LaManche a tenu le ruban du deuxième piquet pendant que je revenais au premier, pour me situer perpendiculairement à une distance de trois mètres vers l'est. À l'aide du troisième ruban, j'ai mesuré les quatre mètres vingt-quatre de l'hypoténuse en partant du piquet de LaManche vers le coin nord-est. Le troisième piquet a trouvé sa place au point de jonction du deuxième et du troisième ruban. Ce qui, merci à Pythagore, me donnait un parfait triangle rectangle de trois mètres de côté.

Décrochant le deuxième ruban du premier piquet, je l'ai fixé au piquet nord-est et l'ai déroulé sur trois mètres vers le sud. LaManche a étiré le sien sur trois mètres vers l'est. Au point de jonction, j'ai planté le quatrième piquet.

Une corde passée autour des piquets est venue ceindre le carré de trois mètres de côté où se situaient les restes. Je traçerais ensuite des triangles avec pour sommets les piquets avant de prendre des mesures. Si besoin était, on pouvait aussi, pour plus de précision, découper le carré en quarts de cercle ou le quadriller.

Deux techniciens sont arrivés au moment où je plaçais la flèche indiquant le nord à côté de l'amas crânien. Ils étaient équipés de combinaisons polaires bleu nuit, avec, imprimé dans le dos, SECTION D'IDENTITÉ JUDICIAIRE. Je les enviais. Le froid humide qui régnait dans la cave pénétrait comme un couteau à travers mes habits et me transperçait jusqu'au cœur.

J'avais déjà travaillé avec Claude Martineau. Mais je ne connaissais pas son collègue. Nous nous sommes présentés tandis qu'ils installaient les projecteurs et le tamis.

— Cela va me prendre un moment pour tout passer en revue, ai-je dit en montrant le carré. Je veux dénicher la moindre dent et la fixer si c'est nécessaire. Il va également falloir que je m'occupe du pubis et de l'extrémité des côtes si j'en trouve. Qui se charge des photos ?

— Halloran arrive, a répondu Sincennes, le second technicien.

— Bien. D'après le capitaine Grenier, il n'y aurait personne d'autre ici, mais ça ne ferait pas de mal si vous inspectiez la cave.

— Il paraît qu'il y avait des enfants dans la maison, a fait Martineau, la mine sombre.

Lui-même en avait deux.

— Je suggère une recherche en quadrillage.

J'ai jeté un coup d'œil à LaManche, qui a approuvé d'un hochement de tête.

— On y va, a dit Martineau.

Avec son collègue, ils ont allumé leurs lampes frontales et se sont rendus à l'autre bout de la cave. Ils allaient arpenter, sur des lignes parallèles, la pièce, d'abord nord-sud, puis est-ouest. À la fin, chaque centimètre carré de terrain aurait été examiné deux fois.

J'ai pris quelques autres polaroïds, puis j'ai commencé à déblayer le carré. À l'aide d'une truelle, d'un cure-dents et d'une pelle à poussière, j'ai dégagé le squelette en grattant la terre, sans déranger les os. Ce que je ramassais était systématiquement versé dans le tamis. Il s'agissait alors de séparer terre, cendres, restes de tissu, ongles, bois et gravats des fragments osseux. Que je plaçais ensuite sur du coton chirurgical dans des bacs en plastique scellés, en notant leur provenance dans mon carnet. Là-dessus, Halloran est arrivé et a pris des photos.

De temps à autre, je jetais un coup d'œil à LaManche. Il m'observait en silence, son habituel masque solennel plaqué sur le visage. Depuis le temps que je connaissais mon boss, je l'avais rarement vu exprimer une émotion. Il en avait tant vu toutes ces années qu'exprimer des sentiments était peut-être pour lui d'un trop grand prix.

— S'il n'y a rien d'autre pour moi ici, Temperance, a-t-il fini par dire, je remonte.

— Bien, ai-je répondu, avec une pensée envieuse pour la chaleur du soleil. Je viens dans un moment.

J'ai regardé ma montre. Onze heures dix. Derrière LaManche, je voyais Sincennes et Martineau qui avançaient pas à pas, épaule contre épaule, tête baissée, comme des mineurs cherchant le filon aurifère.

— Vous avez besoin de quelque chose ?

— Il me faudra un sac pour le corps, avec un drap blanc propre à l'intérieur. Qu'ils mettent bien une planche ou une civière en dessous. Une fois que les morceaux seront déterrés, je ne veux pas que tout s'emmêle pendant le transport.

— Bien sûr.

Je revins à ma truelle et à mon tamis. J'avais tellement froid que je tremblais de la tête aux pieds et j'étais régulièrement obligée de m'arrêter pour réchauffer mes mains. L'équipe de la morgue vint apporter le brancard et le sac. Le dernier pompier sortit. La cave redevint silencieuse.

Finalement, le squelette se trouva complètement dégagé. Je pris des notes, fis un croquis, pendant que Halloran s'occupait des photos.

— Ça vous dérange si je vais me chercher un café ? demanda-t-il une fois que tout fut fini.

— Non. Je crierai un bon coup si j'ai besoin de vous. J'en ai encore pour un moment à transférer les os.

Après son départ, je disposai les ossements dans le sac. Le bassin était en bon état. Je le soulevai et le posai sur le drap. La symphyse pubienne était enveloppée de tissus calcinés. Inutile de la fixer.

Pour ce qui était des os des bras et des jambes, je les laissais dans leur gangue de terre. Ils resteraient stables jusqu'à ce que je les nettoie et les trie en salle d'autopsie. Même chose avec le thorax, dont je soulevai soigneusement les sections à l'aide d'une pelle à bout carré. Il ne restait rien de la partie antérieure de la cage thoracique, si bien que je n'avais pas à m'inquiéter de l'extrémité des côtes. Pour l'instant, je laissai le crâne en place.

Une fois le squelette enlevé, je m'attaquai au sol lui-même, tamisant sur quinze centimètres en profondeur, depuis le piquet sud-ouest vers le nord-est. J'avais presque fini le dernier angle du carré lorsque je suis tombé dessus, à environ un demi-mètre au sud du crâne, enfoncée dans la terre de cinq centimètres. Mon estomac a fait une pirouette. Oui !

La mâchoire. Doucement, j'ai brossé la terre et la cendre pour mettre au jour un ramus ascendant droit, un fragment du ramus gauche et une partie du maxillaire. Ce dernier supportait sept dents.

L'os extérieur était couvert d'un réseau de craquelures. Il était mince et d'un blanc poudreux. La partie intérieure spongieuse semblait pâle et brillante, comme si chaque filament avait été tissé par une araignée lilliputienne, pour ensuite sécher à l'air libre. L'émail des dents se fragmentait déjà et je savais que tout s'effriterait si on la déplaçait.

J'ai sorti de ma trousse une bouteille que j'ai bien secouée, en vérifiant qu'il ne restait pas de cristaux dans la solution, et une poignée de pipettes jetables de cinq millilitres.

Installée à quatre pattes, j'ai ouvert la bouteille, retiré une pipette de son emballage, et l'ai plongée dans le produit. Je l'ai remplie de solution, puis, goutte à goutte, j'ai soigneusement imbibé chaque fragment de la mâchoire, en veillant à ce que le liquide pénètre partout. J'avais perdu toute notion du temps.

— Jolie perspective, a dit une voix connue.

J'ai sursauté et du Vinac a été projeté sur la manche de ma veste. Étant donné mon dos raide, mes genoux et mes chevilles bloqués, baisser rapidement les fesses n'était pas envisageable. Je me suis lentement assise sur mes talons. Je n'avais pas besoin de me retourner.

— Très aimable à vous, lieutenant Ryan.

Il a contourné le carré par l'extérieur, puis a plongé son regard vers moi. Même dans la maigre lumière de la cave, ses yeux étaient aussi bleus que dans mon souvenir. Il portait un manteau de cachemire noir et une écharpe de laine rouge.

— Ça fait une éternité et des poussières, a-t-il dit.

— Oui. Une éternité. Ça remonte à quand ?

— Au palais de justice.

— Au procès de Fortier. On attendait tous les deux pour témoigner.

— Toujours amoureuse de Perry Mason ?

J'ai fait semblant de ne pas entendre. L'automne précédent, j'avais eu une brève liaison avec un avocat de la défense rencontré à mon cours de taï-chi.

— C'est ce qui s'appelle pactiser avec l'ennemi, non ?

De nouveau, je me suis abstenue de répondre. À l'évidence, ma vie sexuelle était un sujet qui intéressait tout particulièrement l'escouade des homicides.

— Les choses ont bien été pour vous, ces derniers temps ?

— Merveilleusement. Et vous ?

— Je ne me plains pas et je le ferais qu'il n'y aurait personne pour m'écouter.

— Prenez un animal de compagnie.

— C'est une idée. Il y a quoi dans le compte-gouttes ? a-t-il demandé en désignant la pipette d'un doigt ganté de cuir.

— Du Vinac. C'est une solution de méthanol et de résine d'acétate de polyvinyle. Le maxillaire a eu un coup de chaud et j'essaie de le garder entier.

— Et ça marche ?

— À partir du moment où l'os est sec, ça va pénétrer et solidifier assez bien les choses.

— Et si ce n'est pas sec ?

— Le Vinac ne se mélange pas à l'eau, si bien que ça restera en surface et deviendra blanc. Les os auront l'air d'avoir été aspergés de latex.

— Et ça sèche en combien de temps ?

J'avais l'impression d'être un grand magicien.

— Assez vite, par évaporation de l'alcool. Généralement, entre une demi-heure et une heure. Quoique le climat polaire n'accélérera pas les choses.

Jetant un dernier coup d'œil sur les fragments de mâchoire, j'ai ajouté encore quelques gouttes, puis j'ai reposé la pipette sur le bouchon de Vinac. Ryan a fait le tour pour me tendre la main. J'y ai pris appui pour me relever. Croisant les bras, j'ai glissé mes mains sous mes aisselles. Je ne sentais plus mes doigts et soupçonnais mon nez d'être de la couleur de l'écharpe de Ryan. Dégoulinant, de plus.

— Il fait plus froid que dans un nid de sorcière, là-dedans, a-t-il confirmé, jetant un regard circulaire sur la cave. Il tenait son bras bizarrement replié derrière son dos. Depuis combien de temps vous êtes là ?

J'ai regardé ma montre. Pas étonnant que je sois en hypothermie : il était une heure et quart.

— Plus de quatre heures.

— Chrriss. Il va vous falloir une transfusion.

D'un seul coup, j'ai compris. Ryan était enquêteur pour les homicides.

— Alors, c'est criminel ?

— Probablement.

Il avait dissimulé dans son dos un sac en papier blanc. Il en a sorti un gobelet de café et un sandwich sous vide qu'il a agités devant moi. J'ai fait mine de m'en saisir et il a levé le bras plus haut.

— À charge de revanche...

— C'est noté.

Un bolognaise spongieux et un café tiédasse. C'était merveilleux. Nous avons continué à discuter pendant que je mangeais.

— Dites-moi ce qui vous fait dire que c'est d'origine criminelle.

— Dites-moi ce que vous avez là.

O.K., il avait un sandwich d'avance.

— Une seule personne. Peut-être jeune, mais pas un enfant.

— Pas de bébés ?

— Pas de bébés. À vous.

— Faut croire qu'il y en a un qui s'est fié aux bonnes vieilles méthodes. On peut voir que le feu s'est propagé en traînées entre les lattes du plancher. Du moins, là où il y a encore un plancher... Ce qui implique un liquide inflammable, probablement de l'essence. On en a retrouvé une dizaine de bidons vides.

— C'est tout ? ai-je dit en finissant mon sandwich.

— Le feu est parti de plusieurs endroits. Une fois déclenché, il a foutrement bien brûlé, vu qu'il a embrasé la plus belle collection privée du monde de bouteilles de propane. Gros boum à chaque fois. Une bouteille, un autre boum.

— Il y en avait combien ?

— Quatorze.

— D'abord dans la cuisine ?

— Et dans la pièce d'à côté. Mais maintenant c'est difficile à dire.

Cela m'a fait réfléchir.

— Ce qui explique le crâne et la mâchoire.

— Qu'y a-t-il de spécial au sujet du crâne et de la mâchoire ?

— Ils étaient à plus d'un mètre du reste du corps. Si une bouteille de propane est tombée avec la victime et a explosé ensuite, cela a pu projeter la tête. Même chose pour la mâchoire.

J'ai bu mon café, regrettant qu'il n'y ait pas de second sandwich.

— Les bouteilles pourraient avoir pris feu accidentellement ?

— Tout est possible.

J'ai brossé les miettes de mon manteau, avec une pensée nostalgique pour le petit déjeuner de LaManche. Ryan est allé pêcher une serviette dans le sac et me l'a tendue.

— D'accord. Le feu a démarré de plusieurs endroits et on a la preuve pour le liquide inflammable. C'est criminel. Le pourquoi ?

— Allez savoir... Et ça, c'est qui ? a-t-il dit en montrant le sac.

— Allez savoir...

Ryan est remonté et je suis retournée à mon travail. La mâchoire n'étant pas encore tout à fait sèche, je me suis intéressée au crâne.

Le cerveau contient une grande quantité d'eau. Exposé au feu, il va bouillir et prendre de l'expansion, ce qui exercera une pression hydrostatique à l'intérieur de la tête. Si la chaleur est suffisante, la voûte crânienne peut se fendre, voire même exploser. Ce que j'avais ici semblait plutôt en bon état. La partie faciale avait disparu, les os externes étaient calcinés et feuilletés, mais de grands fragments de la boîte crânienne étaient intacts. Ce qui me parut surprenant, vu l'intensité du feu.

Une fois bien brossé, j'ai pu l'examiner de plus près et j'ai compris pourquoi. Pendant un moment, je suis restée sans pouvoir en détacher les yeux. Puis, le tournant de l'autre côté, j'ai inspecté l'os frontal.

Misère !

J'ai escaladé l'échelle et passé la tête dans la cuisine. Ryan était à côté du comptoir, en train de discuter avec le photographe.

— Vous feriez bien de descendre, ai-je dit.

Les deux hommes ont levé les sourcils et pointé du doigt leur poitrine.

— Tous les deux.

Ryan a posé son gobelet de café.

— Qu'est-ce qu'il y a ?

— Il se peut que celui-ci n'ait pas vécu assez longtemps pour voir l'incendie.

4.

L'après-midi était déjà bien avancé lorsque les derniers os furent empaquetés, prêts pour le transport. Ryan me regardait dégager délicatement les fragments de crâne, les envelopper, avant de les placer dans des bacs en plastique. Je procéderais à l'analyse au labo. Pour le reste de l'enquête, ce serait son bébé.

Le soir tombait lorsque je suis sortie de la cave. Dire que j'avais froid aurait été comme laisser entendre que Lady Godiva serait mal habillée. Pour la deuxième journée consécutive, je me retrouvais avec une absence totale de sensation dans les extrémités mais gardais espoir que l'amputation ne serait pas nécessaire.

LaManche étant parti, je revins en ville avec Ryan et son coéquipier, Jean Bertrand. J'étais assise à l'arrière, grelottant et demandant toujours plus de chauffage. À l'avant, ils étaient en sueur et retiraient une épaisseur après l'autre.

Leur conversation flottait à l'orée de ma conscience. Complètement vidée, je n'aspirais qu'à un bain chaud et à me glisser dans ma chemise de nuit de flanelle. Pour un mois. Mes pensées s'égaraient. Je pensais aux ours. Bonne idée : se rouler en boule et dormir jusqu'au printemps.

Des images me traversaient l'esprit. La victime de la cave. Une chaussette qui pendouillait au bout d'orteils dressés et roussis. Une plaque, où un nom était inscrit, sur un minuscule cercueil. Un sourire sur un autocollant.

— Brennan ?

— Oui ?

— Bonjour, ma beauté. Les petits oiseaux chantent...

— Quoi ?

— Vous êtes arrivée.

Je m'étais endormie profondément.

— Merci. On se reparle demain.

Je me suis extirpée de la voiture péniblement, pour me traîner le long des escaliers de mon immeuble. La neige brillait sur le quartier comme un glaçage sur un beignet rassis. D'où venait toute cette neige ?

Le stock en épicerie ne s'était pas amélioré. Biscuits, soda et beurre d'arachide feraient l'affaire, le tout dilué avec une soupe aux fruits de mer. Une vieille boîte de Turtles traînait dans le placard. Au chocolat noir, mes préférés. Ils étaient durs, mais je n'étais pas en mesure de faire la fine bouche.

Le bain était tout à fait à la hauteur de mes espérances. Puis je décidai de faire un feu. Je m'étais enfin réchauffée mais je me sentais terriblement fatiguée. Et seule. Le chocolat m'avait un peu réconfortée, pourtant ce n'était pas suffisant.

Je m'ennuyais de ma fille. L'année universitaire de Katy étant répartie en trimestres et la mienne en semestres, nos vacances de printemps ne coïncidaient pas. Même Birdie était resté dans le Sud pour ce voyage-ci. Il détestait l'avion et le manifestait fortement toute la durée du vol. N'étant venue cette fois-ci que pour quinze jours, j'avais décidé d'épargner et mon chat et la compagnie d'aviation.

J'ai tendu l'allumette vers les briquettes d'allumage. Le feu. Pour la première fois, dompté par l'*Homo erectus*. Depuis presque un million d'années, nous nous en servions pour chasser, cuire, nous chauffer et éclairer notre route. Cela avait été le sujet de mon dernier cours, avant les vacances. Du coup, mes pensées revinrent à mes étudiants de Caroline. Au moment où j'étais en quête d'Élisabeth Nicolet, ils passaient leurs examens de fin de semestre. Les petits livrets bleus arriveraient ici demain, par courrier express, tandis qu'eux se disperseraient sur les plages.

Lumière éteinte, je restais là à regarder les flammes se tordre et lécher les bûches. Des ombres dansaient dans la pièce. La résine répandait son parfum, des bulles venaient crever à la surface du bois humide qui sifflait. C'était pour cela que le feu exerçait un tel attrait. Tant de sens étaient sollicités à la fois.

Cela rebrancha mes synapses sur les Noëls de mon enfance, les camps de vacances. Quelle bénédiction que le feu ! Quel bonheur que d'avoir ainsi d'heureux souvenirs ranimés. Mais c'était une puissance mortelle aussi. Non, je ne voulais plus penser à Saint-Jovite ce soir.

La neige s'accumulait sur le rebord de la fenêtre. À l'heure qu'il était, mes étudiants devaient organiser leur première journée de plage. Tandis que je devais veiller aux engelures, ils s'attendaient à prendre des coups de soleil. Je ne voulais pas penser à ça non plus.

Et Élisabeth Nicolet ? Religieuse cloîtrée. Femme contemplative, disait la plaque. Mais cela faisait plus de cent ans qu'elle n'avait plus rien contemplé. Et si nous n'avions pas déterré le bon cercueil ? Encore un sujet auquel je refusais de penser. Ce soir en tout cas Élisabeth et moi avions peu de choses en commun.

J'ai regardé l'heure. Dix heures moins le quart. En deuxième année, Katy avait été élue « Miss Virginie ». Tout en conservant une moyenne de 3,8 sur 4 dans son double cursus français et psychologie, elle ne s'enfermait pas sur elle-même. Aucune chance qu'elle puisse rester à la maison un vendredi soir. Toujours optimiste, j'ai apporté le téléphone devant la cheminée et composé le numéro.

Elle a répondu à la troisième sonnerie.

M'attendant à son répondeur, j'ai bredouillé quelques mots inintelligibles.

— C'est toi, m'man ?

— Oui. Salut. Que fais-tu à la maison ?

— J'ai un bouton sur le nez de la taille d'un hamster. Je suis trop affreuse pour sortir. Et toi, qu'est-ce que tu fais à la maison ?

— C'est totalement impossible que tu sois affreuse. Je ne me prononcerai pas sur le bouton... — Calant mon dos contre un coussin, j'ai tendu les pieds vers le feu. — Cela fait deux jours que j'exhume des cadavres et je suis trop fatiguée pour sortir.

— Je ne veux même pas poser de question. — J'entendais des bruits de cellophane froissée. — Mais, pour le bouton, il est vraiment énorme.

— Cela aussi passera. Comment va Cyrano ?

Katy avait deux rats, Templeton et Cyrano de Bergerac.

— Ça va mieux. J'ai acheté des médicaments et je les lui donne avec un compte-gouttes. Ses éternuements ont pas mal diminué.

— Bien. Ça a toujours été mon préféré.

— Je pense que Templeton le sait.

— J'essaierai de moins le montrer à l'avenir. Et quoi de neuf, à part ça ?

— Pas grand-chose. Je suis sortie avec un type, Aubrey. Plutôt cool. Le lendemain, il m'a envoyé des roses. Et demain, je vais à un pique-nique avec Lynwood. Lynwood Deacon. Il est en première année de droit.

— C'est comme ça que tu les choisis ?

— Quoi ?

— À cause des noms.

Elle n'a pas répondu.

— Tante Harry a appelé.

— Ah ?

Le nom de ma sœur me met toujours un peu sur le qui-vive, comme si j'étais sous un seau de clous en équilibre sur le rebord de la fenêtre.

— Elle a vendu son entreprise de voyages en ballon, ou quelque chose du genre. En fait, elle appelait pour savoir où te joindre. Elle avait l'air de délirer pas mal.

— De délirer ?

En temps normal, ma sœur avait toujours un peu l'air de délirer.

— Je lui ai dit que tu étais au Québec. Elle va sans doute te téléphoner demain.

— Bon.

Tout à fait ce qu'il me fallait.

— Oh ! P'pa s'est acheté une Mazda RX7. Elle est super-belle ! Mais aucune chance qu'il me la laisse conduire.

— Oui, je sais.

Mon mari, dont j'étais séparée, traversait en douceur la crise de la quarantaine.

Elle a eu un moment d'hésitation.

— En fait, on allait justement sortir manger une pizza.

— Et le bouton ?

— Je vais lui dessiner des oreilles et une queue, et je dirai que c'est un tatouage.

— Ça peut marcher. Si on t'arrête, donne un faux nom.

— O.K. J' t'aime, m'man.

— Moi aussi, je t'aime. Je te rappelle plus tard.

J'ai terminé les Turtles et je me suis brossé les dents. Deux fois. Puis je me suis mise au lit et j'ai dormi onze heures.

Ce qui restait du week-end s'est passé en rangement, ménage, courses et correction d'examens. Ma sœur m'a appelée dimanche en fin de journée pour me dire qu'elle avait vendu sa montgolfière. Ce qui m'a soulagée. Trois ans que j'inventais toutes sortes d'excuses pour garder Katy au sol, appréhendant le jour inévitable où elle prendrait les airs. Son énergie créatrice allait pouvoir désormais s'appliquer ailleurs.

— Tu es chez toi ? ai-je demandé.

— Ouais.

— Il fait chaud ?

J'ai jeté un œil sur le manteau de neige qui s'épaississait toujours un peu plus devant ma fenêtre.

— Il fait toujours chaud à Houston.

Qu'elle aille au diable...

— Alors, pourquoi vends-tu ?

Harry est en perpétuelle quête. Sauf que son Graal n'a jamais été bien déterminé. Ces trois dernières années, elle s'était naïvement fait avoir avec cette histoire de montgolfière. Quand elle n'était pas en safari au-dessus du Texas, elle et son équipe sillonnaient le pays avec leur vieux camion pour participer à des rallyes de montgolfières.

— Striker et moi, on se sépare.

— Ah.

Elle s'était aussi fait avoir avec son Striker. Elle l'avait rencontré lors d'un rallye à Albuquerque, l'avait épousé cinq jours après. Cela avait duré deux ans.

Un ange a passé. J'ai craqué la première.

— Et maintenant ?

— Je pense que je vais me brancher côté psycho.

J'étais étonnée. Les évidences n'étaient pas d'habitude le fort de ma sœur.

— Cela t'aidera sûrement à passer le cap.

— Oh non, non ! Striker a de la gelée à la place du cerveau. Ce n'est pas sur lui que je vais me lamenter. C'est juste que ça me gonfle.

Je l'ai entendue s'allumer une cigarette, inhaler une grande bouffée, souffler la fumée.

— Non, c'est un cours dont j'ai entendu parler. Tu le suis et, après, tu peux conseiller les gens sur leur santé holistique, comment échapper au stress, ce genre de truc. J'ai lu pas mal sur les plantes, la méditation, la métaphysique, et ça a l'air plutôt cool. D'après moi, je peux être bonne là-dedans.

— Harry, ce n'est pas un peu fumeux ?

Combien de fois avais-je pu dire cela ?

— Boh... C'est sûr, je vais voir. J' suis pas complètement stupide.

Non, elle n'était pas stupide. Mais, quand Harry voulait quelque chose, elle le voulait intensément. Et il n'y avait rien pour la dissuader.

J'ai raccroché, un peu secouée. L'idée de Harry conseillant des gens en difficulté était déconcertante.

Sur le coup de six heures, je me suis préparé un blanc de poulet sauté, des pommes de terre roseval en robe des champs avec beurre et ciboulette, et des asperges à la vapeur. Un verre de chardonnay aurait été parfait avec ça. Mais pas pour moi. Cela faisait sept ans que, là-dessus, le bouton était en position *off* et il y resterait. Moi non plus, je n'étais pas complètement stupide. Du moins, pas quand j'étais sobre. Même comme ça, c'était diablement meilleur que mon snack de l'autre soir.

Tout en mangeant, je pensais à ma sœur. Harry et les études supérieures n'avaient jamais été compatibles. Elle avait épousé son petit ami de collège la veille de sa remise de diplôme. Premier mari sur une liste de quatre. Elle avait eu un élevage de saint-bernard, dirigé un Pizza Hut, vendu des lunettes de soleil de marque, organisé des circuits de tourisme dans le Yucatán, travaillé comme attachée de presse pour l'équipe de basket des Astros de Houston, fait faillite peu après son ouverture avec une entreprise de nettoyage de tapis, été commerciale dans l'immobilier et, plus récemment, traversé le pays, de-ci de-là, au gré des vents.

Quand Harry avait un an et moi trois, je lui avais brisé une jambe en roulant dessus avec mon tricycle. Mais cela ne l'avait pas ralentie. Elle avait appris à marcher en traînant son plâtre. Agaçante jusqu'à l'insupportable, terriblement attachante, ma sœur compense par de l'énergie pure son manque de culture et son absence de concentration. Je la trouvais tout simplement épuisante.

À neuf heures et demie, j'ai allumé la télé. C'était la fin de la seconde partie du match de hockey. Les Habs perdaient 4 à 0 contre Saint Louis. Don Cherry fulminait contre la stratégie inepte des Canadiens. Avec son visage rond congestionné au-dessus du col de chemise relevé, il avait plutôt l'air d'un ténor d'opérette que d'un commentateur sportif. Je n'en revenais pas que des millions de gens puissent l'écouter toutes les semaines. À dix heures et quart, j'ai éteint et je suis allée me coucher.

Le lendemain, je me suis levée tôt et j'ai pris la route du labo. Le lundi est généralement une grosse journée de travail. Débordements intempestifs de brutalité, défis stupides, solitudes subitement insupportables, coïncidences malheureuses, tout ce qui peut se conclure par des morts violentes augmente en fin de semaine. Les corps arrivent à la morgue et y sont conservés jusqu'au lundi.

Ce lundi-ci ne faisait pas exception. Je me suis servi un café et j'ai rejoint la réunion matinale qui se tenait dans le bureau de LaManche. Nathalie Ayers était à Val-d'Or pour un procès criminel, mais les autres pathologistes étaient présents. Jean Pelletier, qui revenait juste de Kuujjuaq, dans le Grand Nord québécois, où il était allé déposer sous serment, avait apporté ses photos. Il les montrait à Emily Santangelo et à Marcel Morin. Je me suis penchée pour regarder.

— Qu'est-ce que c'est que ça ? ai-je demandé en montrant un édifice en préfabriqué, entouré de toiles de plastique.

On aurait dit que la ville venait d'être édifiée la nuit précédente.

— La piscine.

Puis il s'arrêta sur un panneau hexagonal rouge, où s'inscrivaient d'étranges signes au-dessus du *Arrêt* en grosses lettres blanches.

— Tous les panneaux sont en français et en inuktitut.

Son accent de la Côte nord était si prononcé qu'à mon oreille il aurait bien pu parler en inuit. Cela faisait des années que je le connaissais, et son français me posait toujours des problèmes.

Il a désigné un autre bâtiment.

— Ça, c'est le tribunal.

Cela ressemblait à la piscine, sans le plastique. Derrière la ville s'étendait la toundra, étendue de neige grise et désolée, recouvrant un Serengeti de roches et de lichen. Sur le bord de la route, on voyait un squelette décoloré de caribou.

— Ça leur arrive souvent ? a demandé Santangelo en examinant le caribou.

— Seulement lorsqu'ils sont morts.

— Il y a huit autopsies aujourd'hui, a annoncé La Manche en nous distribuant la liste.

Il a décrit les cas l'un après l'autre. Un jeune homme de dix-neuf ans heurté par un train et sectionné au niveau du torse. L'accident s'était produit à la hauteur d'un pont interdit à la circulation, mais que fréquentait une bande d'adolescents.

Une motoneige avait défoncé la couche de glace sur le lac Mégantic. On avait repêché deux corps. Abus d'alcool.

Un bébé avait été retrouvé putréfié dans son lit. La maman, qui regardait des jeux télévisés au rez-de-chaussée quand les autorités étaient arrivées, avait déclaré que dix jours plus tôt Dieu lui avait ordonné de ne plus nourrir son enfant.

Un homme blanc, non identifié, avait été découvert derrière une benne à ordures sur le campus de McGill. Trois corps avaient été récupérés dans un incendie à Saint-Jovite.

Le bébé fut assigné à Pelletier. Il signala qu'il pourrait avoir besoin des conseils d'un anthropologue. Si l'identité du bébé n'était pas un problème, la cause et la date du décès risquaient d'être difficiles à établir.

Santangelo se chargea des corps du lac Mégantic, Morin de l'affaire du train et de celle de la benne. L'état des victimes de Saint-Jovite permettait une autopsie classique ; ce serait pour LaManche. Je m'occuperais des ossements de la cave.

Après la réunion, je redescendis à mon bureau et

ouvris un dossier pour y noter les informations officielles sur un formulaire d'anthropologie judiciaire. Nom : Inconnu. Date de naissance : inconnue. Numéro du laboratoire de médecine légale : 31013. Numéro de la morgue : 375. Numéro d'événement de police : 89041. Médecin légiste : Pierre LaManche. Coroner : Jean-Claude Hubert. Enquêteurs : Andrew Ryan et Jean Bertrand, Escouade des crimes contre la personne, Sûreté du Québec.

J'ajoutai la date et glissai le formulaire dans une chemise. Chacun a sa couleur. Rose pour Marc Bergeron, l'odontologiste. Vert pour Martin Lévesque, le radiologue. LaManche a les rouges. Une chemise jaune vif correspond à l'anthropologie.

Avec mon passe, j'ai pris l'ascenseur jusqu'au sous-sol où j'ai demandé à un technicien d'installer le LML 31013 dans la salle d'autopsie. Puis je suis allée passer ma tenue de chirurgie.

Les quatre salles d'autopsie du laboratoire de médecine légale sont à côté de la morgue. Les trois premières se trouvent sous le contrôle du LML, la quatrième sous celui du coroner. La salle d'autopsie numéro deux est vaste et contient trois tables. Les autres n'en ont qu'une. La numéro quatre est équipée d'une ventilation supplémentaire. J'y travaille souvent, car la plupart des cas que j'analyse sont loin d'être frais. Aujourd'hui, je laissais la quatre à Pelletier et à son bébé. Les corps calcinés ne dégagent pas d'odeurs particulièrement incommodantes.

En salle trois, je trouvai le sac de transport noir et les quatre bacs en plastique posés sur un brancard. Retirant le couvercle d'un des bacs, j'ai soulevé le rembourrage en coton pour jeter un œil sur les fragments crâniens. Ils avaient supporté le voyage sans dommages.

J'ai rempli le carton d'identification, ouvert la fermeture Éclair du sac et retiré le drap qui enveloppait les os et les fragments. Après quelques clichés au Polaroïd, j'ai tout envoyé à la radio. S'il y avait des dents ou des particules métalliques, c'était important de les repérer précisément avant de briser le cocon terreux.

Tout en attendant, j'ai repensé à Élisabeth Nicolet. Son cercueil était enfermé dans un compartiment réfrigéré, à trois mètres de moi. J'étais impatiente de m'y mettre, pour savoir ce qu'il en était. Un de mes messages ce matin venait de sœur Julienne. Les religieuses avaient la même hâte.

Une demi-heure plus tard, Lisa revenait avec le chariot et une enveloppe contenant les radiographies. J'en ai sorti quelques-unes que j'ai placées sur le négatoscope, en commençant par ce qui se trouvait au pied du sac.

— Ça va ? a demandé Lisa. Je n'étais pas sûre de savoir comment faire avec tout ce fouillis là-dedans, si bien que j'ai pris plusieurs clichés.

— Elles sont bien.

Nous examinions la masse informe bordée de part et d'autre par les petites lignes blanches de la fermeture Éclair. La matière terreuse était mouchetée de gravats et, çà et là, des particules d'os apparaissaient en plus clair, formant comme une multitude d'alvéoles sur le fond neutre.

— C'est quoi, ça ?

— On dirait un clou.

J'ai pris trois autres radios. Terre, petits cailloux, éclats de bois, ongles. On voyait les jambes et les hanches, couvertes encore de chair calcinée. Le bassin semblait complet.

— On dirait des fragments métalliques dans le fémur droit, ai-je dit en désignant plusieurs petits points blancs dans l'os de la cuisse. Il faudra faire attention en le manipulant. On fera d'autres radios plus tard.

La radio suivante montrait les côtes, aussi morcelées que dans mon souvenir. Les os des bras étaient mieux préservés, bien que fracturés et sérieusement mélangés. Apparemment, il y avait quelques vertèbres à sauver.

Un autre objet métallique était visible sur la partie gauche du thorax. Ça ne ressemblait pas à un clou.

— Faudra regarder ça aussi.

Lisa a approuvé d'un hochement de tête.

Nous sommes ensuite passées aux radiographies des bacs en plastique. Rien de spécial. Le maxillaire était resté d'un seul tenant, les fines racines des dents encore solidement encastrées dans l'os. Même les couronnes étaient intactes. Il y avait des taches claires sur deux des molaires. Bergeron serait content. Si on trouvait le dossier, ces soins dentaires nous permettraient une identification.

Puis j'ai examiné l'os frontal. Il était parsemé de minuscules points blancs, comme si on l'avait saupoudré de sel.

— Je vais vous demander aussi une autre radio de ça, ai-je dit doucement en examinant les particules opaques en dessous de l'orbite gauche.

Lisa m'a regardée d'un drôle d'air.

— O.K., sortons-le de là, ai-je dit.

— Ou sortons-la.

— Ou sortons-la.

Lisa a posé un drap sur l'acier inoxydable de la table d'autopsie et recouvert l'évier d'un tamis. J'ai pris un tablier en papier dans l'un des tiroirs de la table, que j'ai enfilé et noué autour de la taille, j'ai couvert ma bouche d'un masque, enfilé des gants chirurgicaux et ouvert le sac.

Depuis les pieds et en remontant vers le nord, j'ai prélevé les plus gros morceaux d'os, les plus identifiables. Puis à nouveau, en commençant par le bas, j'ai fouillé la terre à la recherche de plus petits bouts qui avaient pu m'échapper. Lisa les passait sous un mince filet d'eau au-dessus du tamis. Une fois lavés, elle les déposait sur le comptoir, pendant que j'arrangeais sur le drap les éléments du squelette dans l'ordre anatomique.

À midi, Lisa sortit déjeuner. Je continuai à travailler,

et, à deux heures et demie, ce travail minutieux était terminé. S'étalaient sur le comptoir une collection de clous, de têtes métalliques, et une douille éclatée, à côté d'un petit flacon de plastique contenant ce que je pensais être un bout de tissu. Le squelette calciné et démantibulé était disposé sur la table, les os de la boîte crânienne ouverts en corolle comme des pétales de marguerite.

L'inventaire prit une heure. Il fallait identifier chaque os et déterminer s'il provenait du côté droit ou gauche. Là-dessus, je passai aux questions qui allaient intéresser Ryan. L'âge. Le sexe. La race. Et qui ?

J'ai pris la partie comprenant le bassin et les fémurs. Les tissus, brûlés, étaient noirs et tannés comme du cuir. Bénédiction mitigée. Les os s'en étaient trouvés protégés, mais cela risquait d'être sacrément coton pour les sortir de là.

Sur la partie gauche du bassin, les chairs étaient complètement calcinées, et le fémur était fendu. J'avais une vue latérale parfaite de la cavité articulaire de la hanche. J'ai mesuré le diamètre de la tête du fémur. Taille réduite qui le plaçait en bas dans l'échelle des mensurations féminines.

J'ai ensuite examiné la structure interne de la tête du fémur, juste en dessous de la surface articulaire. Des spicules d'os correspondaient à la configuration classique en nid-d'abeilles de l'adulte, sans ligne trahissant une récente fusion de la calotte de croissance. Ce qui était cohérent avec le complet développement des racines de molaires, que j'avais pu observer plus tôt au niveau de la mâchoire. La victime n'était pas un enfant.

Considérant les rebords extérieurs de la cavité formant l'articulation de la hanche, et la bordure inférieure de la tête fémorale, j'ai constaté que, sur les deux, l'os semblait dégouliner, comme de la cire le long d'une chandelle. Signe d'arthrite. Adulte mais plus de prime jeunesse.

Mon analyse me permettait déjà de penser qu'il s'agissait d'une femme. Ce qui restait des os longs était de petit diamètre, aux attaches musculaires fines. J'ai reporté mon attention sur les fragments crâniens.

Apophyses mastoïdes et arcades sourcilières de petite dimension. Contour anguleux de l'orbite. L'os était lisse non seulement à l'arrière du crâne mais partout là où une ossature masculine aurait présenté un aspect rugueux et bosselé.

Pour l'os frontal, les extrémités supérieures de deux épines nasales étaient encore présentes. Elles se rejoignaient en angle aigu le long d'une ligne médiane, comme un clocher d'église. J'avais deux morceaux de maxillaire. La bordure inférieure de l'ouverture nasale se terminait en saillie, avec au centre un pic osseux pointant vers le haut. Le nez avait été mince et proéminent, le profil droit. Repérant un fragment d'os temporal, j'ai projeté le faisceau d'une lampe de poche par l'ouverture auriculaire. La fenêtre de l'oreille interne se présentait comme une petite ouverture ovale. Autant de traits caucasiens indiscutables.

Sexe féminin. Race blanche. Adulte. Âgée.

Retour au bassin, dont j'espérais qu'il confirme le sexe et me donne des indications plus précises sur la tranche d'âge. M'intéressait particulièrement la région où les deux parties latérales se rejoignaient en avant.

J'ai raclé précautionneusement les tissus carbonisés pour dégager la symphyse pubienne, l'articulation entre les os pubiens. Les os eux-mêmes étaient larges, l'angle inférieur très ouvert. L'un et l'autre présentaient une crête en saillie qui en coupait l'angle. La branche inférieure de chaque os pubien était frêle et doucement recourbée. Constitution clairement féminine. J'ai noté tout cela sur mon rapport et pris d'autres photos au Polaroïd.

La chaleur intense avait fait rétrécir le cartilage conjonctif et s'écarter les os pubiens le long de la ligne médiane. Je tordais et tournais dans tous les sens l'amas carbonisé, pour essayer de voir quelque chose par la fente. Il me semblait que les surfaces symphysaires étaient intactes mais je ne pouvais en avoir une vue détaillée.

— On va dégager les os pubiens, ai-je dit à Lisa.

L'odeur de chair brûlée m'est montée à la tête lorsque la scie a attaqué les ailes par lesquelles les os pubiens se rattachent au reste du pelvis. L'opération n'a pris que quelques secondes.

L'articulation symphysiaire était roussie mais d'une lecture facile. Il n'y avait ni rides ni sillons sur aucune des surfaces. En fait, les deux côtés étaient poreux, les bords extérieurs irréguliers. Des filaments osseux se formaient de manière erratique sur le devant de chacun des éléments pubiens, processus d'ossification vers les tissus mous environnants. Elle avait eu une longue vie.

J'ai tourné les os pubiens de l'autre côté. Un profond sillon s'y inscrivait sur la face antérieure. Et elle avait été mère.

Retour à l'os frontal. Je l'ai examiné longuement, la lumière fluorescente révélant dans ses moindres détails ce dont j'avais eu l'intuition dans la cave et qu'avaient confirmé les particules métalliques visibles sur les radios.

Jusque-là, j'avais tenu la bride à mes sentiments. Je m'autorisais enfin à éprouver du chagrin pour cet être humain, ravagé, qui se trouvait là sur ma table. Et à me demander ce qui avait bien pu lui arriver.

Cette femme avait au moins soixante-dix ans, elle était sans aucun doute mère, probablement grand-mère.

Pourquoi quelqu'un lui avait-il tiré une balle dans la tête, pour la laisser ensuite brûler dans une maison des Laurentides ?

5.

Mardi à midi, j'avais terminé mon rapport. Jusqu'à neuf heures la veille au soir j'avais travaillé, sachant que Ryan aurait besoin de réponses. J'étais surprise qu'il ne se soit pas encore montré.

Je me suis relue une dernière fois. Parfois, il me semble que les accords et les accents en français sont des sortilèges destinés à me tourmenter. J'ai beau faire de mon mieux, il en passe toujours.

En plus du profil biologique, mon rapport sur l'inconnue de Saint-Jovite comprenait une analyse traumatique. À la dissection, les fragments opaques observés à la radio à la hauteur du fémur avaient révélé un impact post mortem. Les petites particules de métal avaient probablement été projetées lors de l'explosion d'une bouteille de propane. Pour les autres préjudices, la plupart étaient à mettre en relation avec le feu.

Mais ce n'était pas le cas pour certains. Voici ce que j'avais notamment écrit dans mon résumé.

La blessure A présente une anomalie circulaire, dont n'a été préservée que la partie supérieure. Elle est localisée au milieu de la zone frontale, à environ 2 cm au-dessus de la glabelle et 1,2 cm à gauche de la ligne médiane. L'anomalie mesure 1,4 cm de diamètre et présente un biseau caractéristique sur la table interne.

Une carbonisation est détectable aux limites de l'anomalie. La blessure A est compatible avec un trauma d'entrée d'un projectile d'arme à feu.

La blessure B est une anomalie circulaire, présentant un biseau caractéristique sur la table externe. Elle mesure 1,6 cm de diamètre endocrânien, et 4,8 cm de diamètre exocrânien. L'anomalie est localisée sur l'os occipital, à 2,6 cm au-dessus de l'opisthion et à 0,9 cm à gauche de la ligne sagittale médiane. Des traces de carbonisation sont observables aux limites gauche, droite et inférieure de l'anomalie. La blessure B est compatible avec un trauma de sortie d'un projectile d'arme à feu.

Les dégâts causés par le feu rendaient impossible une reconstitution complète, mais j'étais parvenue à restaurer suffisamment de voûte crânienne pour permettre l'analyse du réseau de fractures s'étendant entre les orifices d'entrée et de sortie.

La configuration était classique. La balle était entrée par le milieu du front, avait traversé le cerveau et était ressortie par l'arrière. Ce qui expliquait pourquoi le crâne n'avait pas éclaté. L'orifice ainsi créé avait permis l'évacuation de la pression intracrânienne, avant que la chaleur ne pose problème.

En revenant du secrétariat où j'étais allée déposer mon rapport, j'ai trouvé Ryan qui contemplait par ma fenêtre le panorama. Ses jambes s'étendaient sur toute la longueur du bureau.

— *Nice view*, a-t-il commenté.

Cinq étages plus bas, le pont Jacques-Cartier faisait le gros dos au-dessus du Saint-Laurent, parcouru d'une foule de minuscules voitures. La vue était effectivement magnifique.

— Cela m'empêche de m'appesantir sur l'exiguïté de la pièce, ai-je dit en me faufilant derrière lui, puis le long du bureau pour aller m'asseoir à ma place... Ça peut être dangereux... Mes tibias me ramènent douloureusement à la réalité.

Pivotant sur mon fauteuil, j'ai posé les jambes sur le rebord de la fenêtre, chevilles croisées.

— Il s'agit d'une vieille dame, Ryan. Coup de feu en pleine tête.

— Quel âge ?

— Je dirais au moins soixante-dix ans. Peut-être même soixante-quinze. La symphyse pubienne a fait de la route, mais dans cette tranche d'âge cela varie beaucoup d'un individu à l'autre. Il y a des signes d'arthrite à un stade avancé et elle était ostéoporotique.

Il a baissé le menton et levé les sourcils.

— Français ou anglais, Brennan, pas de jargon médical.

Ses yeux étaient du même bleu que l'écran de Windows 95.

— Os-té-o-po-ro-se, ai-je répété lentement en détachant les syllabes. Les radios montrent que l'os cortical est mince. Je ne vois pas de trace de fracture, mais je n'ai qu'une partie des os longs. Les hanches, supportant beaucoup de poids, y sont particulièrement sujettes chez les femmes âgées. Là, elles n'ont pas été touchées.

— Race blanche ?

J'ai acquiescé d'un hochement de tête.

— Rien d'autre ?

— Elle a probablement eu plusieurs enfants.

Les rayons bleu laser étaient fixés sur mon visage.

— À l'arrière de chaque os pubien, elle présente un sillon large comme le Saint-Laurent.

— Merveilleux.

— Dernière chose. Je pense qu'elle était déjà dans la cave au moment de l'incendie.

— Qu'est-ce qui vous fait dire ça ?

— Il n'y avait absolument aucun débris du plancher sous le corps. En revanche, j'ai trouvé de tout petits morceaux de tissu, incrustés dans le sol. Elle devait être couchée à même la terre.

Il a réfléchi un moment.

— Ce que vous me dites, c'est qu'on a tiré sur grand-maman, on l'a traînée dans la cave et on l'a laissée rôtir là.

— Non. Je dis que grand-maman a pris une balle dans la tête. Je n'ai aucun élément pour dire qui a tiré. Peut-être elle-même. Ça, c'est votre boulot, Ryan.

— Vous avez trouvé une arme à côté ?

— Non.

Sur ces entrefaites, Bertrand est apparu dans l'encadrement de la porte. Si Ryan semblait toujours sortir de chez le tailleur, les vêtements de son coéquipier affichaient des plis assez durs pour tailler des pierres précieuses. Sa chemise mauve était assortie à sa cravate à fleurs, et son pantalon en laine reprenait, exactement un demi-ton en dessous, la teinte de l'un des quatre fils de sa veste en tweed lavande et gris.

— Tu as trouvé quelque chose ? lui a demandé Ryan.

— Rien qu'on ne sache déjà. À croire que ces gens-là sont tombés de nulle part. Apparemment, il n'y en a pas un qui connaisse exactement les maudits chris qui vivaient là. On continue à rechercher le propriétaire en Europe. Les voisins d'en face apercevaient la vieille de temps en temps, mais elle ne leur a jamais parlé. Ils disent que le couple avec les bébés n'était là que depuis quelques mois. Ils les voyaient rarement, n'ont jamais su leurs noms. Un peu plus haut sur la route, il y a une femme qui a pour son dire qu'ils faisaient partie d'une sorte de groupe fondamentaliste.

— Brennan dit que notre M. X. est une Mme X. Et toute gamine encore. Septuagénaire.

Bertrand l'a regardé.

— Soixante-dix ans et plus.

— Une vieille ?

— Avec une balle dans le crâne.

— C'est pas des conneries ?

— C'est pas des conneries.

— Quelqu'un lui a collé une balle dans la tête et a passé les lieux au lance-flammes.

— Ou mamie a appuyé sur la gâchette, après avoir allumé son petit barbecue. Mais si c'est ça, où est l'arme ?

Après leur départ, j'ai vérifié ce que j'avais comme demandes d'intervention. À Québec, une urne était arrivée de Jamaïque avec les cendres d'un vieil homme. La famille accusait le crématorium de fraude et avait porté le tout au bureau du coroner, qui voulait mon opinion.

Un crâne avait été retrouvé dans un ravin, à côté du cimetière Notre-Dame-des-Neiges. Sec et décoloré, probablement sorti d'une ancienne tombe. Le coroner demandait confirmation.

Pelletier me priait de jeter un coup d'œil sur le bébé, pour les preuves d'inanition. Ce qui voulait dire analyse au microscope. Il fallait presser et teinter de minces sections d'os, les placer sur des lamelles, pour permettre l'examen des cellules à l'agrandissement. Si le haut taux de renouvellement est caractéristique des structures osseuses des nouveau-nés, il pourrait y avoir des signes de porosité inhabituelle, ou de restructuration anormale de la microanatomie.

Des prélèvements avaient été envoyés en labo d'histologie. J'aurais également besoin des radios et du squelette, mais ce dernier était encore en train de tremper, afin de se débarrasser des chairs putréfiées. Les os de bébé sont trop fragiles pour qu'on puisse les faire bouillir.

Donc, rien d'urgent. Je pouvais m'attaquer au cercueil de Nicolet.

Après un sandwich réfrigéré et un yoghourt à la cafétéria, je suis descendue à la morgue demander qu'on m'installe les restes en salle trois, avant d'aller me changer.

Le cercueil était encore plus petit que dans mon souvenir. Moins d'un mètre de long. La partie gauche étant pourrie, le couvercle s'était affaissé vers l'intérieur. J'ai brossé l'excédent de terre et pris des photos.

— Vous avez besoin d'un levier ? a demandé Lisa en s'encadrant dans la porte.

Comme ce n'était pas un dossier du LML, j'étais supposée travailler dans mon coin. Mais les offres d'aide ne manquaient pas. Visiblement, je n'étais pas la seule à être fascinée par Élisabeth.

— Volontiers.

Cela prit moins d'une minute pour enlever le couvercle. Le bois étant vermoulu, les clous sont venus facilement. Une fois enlevée la terre qui se trouvait à l'intérieur, un coffrage en plomb apparut, contenant un autre cercueil de bois.

— Pourquoi sont-ils si petits ? a demandé Lisa.

— Ce n'est pas le cercueil d'origine. Élisabeth Nicolet a été exhumée et remise en terre au tournant du siècle. Il n'y avait que le volume des os.

— Vous pensez que c'est elle ?

Je l'ai clouée du regard.

— Appelez-moi si vous avez besoin de quelque chose.

J'ai continué à retirer la terre par petites pelletées, jusqu'à dégager complètement le couvercle du cercueil intérieur. Il ne portait pas de plaque et était plus travaillé que l'autre. Hexagonal, il était décoré d'une frise richement sculptée sur le pourtour. Là aussi, le couvercle avait lâché et l'intérieur était plein de terre.

Lisa revint vingt minutes plus tard.

— J'ai un peu de temps, si vous voulez faire des radios...

— Impossible avec le coffrage, mais je suis prête à ouvrir le second cercueil.

— Pas de problème.

Là aussi, le bois était mou et les clous n'ont opposé aucune résistance.

Encore de la terre. J'en étais à la deuxième poignée quand j'ai aperçu le crâne. Bien ! Il y avait quelqu'un...

Lentement, le squelette s'est dessiné. Les os n'étaient pas dans l'ordre anatomique, mais parallèles les uns aux autres, comme si on les avait liés solidement avant de les placer dans le cercueil. Cela me rappelait les fouilles archéologiques de ma jeunesse. Avant Christophe Colomb, des populations aborigènes avaient pour coutume d'installer leurs morts sur des échafauds jusqu'à ce que les ossements soient parfaitement nettoyés, puis ils les attachaient ensemble avant de les enterrer. Élisabeth avait été empaquetée de la même manière.

J'avais toujours adoré l'archéologie. Malheureusement, depuis dix ans ma carrière s'était orientée différemment et je regrettais d'en faire si peu. Tout mon temps était absorbé par l'enseignement et mes cas judiciaires. Élisabeth me permettait un bref retour aux sources, et je « m'éclatais ».

J'ai retiré les os et les ai disposés exactement comme je l'avais fait la veille. Ils étaient secs et fragiles, mais cette madame-ci était en bien meilleur état que celle de Saint-Jovite.

Un inventaire du squelette m'apprit que seuls un métatarse et six phalanges manquaient. Ils restèrent introuvables même lorsque je passai la terre au tamis ; en revanche apparurent plusieurs incisives et une canine, que je replaçai dans leurs alvéoles.

Je suivis ma procédure habituelle, en remplissant le formulaire comme s'il s'agissait d'un dossier du coroner. Début de l'examen avec le bassin. Les os étaient ceux d'une femme. Aucun doute là-dessus. La symphyse pubienne indiquait une tranche d'âge de trente-cinq à quarante-cinq ans. Les religieuses allaient être contentes.

En prenant les mesures des os longs, je notai un aplatissement inhabituel de l'avant du tibia, juste en dessous du genou. Vérification au niveau des métatarses : ils montraient des traces d'arthrite là où les orteils s'attachaient au reste du pied. Yaooo ! La répétition de certains mouvements laisse des marques sur le squelette. Élisabeth était supposée avoir passé des années à prier sur le sol en pierre de sa cellule monacale. L'agenouillement, avec la combinaison d'une pression sur les genoux et d'une hyperflexion des orteils, provoque exactement l'effet que j'observais là.

Me rappelant quelque chose que j'avais noté en récupérant une dent dans le tamis, je repris la mâchoire. Chacune des incisives inférieures présentait une encoche, petite mais significative, sur le rebord supérieur. Je repris les dents du haut. Même chose. Lorsqu'elle ne priait pas ou n'écrivait pas de lettres, Élisabeth cousait. Ses broderies étaient encore exposées au couvent de Memphrémagog. Ses dents avaient gardé la marque de toutes ces années où elle avait tenu le fil ou l'aiguille. Tout cela me plaisait prodigieusement.

J'ai alors tourné le crâne face vers le haut et l'ai examiné à deux fois. J'étais immobile, totalement absorbée, quand LaManche est entré.

— Ah, c'est votre sainte ? a-t-il demandé.

Il est venu à côté de moi et a jeté un œil sur le crâne.

— Oh, mon Dieu...

— Oui, l'analyse est en bonne voie.

J'étais dans mon bureau, au téléphone avec le père Ménard. Sur ma table de travail, le crâne de Memphrémagog reposait sur un socle.

— Les os sont en parfait état de conservation.

— Serez-vous à même de confirmer qu'il s'agit bien d'Élisabeth ? D'Élisabeth Nicolet ?

— Mon père, je voulais vous poser quelques questions supplémentaires.

— Y a-t-il un problème ?

Oui, il pouvait y en avoir un.

— Non, non. J'aimerais simplement un peu plus d'informations.

— Oui ?

— Auriez-vous un document officiel établissant qui sont les parents d'Élisabeth ?

— Son père était Alain Nicolet, et sa mère Eugénie Bélanger, une cantatrice connue à l'époque. Son oncle, Louis-Philippe Bélanger, était conseiller municipal et un médecin éminent.

— Oui. A-t-on l'extrait de l'acte de naissance ?

Silence. Puis :

— Nous n'avons pas réussi à le retrouver.

— Savez-vous où elle est née ?

— À Montréal, je pense. Sa famille y était installée depuis plusieurs générations. Elle est une descendante de Michel Bélanger, arrivé au Canada en 1758, dans les derniers temps de la Nouvelle-France. La famille Bélanger a toujours occupé une place importante dans le monde des affaires.

— Bon. Y a-t-il un document de l'hôpital, ou n'importe quel acte officiel enregistrant sa naissance ?

Nouveau silence.

— Elle est née il y a plus de cent cinquante ans.

— Est-ce qu'on conservait les registres ?

— Oui. Sœur Julienne a fait des recherches. Mais des documents peuvent avoir été perdus après tant d'années. Tant d'années.

— Bien sûr.

L'un et l'autre, nous avons marqué un silence. J'allais le remercier quand il a repris :

— Pourquoi me posez-vous ces questions, docteur Brennan ?

J'ai hésité. Pas encore. Je pouvais me tromper. Ou avoir raison sans que cela ne veuille rien dire.

— Je voulais juste en savoir un peu plus.

J'avais à peine raccroché que le téléphone sonna.

— Oui, docteur Brennan.

— Ryan. — Sa voix était tendue. — C'était bel et

bien criminel. Et celui qui a organisé les choses voulait être sûr que tout allait y passer. Simple mais efficace. Il a relié une résistance à une minuterie, comme celle où sont branchées vos lampes quand vous partez en cure.

— Je ne fréquente pas les stations thermales, Ryan.

— Ça vous intéresse ce que je vous raconte ?

Je n'ai pas répondu.

— La minuterie a mis en route la plaque chauffante. Qui a déclenché le feu, qui s'est ensuite propagé à une bouteille de propane. La majorité des minuteurs a été détruit, mais on en a récupéré quelques-uns. Ils semblent avoir été programmés pour se déclencher à intervalles réguliers. Or, une fois que le feu a pris, tout a explosé.

— Combien de bouteilles ?

— Quatorze. On a mis la main sur un minuteur intact dans le jardin. Du type qu'on trouve dans toutes les quincailleries. On va chercher des empreintes mais sans trop d'espoir.

— Un liquide inflammable ?

— De l'essence, comme je le pensais.

— Pourquoi les deux ?

— Parce qu'un petit malin voulait que la maison y passe pour de vrai et qu'il n'avait pas l'intention de manquer son coup. Il calculait probablement qu'il n'aurait pas de seconde chance.

— Qu'est-ce qui vous fait dire ça ?

— LaManche a réussi à extraire des échantillons de fluides sur les corps de la chambre à coucher. En toxicologie, ils y ont découvert des concentrations astronomiques de Rohypnol.

— De Rohypnol ?

— Il vous expliquera. On appelle ça la drogue du violeur de bar, ou quelque chose dans le genre, parce que c'est indétectable par la victime et que ça vous flanque sur le cul pendant des heures.

— Je sais ce qu'est le Rohypnol, Ryan. Simplement, cela m'étonne. Ce n'est pas si facile de s'en procurer.

— Ouais. Ça pourrait être un point de départ. C'est interdit aux États-Unis et au Canada.

Comme le crack...

— Un autre truc bizarre : c'étaient pas tout à fait Ward et June Cleaver là-haut. D'après LaManche, le type devait être dans la vingtaine, la femme plus près des cinquante.

Je le savais déjà. LaManche m'avait demandé mon avis au cours de l'autopsie.

— Et maintenant ?

— On retourne là-bas pour fouiller les deux autres bâtiments. On attend toujours que le propriétaire se manifeste. Ça a l'air d'être un ermite, qui s'enterre au fin fond de la campagne belge.

— Bonne chance.

Rohypnol. Cela éveillait quelque chose en moi, très loin dans ma mémoire, mais, en cherchant à approfondir, j'ai perdu le fil.

Vérification au labo pour savoir si les plaquettes du bébé de Pelletier étaient prêtes. Le technicien d'histologie m'a dit qu'il faudrait attendre le lendemain.

Du coup, j'ai passé une heure sur les cendres. Elles étaient dans un pot de confiture avec, écrite à la main, une étiquette indiquant le nom du décédé, celui du crématorium et la date de la crémation. Pas exactement le type d'emballage utilisé en Amérique du Nord, mais je ne connaissais rien des coutumes dans les Caraïbes.

Aucune particule ne dépassait un centimètre. Caractéristique. Peu de fragments d'os échappaient aux pulvérisateurs des crématoriums modernes. À l'aide du microscope de dissection, je réussis à identifier certaines choses, notamment un osselet complet de l'oreille. Également, des petits fragments tordus de métal, qui, d'après moi, pouvaient être des morceaux de prothèse dentaire. Je les mis de côté pour le dentiste.

Normalement, un homme adulte se trouve réduit par le feu et la pulvérisation à un volume d'environ trois mille cinq cents centimètres cubes de cendres. Le pot en contenait dans les trois cent soixante. Dans un bref rapport, j'indiquai que les restes étaient ceux d'un humain adulte et qu'ils étaient incomplets. Tout espoir d'identification reposerait sur Bergeron.

À six heures et demie, je ramassai mes affaires et rentrai à la maison.

6.

Le squelette d'Élisabeth me troublait. Ce que j'avais trouvé semblait totalement invraisemblable, et La Manche l'avait remarqué comme moi. J'avais hâte de tirer cela au clair, mais le lendemain matin m'attendaient au labo d'histologie une série de petits os déposés à côté de l'évier, qui réclamèrent mon attention. Les lamelles étaient prêtes également, et je passai donc quelques heures sur le cas du bébé de Pelletier.

N'ayant pas de nouveau dossier sur mon bureau, à dix heures et demie j'appelai sœur Julienne pour en apprendre le plus possible sur Élisabeth Nicolet. Je lui posai les mêmes questions qu'au père Ménard, avec les mêmes résultats. Élisabeth était une « pure laine ». Québécoise à cent pour cent. Or aucun papier n'établissait directement les conditions de sa naissance ni sa parenté.

— Et à l'extérieur du couvent, ma sœur ? Avez-vous vérifié dans d'autres banques de données ?

— Oh oui ! J'ai cherché dans les archives de l'archevêché. Nous avons des bibliothèques dans toute la province, vous savez. De nombreux couvents et monastères m'ont fourni de la documentation.

J'en avais déjà vu une partie. Il s'agissait principalement de correspondances et de journaux intimes où il était fait référence à la famille. Certains avaient une vocation historique mais mon doyen d'université ne leur aurait pas concédé le label « bon pour une thèse ». Ce n'étaient que des comptes rendus purement anecdotiques, brodant rumeurs sur rumeurs.

J'ai essayé par un autre biais.

— Jusqu'à peu, c'était l'Église qui établissait tous les actes de naissance au Québec, n'est-ce pas ?

Comme le père Ménard me l'avait expliqué.

— Oui, jusqu'à ces toutes dernières années.

— Mais on n'a rien trouvé sur Élisabeth ?

— Non... (Silence.) Nous avons eu quelques incendies terribles au cours des siècles. En 1880, les sœurs de Notre-Dame avaient construit une magnifique maternité sur le mont Royal. Qui, malheureusement, a été rasée par le feu treize ans plus tard. Notre propre maternité a été détruite en 1897. Des centaines de documents inestimables ont ainsi disparu.

Après un nouveau silence, c'est moi qui ai repris :

— Ma sœur, auriez-vous une idée d'un autre endroit où il me serait possible d'obtenir des informations sur la naissance d'Élisabeth ? Ou sur ses parents ?

— Eh bien, je dirais..., vous pourriez aller dans les bibliothèques laïques, je suppose. Ou à la Société historique. Ou peut-être dans une des universités. Il y a eu un certain nombre de personnages qui ont marqué l'histoire du Canada français dans les familles Nicolet et Bélanger. Il en est certainement question dans des ouvrages historiques.

— Merci, ma sœur. Je vais faire cela.

— À McGill, il y a un professeur qui fait des recherches sur nos archives. Ma nièce la connaît. Elle travaille sur les mouvements religieux et s'intéresse également à l'histoire du Québec. Je n'arrive pas à me rappeler si elle est anthropologue ou historienne. Elle pourrait vous être utile... (Elle hésita un instant.) Bien sûr, ses sources pourraient différer des nôtres.

Cela me semblait certain, mais je n'ai rien dit.

— Vous rappelez-vous son nom ?

Il y a eu un long silence. J'entendais d'autres conversations sur la ligne, très loin, comme des voix arrivant de la rive opposée d'un lac. Quelqu'un a ri.

— Cela fait longtemps. Je suis désolée. Je peux demander à ma nièce si vous le souhaitez.

— Merci, ma sœur, je vais poursuivre dans ce sens.

— Docteur Brennan, quand pensez-vous en avoir terminé avec les ossements ?

— Bientôt. À moins d'événements nouveaux, je devrais avoir achevé mon rapport vendredi. Vous y trouverez les évaluations d'âge, de sexe, de race et toute autre observation que j'aurais pu faire, plus un commentaire sur les correspondances avec ce que nous savons à propos d'Élisabeth. Vous pourrez y ajouter ce qui vous semble pertinent pour le dossier à déposer auprès du Vatican.

— Vous allez m'appeler ?

— Bien sûr. Dès que j'aurai terminé.

En fait, j'avais terminé, sans plus de doutes quant à la teneur de mon rapport. Pourquoi ne pas leur en parler tout de suite ?

À peine avais-je raccroché que je reprenais le téléphone pour composer un autre numéro. Une sonnerie a retenti à l'autre bout de la ville.

— Mitch Denton.

— *Hello*, Mitch, c'est Tempe Brennan. C'est toujours toi le grand boss ?

Mitch dirigeait le département d'anthropologie qui m'avait engagée comme enseignante à temps partiel lorsque j'étais venue à Montréal la première fois. Nous étions amis depuis lors. C'était un spécialiste du paléolithique français.

— Eh oui, toujours. Tu ferais un cours chez nous cet été ?

— Non, je te remercie. Mais j'ai une question à te poser.

— *Go.*

— Tu te rappelles le dossier historique dont je t'ai parlé l'autre jour ? Celui de l'archevêché ?

— La candidate à la sainteté ?

— C'est ça.

— Oui, bien sûr, je m'en souviens. Ça doit diablement te changer ! Tu l'as trouvée ?

— Oui. Mais j'ai découvert quelque chose d'assez bizarre, et j'aimerais en savoir plus sur elle.

— Bizarre ?

— Inattendu. Écoute, une des religieuses me dit que quelqu'un à McGill travaillerait sur les religions et l'histoire du Québec. Cela te dit quelque chose ?

— Absolument ! Il doit s'agir de notre chère Daisy Jane.

— Daisy Jane ?

— Docteur Jeannotte pour toi. Professeur d'études religieuses et la chérie des étudiants.

— Sous-titres, Mitch ?

— Son nom est Daisy Jeannotte. Officiellement, elle est professeur à la faculté d'études religieuses ; mais elle enseigne également en histoire. Mouvements religieux au Québec, systèmes de croyance anciens et modernes, ce genre de choses.

— Daisy Jane ? ai-je répété.

— Simple appellation affectueuse entre nous. Non inscrite au fichier.

— Et pourquoi ?

— Disons qu'elle est parfois un peu... bizarre, pour reprendre ton expression.

— Bizarre ?

— Inattendue. C'est une Sudiste, si tu vois ce que je veux dire.

Je n'ai pas relevé. Mitch était originaire du Vermont et il n'en manquait jamais une sur mes origines du Sud.

— Et pourquoi dis-tu qu'elle est la chérie des étudiants ?

— Elle passe tout son temps libre avec eux. Elle les

emmène en excursion, les conseille, voyage avec eux, les invite chez elle le soir. Il y a toujours une file d'attente de pauvres âmes devant sa porte, venant chercher réconfort et assistance.

— Ce qui semble digne d'admiration.

Il allait dire quelque chose lorsqu'il s'est repris.

— Sans doute.

— Et le docteur Jeannotte pourrait avoir des informations sur Élisabeth Nicolet ou sur sa famille ?

— Si quelqu'un peut t'aider, ce ne peut être que Daisy Jane.

Il m'a donné son numéro de téléphone et nous nous sommes quittés en nous promettant de nous voir bientôt.

Une secrétaire m'informa que le docteur Jeannotte recevait à son bureau entre treize et quinze heures. Je décidai d'aller y faire un saut après la pause sandwich.

Cela demande une formation d'au moins un an en ingénierie civile pour comprendre quand et où le stationnement est autorisé à Montréal. L'université McGill est au cœur du centre-ville, si bien que, même lorsqu'on est parvenu à repérer où l'on peut se garer, c'est presque impossible de trouver une place. J'en dénichai une rue Stanley qui, d'après ce que je pouvais comprendre, était autorisée de neuf à cinq, entre le 1er avril et le 31 décembre, excepté entre une et deux le mardi et le jeudi. Sans être en zone de tarif résidentiel.

Après de multiples manœuvres, je réussis à coincer ma Mazda entre une camionnette Toyota et une grosse Cutlass Oldsmobile. Pas mal pour une rue en pente. En sortant de la voiture, j'étais en nage malgré le froid. Coup d'œil sur mes pare-chocs : j'avais encore trente centimètres de marge. En tout.

Le froid n'était pas aussi intense que les jours précédents, et la légère augmentation de température s'était doublée d'un plus haut degré d'hydrométrie. Un nuage d'air froid et humide pesait sur la ville, et le ciel était comme un miroir d'étain. Une neige lourde et mouillée se mit à tomber tandis que je descendais vers la rue Sherbrooke et tournais vers l'est. Les premiers flocons fondaient en touchant le sol, mais les suivants semblèrent avoir l'intention de s'accumuler. Je remontai péniblement la rue McTavish et pénétrai sur le campus par l'entrée ouest. L'université étendait ses bâtiments de pierre grise au nord et au sud, escaladant la colline depuis la rue Sherbrooke jusqu'à la rue du Docteur-Penfield. Les gens entraient et sortaient d'un pas pressé, arrondissant le dos contre le froid, protégeant de la neige leurs livres et leurs sacs. Je dépassai la bibliothèque, pour couper en passant derrière le musée Redpath. Ressortant par la porte est, je pris à gauche pour remonter la rue de l'Université, avec dans les mollets la sensation d'avoir parcouru cinq kilomètres sur une piste du Grand Nord. Devant Birks Hall, je faillis entrer en collision avec un grand jeune homme qui avançait tête baissée, les cheveux et les lunettes parsemés de flocons de la taille d'un papillon de nuit.

Birks Hall date d'une autre époque, avec sa façade gothique, ses boiseries et son mobilier en chêne, ses énormes fenêtres cathédrale. C'est un lieu où l'on imagine plus facilement des chuchotements que les bavardages et les échanges de notes de cours qu'abritent généralement les bâtiments universitaires. Le hall du premier étage est obscur et plein d'échos, avec, accrochés aux murs, des portraits d'hommes aux mines sévères dominant le monde du haut de leur érudition.

Ajoutant mes traces de bottes à la traînée de neige fondue sur le sol de marbre, je me suis avancée de quelques pas pour examiner de plus près ces augustes œuvres d'art. *Thomas Cranmer, Archevêque de Canterbury*. Félicitations, Tom. *John Bunyan, Immortel rêveur*. Autres temps, autres mœurs. Quand j'étais étudiante, rêvasser pendant les cours exposait, si l'on était pris sur le fait, à un humiliant rappel à l'ordre.

Un escalier menait aux étages. Au premier, deux

séries de portes en bois, l'une conduisant à la chapelle, l'autre à la bibliothèque. Au deuxième palier, l'élégance du hall accusait des signes de vieillissement. La peinture s'écaillait aux murs et au plafond, et, ici et là, des carreaux manquaient.

Parvenue en haut de l'escalier, je me suis arrêtée pour reprendre mon souffle. Tout était sombre et silencieux. Sur ma gauche s'ouvrait une sorte d'alcôve avec une double porte donnant sur le balcon de la chapelle, flanquée de deux couloirs où s'alignaient des portes en bois. Dépassant la chapelle, j'ai pris le couloir du fond.

Le dernier bureau sur la gauche était ouvert mais vide. Sur une plaque au-dessus de la porte était écrit *Jeannotte* en belles lettres cursives. À côté de mon bureau, celui-ci ressemblait à l'oratoire Saint-Joseph. Long et étroit, il donnait au fond sur une fenêtre cintrée, à petits carreaux, par laquelle j'apercevais le bâtiment de l'administration et la route qui menait au Centre médico-dentaire de Strathcona. Le plancher était en chêne, les lattes, polies par les pas de milliers d'étudiants, avaient pris une teinte chamois.

Les murs étaient couverts d'étagères remplies de livres, de journaux, de carnets, de vidéocassettes, de carrousels de diapositives, de piles de papiers et de photocopies. Le bureau en bois était devant la fenêtre avec, à droite, un poste de travail informatique.

J'ai regardé ma montre : midi quarante-cinq. J'étais en avance. Je suis retournée dans le couloir examiner les photos accrochées le long des murs. Faculté de théologie, promotion 1937, 1938, 1939. Corps figés, visages sombres.

J'en étais à 1942 quand une jeune fille est apparue. Jean et col roulé, et une veste écossaise en laine qui lui descendait aux genoux. Ses cheveux blonds coupés au carré lui arrivaient au menton, et une épaisse frange lui couvrait les sourcils. Sans maquillage.

— Je peux vous aider ?

La frange a suivi le mouvement quand elle a penché la tête de côté.

— Oui. Je cherche le docteur Jeannotte.

— Le docteur Jeannotte n'est pas encore là, mais je l'attends d'une minute à l'autre. Je peux faire quelque chose pour vous ? Je suis son assistante de travaux dirigés.

D'un geste brusque, elle a repoussé ses cheveux derrière son oreille droite.

— Merci, je désirais voir le docteur Jeannotte pour lui poser quelques questions. Je vais l'attendre, si c'est possible.

— Euh, eh bien, je..., pas de problème, je pense que cela ne doit pas poser de problème. Simplement, elle... je ne suis pas certaine. Elle ne laisse personne entrer dans son bureau en son absence.

Son regard allait de moi à la porte ouverte, revenait sur moi.

— J'étais à la photocopieuse.

— Ça ne fait rien, je vais l'attendre ici.

— Eh bien, non, elle peut tarder un peu. Elle est souvent en retard. Je...

Elle s'est retournée pour jeter un œil derrière elle, vers le bout du couloir.

— Vous pourriez vous asseoir dans son bureau... — De nouveau, le même geste pour coincer ses cheveux derrière son oreille. — Mais je ne sais pas si elle serait d'accord.

Elle semblait incapable de prendre une décision.

— Je suis très bien ici. Je t'assure.

Son regard s'est reporté sur le couloir derrière mon dos, puis de nouveau sur moi. Elle ne cessait de se mordiller les lèvres, de tripoter ses cheveux. Elle ne semblait pas avoir l'âge d'une étudiante. On lui aurait donné douze ans.

— Quel est votre nom déjà ?

— Docteur Brennan. Tempe Brennan.

— Vous êtes professeur ?

— Oui, mais pas ici. Je travaille au laboratoire de sciences judiciaires et de médecine légale.

— C'est la police ?

Un sillon s'était creusé entre ses yeux.

— Non. C'est le bureau du médecin légiste.

— Oh !

Elle s'est passé la langue sur les lèvres, a consulté sa montre. C'était son unique bijou.

— Eh bien, entrez, asseyez-vous. Je suis là, alors je ne pense pas qu'il y ait de problème. J'étais simplement à la photocopieuse.

— Je ne veux pas que ça pose...

— Non. Il n'y a pas de problème.

D'un brusque mouvement de tête, elle m'a fait signe de la suivre.

— Entrez.

Je me suis assise sur le petit canapé. Elle a traversé la pièce et s'est mise à ranger des journaux sur une étagère.

Le ronflement d'un moteur électrique arrivait jusqu'ici, sans que je parvienne à en identifier la source. J'ai jeté un coup d'œil autour de moi. Jamais je n'avais vu autant de livres dans une seule pièce. J'ai lu les titres de ceux qui étaient en face de moi.

Éléments de tradition celtique. Les Rouleaux de la mer Morte et le Nouveau Testament. Les Mystères de la franc-maçonnerie. Chamanisme et anciennes pratiques de l'extase. Les Rites royaux de l'Égypte. La Bible selon Peake. Ces Églises qui nous dupent. Réforme et psychologie du totalitarisme. L'Apocalypse de Waco. La Fin du monde : croyances prophétiques en Amérique du Nord. Pour le moins éclectique.

Quelques minutes passèrent. Il faisait très chaud dans le bureau et je sentais la migraine monter depuis la base de mon crâne. J'ai retiré ma veste.

Hmmmmmmm.

Une gravure était accrochée sur le mur à ma droite. Des enfants se réchauffant devant une cheminée, leur

peau nue reflétant la lumière du feu. *Sortie du bain* —
Robert Peel, 1892. Le dessin me rappelait un de ceux
décorant le salon de musique de ma grand-mère.

J'ai regardé l'heure. Une heure dix.

— Depuis combien de temps travailles-tu pour le
docteur Jeannotte ?

Elle était penchée au-dessus du bureau et s'est
redressée brusquement au son de ma voix.

— Depuis combien de temps ? répéta-t-elle, déconcertée.

— Tu es étudiante de troisième cycle ?

— De deuxième cycle.

Sa silhouette se découpait à contre-jour. Je ne pouvais pas voir son visage, cependant on sentait une tension manifeste dans sa façon de se tenir.

— Il paraît qu'elle s'implique beaucoup auprès de
ses étudiants.

— Pourquoi me demandez-vous cela ?

Drôle de réponse.

— Par curiosité. Pour ma part, j'ai l'impression de
toujours manquer de temps pour voir mes étudiants en
dehors des cours. J'admire.

Cela n'a pas paru la satisfaire.

— Le docteur Jeannotte est plus qu'un professeur
pour un grand nombre d'entre nous.

— Qu'est-ce qui t'a orientée vers une maîtrise
d'études religieuses ?

Elle n'a pas répondu tout de suite et je pensais
qu'elle ne le ferait plus quand elle a dit lentement :

— J'ai rencontré le docteur Jeannotte lorsque je me
suis inscrite à son séminaire. Elle...

Nouveau long silence. À cause du contre-jour, il
était difficile de distinguer son expression.

— ... m'a inspirée.

— Comment ça ?

Silence.

— Elle m'a donné envie de bien faire les choses.
D'apprendre à bien les faire.

Je ne savais pas quoi dire, pourtant, cette fois-ci, il n'a pas été nécessaire de la relancer.

— Elle m'a fait prendre conscience qu'une grande partie des réponses se trouvaient déjà écrites, qu'il fallait simplement apprendre à les découvrir... Elle a inspiré profondément, expiré. C'est difficile, c'est très difficile, mais j'ai finalement compris dans quel chaos les gens ont mis le monde, et combien seuls quelques éclairés...

Elle s'est légèrement tournée et j'ai alors pu voir son visage. Elle avait les yeux écarquillés, la bouche crispée.

— Docteur Jeannotte, nous étions juste en train de parler.

Une femme se tenait dans l'encadrement de la porte. Elle ne devait pas mesurer plus d'un mètre cinquante, ses cheveux noirs étaient tirés. Sa peau était de la même teinte coquille d'œuf que le mur.

— Avant, j'étais à la photocopieuse. Je n'ai quitté le bureau que quelques secondes.

La femme à la porte ne bougeait pas d'un cil.

— Elle n'est pas restée seule ici. Je ne l'y aurais pas autorisée.

Elle s'est mordillé la lèvre, a baissé les yeux. Daisy Jeannotte n'avait toujours pas bougé.

— Elle avait des questions à vous poser, alors j'ai pensé qu'il n'y avait pas de problème à ce qu'elle entre pour vous attendre. Elle est médecin légiste.

Sa voix en tremblait presque.

Jeannotte ne regardait pas dans ma direction. Je n'avais aucune idée de ce qui était en train de se passer.

— Je... je rangeais les journaux. Nous parlions, c'est tout.

Des gouttes de sueur perlaient sur sa lèvre supérieure.

Jeannotte continuait à la fixer. Puis, lentement, elle s'est tournée vers moi.

— Vous n'avez pas choisi le meilleur moment, madame... ?

Une voix douce. Du Tennessee peut-être, ou de Géorgie.

— Docteur Brennan, ai-je dit en me levant.

— Docteur Brennan.

— Veuillez m'excuser pour cette visite impromptue. Votre secrétaire m'a dit que vous aviez une permanence durant ces heures-là.

Elle m'a détaillée pendant un long moment. Ses yeux étaient enfoncés dans les orbites, avec un iris si pâle qu'il en paraissait presque incolore. Effet encore accentué par le fait qu'elle se teignait en noir les cils et les sourcils. La couleur de ses cheveux, d'un noir profond, n'était pas naturelle non plus.

— Eh bien, a-t-elle fini par déclarer, puisque vous êtes là. Et qu'est-ce qui vous amène ?

Elle ne bougeait pas de l'embrasure de la porte. Elle faisait partie de ces gens qui savent afficher un calme absolu.

J'ai parlé de sœur Julienne et du fait que je m'intéressais à Élisabeth Nicolet. Sans donner plus de détails.

Jeannotte réfléchissait, puis elle a tourné son regard vers son assistante. La jeune fille a reposé les journaux sans dire un mot et s'est précipitée hors du bureau.

— Veuillez excuser mon assistante. Elle est d'une grande nervosité... — Elle a eu un petit rire. — Mais c'est une excellente étudiante.

Elle s'est approchée du fauteuil qui me faisait face. Nous nous sommes assises l'une et l'autre.

— Je réserve normalement cette partie de l'après-midi à mes étudiants. Or, apparemment, il n'y a personne aujourd'hui. Aimeriez-vous un thé ?

Sa voix avait une intonation mielleuse, comme si nous appartenions toutes deux au même cercle.

— Non, merci, je viens de déjeuner.

— Vous êtes médecin légiste ?

— Pas exactement. Je suis anthropologue judiciaire

à la faculté d'anthropologie de l'université de Charlotte en Caroline du Nord. Je travaille ici comme consultante pour le coroner.

— Charlotte est une très jolie ville. J'y suis allée souvent.

— Merci. Notre campus est bien différent du vôtre, très moderne. Je vous envie votre splendide bureau.

— Oui. Il a beaucoup de charme. Birks Hall date de 1931 et, à l'origine, portait le nom de Maison de la Divinité. Il appartenait aux collèges théologiques mixtes, avant d'être racheté par McGill en 1948. Saviez-vous que la faculté de théologie est une des plus vieilles facultés de McGill ?

— Non, je l'ignorais.

— Bien sûr, nous sommes désormais la faculté d'études religieuses. Ainsi, vous vous intéressez à la famille Nicolet.

Croisant les chevilles, elle s'est appuyée au dossier de la chaise. Cet iris décoloré me troublait.

— Oui. J'aimerais notamment connaître le lieu de naissance d'Élisabeth et ce que faisaient ses parents à l'époque. Sœur Julienne n'est pas parvenue à retrouver l'acte de naissance, mais elle est certaine qu'elle est née à Montréal. Elle pensait que vous pourriez peut-être m'orienter.

— Sœur Julienne...

De nouveau, son rire a rebondi comme une cascade sur la roche. Puis son visage est redevenu sérieux.

— Beaucoup de choses ont été écrites sur et par des membres des familles Nicolet et Bélanger. Notre propre bibliothèque est très riche en archives historiques. Je suis sûre que vous allez trouver beaucoup de choses ici. Vous pouvez également vous rendre aux Archives de la province de Québec, à la Société historique canadienne et aux Archives publiques du Canada.

Les intonations douces du Sud avaient pris une

inflexion presque mécanique. J'étais une élève de deuxième année, avec un projet de recherche.

— Vous pourriez également vérifier dans des revues, comme le *Bulletin de la Société historique canadienne,* la *Revue annuelle du Canada,* le *Bulletin des archives canadiennes,* la *Revue historique canadienne,* les *Travaux de la Société de littérature et d'histoire du Québec,* ou les *Travaux de la Société royale du Canada.*

On aurait dit une bande enregistrée.

— Et, bien sûr, il y a des centaines de livres. Moimême, je connais très mal cette période.

Mes pensées devaient se refléter sur mon visage.

— Ne prenez pas cet air découragé. Ce n'est qu'une question de temps.

Jamais je ne trouverais assez d'heures pour passer au peigne fin cette masse d'informations. J'ai tenté une autre piste.

— Connaissez-vous un peu les circonstances entourant la naissance d'Élisabeth ?

— Pas vraiment. Comme je viens de le dire, ce n'est pas une période que j'ai étudiée. Je sais de qui il s'agit, évidemment, et le travail qu'elle a accompli durant l'épidémie de variole de 1885... — Elle a marqué un temps d'arrêt, pour bien peser ses mots. — Mon travail de recherche s'est concentré sur les mouvements messianiques et les nouveaux systèmes de croyance, et non sur les religions ecclésiastiques traditionnelles.

— Au Québec ?

— Pas exclusivement. — Puis, revenant aux Nicolet : — La famille était connue à cette époque, ce serait peut-être plus intéressant pour vous de vérifier dans les comptes rendus de journaux. Vous aviez alors quatre quotidiens en anglais : *The Gazette, Star, Herald* et *Witness.*

— Je pourrais les trouver en bibliothèque ?

— Oui. Et il y a toujours la presse francophone, *La Minerve, Le Monde, La Patrie, L'Étendard* et *La*

Presse. Les journaux français étaient un peu moins riches et un peu plus minces que les anglais, mais je suppose qu'ils avaient tous un carnet de naissances.

Je n'avais pas pensé à la presse. Voilà qui paraissait plus facile à consulter.

Les journaux étaient sur microfilms, m'expliquat-elle. Puis elle me promit de m'établir une liste bibliographique. Pendant un moment, la conversation roula sur d'autres sujets. Je répondis à sa curiosité concernant mon travail. Nous comparâmes nos expériences de femmes professeurs dans un monde universitaire dominé par les hommes. Bientôt, une étudiante apparut à la porte. Daisy Jeannotte tapota sa montre et lui fit signe de ses cinq doigts levés. La jeune fille disparut.

Nous nous sommes levées en même temps. Je l'ai remerciée, j'ai remis ma veste, mon chapeau et mon écharpe. J'étais presque dans le couloir quand sa question m'a arrêtée.

— Êtes-vous croyante, docteur Brennan ?

— J'ai été élevée dans la religion catholique mais je ne suis rattachée à aucune Église.

Les yeux fantomatiques étaient rivés aux miens.

— Croyez-vous en Dieu ?

— Docteur Jeannotte, il y a des jours où j'ai du mal à croire en la journée du lendemain.

Après l'avoir quittée, je fis un tour à la bibliothèque, où je passai une heure à feuilleter des livres d'histoire, à parcourir les index. J'empruntai plusieurs ouvrages qui mentionnaient soit Nicolet, soit Bélanger, bien heureuse de bénéficier encore de mes privilèges universitaires.

Dehors, il faisait presque nuit. Il neigeait, et les piétons devaient marcher au milieu de la chaussée ou sur les trottoirs, le long de minces chemins sinueux, posant soigneusement un pied devant l'autre, pour ne pas s'enfoncer dans la neige fraîche. J'avançais péniblement derrière un couple, la fille devant, le garçon derrière qui la tenait par les épaules. Les lanières de leurs sacs à dos bougeaient au rythme du balancement des hanches. De temps à autre, la fille s'arrêtait pour happer un flocon du bout de la langue.

La baisse de luminosité avait entraîné une chute de température et j'ai trouvé mon pare-brise recouvert de glace. J'ai sorti mon grattoir en maudissant mes instincts migratoires. N'importe qui, avec un peu de sens commun, se trouverait actuellement sur la plage.

Durant mon petit bout de route jusqu'à la maison, je me suis repassé mentalement la scène qui s'était déroulée dans le bureau de Jeannotte, en essayant de comprendre l'étrange attitude de l'assistante. Pourquoi avait-elle fait preuve d'une telle nervosité ? Elle paraissait totalement subjuguée par son professeur, bien au-delà de la classique déférence de l'élève. Trois fois de suite elle avait parlé de la photocopieuse et pourtant, quand je l'avais croisée dans le couloir, elle n'avait rien dans les mains. Au fait, je ne savais même pas son nom.

Je repensais à Jeannotte. Elle s'était montrée tellement charmante, si maîtresse d'elle-même. Comme une personne habituée à toujours bien contrôler son auditoire. Je revoyais son regard pénétrant, qui contrastait si fortement avec son physique mince et sa manière de parler, si douce et aimable. Je m'étais sentie comme une étudiante. Pourquoi ? Cela m'est revenu alors : son regard était resté fixé sur moi durant toute notre conversation. Elle n'avait jamais détourné les yeux des miens. Cela et la couleur étrange de ses iris formaient un ensemble déconcertant.

À la maison, deux messages m'attendaient. Le premier avait de quoi m'effrayer un peu. Harry avait commencé ses cours et s'apprêtait à devenir un gourou en médecines alternatives.

Au second message, j'ai senti mon esprit se glacer. Tout en écoutant, je regardais la neige s'accumuler contre le mur du jardin. Les flocons peu à peu venaient recouvrir d'une couche blanche le tapis grisâtre, comme une toute neuve innocence sur les péchés de l'année écoulée.

« Brennan, si vous êtes là, décrochez, c'est important... *Silence.* Il y a du nouveau dans le dossier de Saint-Jovite. *La tristesse rendait la voix de Ryan plus aiguë.* En fouillant les bâtiments extérieurs, on a trouvé quatre autres corps derrière un escalier... *Le bruit d'une bouffée de cigarette inhalée profondément, puis lentement expirée.* Deux adultes et deux bébés. Ils ne sont pas brûlés, mais c'est monstrueux. Je n'ai jamais vu ça. Je ne veux pas entrer dans les détails ; il y a une toute nouvelle partie en jeu et c'est du bien dégueulasse. On se voit demain. »

7.

Ryan n'était pas le seul à être révulsé. J'avais vu des enfants qu'on avait maltraités, affamés. J'en avais vu qui avaient été frappés, violés, étouffés, battus à mort. Mais je n'avais encore jamais rien vu qui puisse ressembler à ce qui avait été fait aux bébés de Saint-Jovite.

Les autres avaient été contactés au cours de la nuit précédente. Lorsque j'arrivai devant l'immeuble de la police provinciale à huit heures et quart, la presse faisait le guet, dans des camionnettes aux fenêtres opaques de buée, des nuages de fumée sortant des pots d'échappement.

Normalement, la journée ne commençait qu'à huit heures et demie, mais la grande salle d'autopsie vibrait déjà d'activité. Bertrand était là, avec plusieurs autres enquêteurs de la police provinciale, et un photographe de la section Identité. Ryan n'était pas arrivé.

L'examen externe était en cours et une série de polaroïds était posée sur le coin du bureau. Les corps avaient été emportés à la radiographie et LaManche griffonnait sur son calepin. Il s'est interrompu à mon entrée et a levé les yeux vers moi.

— Content de vous voir, Temperance. Je vais sans doute avoir besoin d'aide pour déterminer l'âge.

J'ai hoché la tête.

— Et il est possible qu'un outil... — il cherchait le mot, la tension crispant son long visage de limier — inhabituel ait été utilisé ici.

J'ai à nouveau hoché la tête et je suis montée me changer. J'ai croisé Ryan dans le couloir, qui m'a brièvement saluée d'un sourire. Ses yeux étaient humides, son nez et ses joues rouge cerise, comme s'il avait longuement marché dans le froid.

Dans le vestiaire, j'ai rassemblé mon courage pour la suite. Deux corps de bébés assassinés, c'était déjà épouvantable. Qu'avait voulu dire LaManche par « un outil inhabituel » ?

Toutes les affaires dans lesquelles des enfants sont impliqués sont difficiles pour moi. Quand Katy était petite, j'avais toutes les peines du monde après l'un de ces meurtres à ne pas la mettre en laisse, afin de l'avoir toujours sous les yeux.

Elle a grandi, mais j'appréhende toujours autant la vue des cadavres d'enfants. De toutes les victimes, ils sont les plus vulnérables, les plus confiants, et les plus innocents. Chaque fois qu'il en arrive un à la morgue, c'est une véritable souffrance. Un face à face avec la réalité d'une humanité déchue. Et la compassion est d'un piètre réconfort.

Je suis retournée en salle d'autopsie, me pensant prête à me mettre au travail. Jusqu'à ce que j'aperçoive le petit corps sur la table en inox...

Une poupée. Ce fut ma première impression. Un poupon en plastique, grandeur nature, devenu un peu gris avec le temps. J'en avais eu un comme ça petite fille, un nouveau-né rose fleurant bon le caoutchouc. Je le nourrissais par un petit trou qu'il avait entre les lèvres et changeais sa couche quand l'eau s'échappait de l'autre côté.

Mais ce n'était pas une poupée. Le bébé était couché sur le ventre, les bras de chaque côté du corps, les doigts repliés dans les toutes petites paumes. Les fesses étaient aplaties, des bandes blanches s'entrecroi-

98

saient sur la lividité violacée du dos. La tête était recouverte d'un fin duvet roux. Il était nu, à l'exception d'un bracelet qui lui enserrait le poignet droit. Il avait deux blessures près de l'omoplate gauche.

Sur la table voisine était posé une grenouillère, avec des camions bleus et rouges qui souriaient gaiement sur le tissu. À côté, une couche sale, un petit sous-vêtement de coton avec des boutons-pression à l'entrejambe, un pull à manches longues et une paire de chaussettes blanches. Tout cela imbibé de sang.

LaManche parlait à son dictaphone.

« Bébé de race blanche, bien développé et bien nourri... »

« Mais mort », pensai-je. Lentement, l'horreur de la situation prenait forme.

« Le corps est bien préservé, avec une légère macération épidermique... »

— Je suppose qu'il n'y aura pas à chercher les blessures dues à sa résistance à l'agresseur.

Bertrand s'était approché de moi. Je n'ai pas répondu. Je n'étais pas franchement d'humeur à faire des blagues de carabins.

— Il y en a un autre au frigo, a-t-il poursuivi.

— C'est ce qu'ils ont dit, ai-je répondu d'un ton cassant.

— Ouais. Mais, maudit chris, c'étaient des bébés !

J'ai croisé son regard et j'ai été traversée de remords. Bertrand n'essayait pas de faire de l'humour. On aurait cru que c'était son propre enfant qui était mort.

— Des bébés. Un type les a zigouillés, puis les a planqués dans une cave. Ce qui prouve à peu près autant de sang-froid qu'un tir à bout portant. Pire. L'enfant de salaud devait les connaître, les petits.

— Pourquoi vous dites ça ?

— Simple logique. Deux enfants, deux adultes, qui sont probablement les parents. Quelqu'un a réglé son compte à toute la famille.

— Et il a mis le feu à la maison pour dissimuler ses meurtres ?

— Possible.

— Ce pourrait être un étranger.

— Oui, mais j'en doute. Attendez, vous allez voir.

Il a fixé à nouveau son attention sur le déroulement de l'autopsie, les mains crispées dans son dos.

LaManche a interrompu son enregistrement pour s'adresser au technicien d'autopsie. Lisa a mesuré la taille du bébé.

— Cinquante-huit centimètres.

Ryan observait la scène de l'autre côté de la pièce, bras croisés, le pouce droit grattant le tweed de sa veste au niveau du biceps gauche. De temps à autre, je voyais ses mâchoires se contracter, sa pomme d'Adam monter et descendre.

Lisa a enroulé le mètre de couturière autour de la petite tête, de la poitrine, de l'abdomen, en énonçant les mesures. Puis elle a soulevé le corps pour le poser sur la balance dont on se servait pour peser des organes. Le panier a oscillé légèrement, elle l'a stabilisé de la main. L'image était à fendre le cœur. Un bébé mort dans un berceau de métal.

— Six kilos.

Seulement six kilos. LaManche a noté le poids, et elle a repris le corps pour le replacer sur la table. Quand elle s'est reculée, j'en ai eu le souffle coupé. J'ai regardé Bertrand, mais il fixait le bout de ses chaussures.

Il s'agissait d'un petit garçon. Le corps était maintenant placé sur le dos, jambes et bras largement écartés aux jointures. Les yeux étaient ronds et écarquillés, les iris opacifiés d'une taie, d'un gris brumeux. La tête avait roulé sur le côté, et la joue ronde reposait sur la clavicule gauche.

Juste en dessous, il y avait un trou dans la poitrine, approximativement de la taille de mon poing. La plaie avait des bords irréguliers, encerclés d'un anneau violacé. Une série d'incisions, chacune mesurant un à deux centimètres de long, rayonnait autour de la cavité. Les unes profondes, les autres superficielles. À certains endroits, elles se chevauchaient, pour former des V ou des L.

D'un mouvement incontrôlé, j'ai porté les mains à ma propre poitrine, l'estomac noué. Je me suis tournée vers Bertrand, dans l'incapacité de formuler une question.

— Pouvez-vous croire ça ? a-t-il dit d'un ton lugubre. L'enfant de chienne lui a sorti le cœur au couteau.

— Le cœur a disparu ?

Il a confirmé. J'ai dégluti.

— Et l'autre ?

Il a de nouveau hoché la tête.

— C'est juste quand on pense avoir tout vu qu'on comprend son erreur.

— Christ.

Je me sentais glacée de l'intérieur. J'ai espéré avec ferveur que les enfants étaient inconscients au moment de la mutilation.

J'ai regardé Ryan. Il contemplait le spectacle, le visage inexpressif.

— Et les adultes ?

— Apparemment ils ont été poignardés plusieurs fois, on leur a tranché la gorge, mais les organes sont toujours en place.

D'un ton monocorde, LaManche continuait à décrire l'aspect externe des blessures. Je n'avais pas besoin d'écouter. Je savais ce que signifiait la présence de l'hématome. Une contusion n'apparaît sur les tissus que si le sang circule. Le bébé était vivant quand le couteau avait pénétré dans les chairs. Les bébés.

J'ai fermé les yeux, combattant une furieuse envie de sortir. *Accroche-toi, Brennan. Fais ton travail.*

Je me suis avancée jusqu'à la table au centre de la pièce pour examiner les vêtements. Tout était minuscule, si familier. Le pyjama avec les petits chaussons attachés, le tissu tout doux du col et des poignets. Katy en avait porté des dizaines du même genre. Je me voyais encore ouvrant et fermant les boutons-pression lorsque je la changeais, ses petites jambes potelées qui gigotaient follement. Comment on les appelait déjà ? Il y avait un nom spécifique pour cela. J'essayais de m'en souvenir, mais mon esprit battait la campagne. Ce qui était peut-être une sorte de protection, de sonnette d'alarme, m'exhortant à cesser de ramener les choses à moi, à en revenir à une approche professionnelle, avant d'éclater en sanglots ou, simplement, de sombrer dans l'apathie.

Le plus abondant saignement avait eu lieu alors que le bébé était couché sur le côté gauche. La manche et l'épaule droites du vêtement étaient tachées, et le sang avait tellement imbibé l'autre côté que le tissu en était devenu rouge sombre et brun. Le maillot de corps et le pull étaient dans le même état.

— Trois épaisseurs, ai-je fait remarquer, sans m'adresser à personne en particulier. Et des chaussettes.

Bertrand s'est approché.

— Quelqu'un veillait à ce qu'il n'ait pas froid.

— Ouais, faut croire, a reconnu Bertrand.

Ryan est venu nous rejoindre. Chaque vêtement présentait le même trou aux bords irréguliers, avec tout autour un faisceau de gouttelettes de sang, redessinant la même plaie que celle de la poitrine.

— Il était habillé, a dit Ryan en premier.

— Ouais, a ajouté Bertrand. Les vêtements n'ont pas empêché le petit rituel morbide, faut croire.

Je me suis tue.

— Temperance, a dit LaManche, apportez-moi la loupe, s'il vous plaît. Je viens de remarquer quelque chose.

Nous nous sommes rapprochés de lui. Il a désigné une légère décoloration au-dessous de la blessure, dans la poitrine. Prenant la loupe, il s'est penché, l'a examinée, puis m'a cédé la place.

Quand j'ai regardé à mon tour, j'en suis restée stupéfaite. Ce n'était pas là l'aspect caractéristique irrégulièrement marbré d'une lésion. L'agrandissement permettait de distinguer dans la chair de l'enfant un tracé particulier, une incision en croix au centre, terminée par une boucle, comme une croix ansée égyptienne ou une croix de Malte. Le dessin était encadré d'une bordure rectangulaire dentelée. Repassant la loupe à Ryan, j'ai regardé LaManche d'un œil interrogateur.

— Temperance, cette blessure correspond très nettement à un motif déterminé. Il faut préserver les tissus. Le docteur Bergeron n'étant pas là aujourd'hui, je vais avoir besoin de votre aide.

Marc Bergeron, odontologiste pour le LML, avait mis au point une technique permettant de prélever et de fixer les blessures dans les tissus mous. Il l'avait conçue à l'origine pour les morsures sur le corps de victimes de viol. Méthode qui s'était également révélée efficace pour exciser et conserver des tatouages ou des blessures externes. J'avais observé Marc procéder des centaines de fois et l'avais même secondé à plusieurs reprises.

Je suis allée chercher son matériel dans le placard de la première salle d'autopsie et, de retour en salle deux, j'ai étalé son équipement sur un chariot en inox. Le temps de passer des gants, le photographe avait terminé et LaManche était prêt. D'un signe de tête, il m'a donné le feu vert. Ryan et Bertrand observaient.

J'ai mesuré cinq cuillerées de poudre rose provenant d'une bouteille en plastique, que j'ai versées dans une fiole en verre, et j'y ai ensuite ajouté vingt centimètres cubes d'un liquide pur transparent. J'ai remué et, en moins d'une minute, le mélange avait épaissi jusqu'à avoir la consistance d'une pâte à modeler. J'ai formé un anneau que j'ai placé autour de la lésion sur la poitrine du bébé. Je sentais la chaleur de la fibre acrylique sous mes paumes tandis que je l'appliquais.

Afin d'accélérer le processus de durcissement, j'ai recouvert le tout d'une serviette humide. En moins de dix minutes, l'acrylique avait refroidi. Prenant un tube, j'en ai pressé le liquide transparent sur tout le pourtour de l'anneau.

— C'est quoi ? a demandé Ryan.

— Du cyano-acrylate.

— À l'odeur, on dirait de la colle.

— C'en est.

Quand j'ai jugé que la colle était sèche, j'ai fait un test en tirant doucement sur l'anneau. Encore deux ou trois gouttes, quelques minutes supplémentaires d'attente, et l'anneau s'est trouvé solidement fixé. J'ai inscrit dessus la date, le numéro du cas et celui de la morgue, puis indiqué le haut, le bas, la gauche et la droite.

— C'est bon, ai-je dit en m'écartant d'un pas.

À l'aide d'un scalpel, LaManche a découpé la peau autour de l'anneau, en incisant assez profondément pour prélever également les tissus graisseux sous-cutanés. Quand l'anneau s'est finalement détaché, la peau se trouvait fermement maintenue en place, comme une peinture miniature tendue sur un cadre circulaire rose. LaManche a alors déposé le spécimen dans le pot que je tenais prêt pour lui.

— De quoi s'agit-il ? a encore demandé Ryan.

— Une solution tampon à concentration de dix pour cent de formol. D'ici dix à douze heures, les tissus seront stabilisés. L'anneau va empêcher la distorsion, ce qui plus tard, si nous avons l'arme, nous permettra de comparer avec les marques de blessure. Et, bien sûr, nous aurons les photos.

— Pourquoi les photos ne sont-elles pas suffisantes ?

— Avec cela, on peut éventuellement faire une analyse par transparence.

— Par transparence ?

Je n'avais pas vraiment le cœur à animer un séminaire scientifique, aussi suis-je allée au plus simple.

— On projette une lumière en transparence à travers les tissus, ce qui va nous donner des indications sur la région sous-cutanée. Cela fait souvent ressortir des détails indétectables en surface.

— Qu'est-ce qui a fait ça, à votre avis ? a demandé Bertrand.

— Je n'en ai aucune idée, ai-je répondu en fermant le bocal et en le tendant à Lisa.

En me retournant, un immense sentiment de tristesse m'a envahie et je n'ai pu me retenir de prendre la petite main. Elle était douce et froide. J'ai tourné le bracelet qui entourait le poignet : M.A.T.H.I.A.S.

Je suis tellement désolée, Mathias.

J'ai relevé les yeux pour croiser ceux de LaManche. Ils semblaient refléter le désespoir que je ressentais. J'ai reculé d'un pas et il a commencé l'examen interne. Il allait exciser et envoyer à l'étage l'extrémité de tous les os coupés par l'assassin, mais je n'étais pas optimiste. Bien que n'ayant jamais examiné de marques d'instruments dans le cas d'une si jeune victime, j'avais des doutes quant au fait que les minuscules côtes d'un bébé puissent nous apprendre beaucoup.

J'ai retiré mes gants et me suis tournée vers Ryan tandis que Lisa pratiquait une incision en Y sur la poitrine.

— On a les photos de la scène ?

— Seulement les premiers clichés.

Il m'a tendu une grande enveloppe brune qui contenait une série de photos. Je suis allée m'installer au bureau qui occupait le coin de la pièce.

La première photo montrait la majeure partie des bâtiments annexes du chalet de Saint-Jovite ; c'était le même genre de construction. D'un mauvais goût alpestre. La photo suivante avait été prise à l'intérieur, depuis le haut d'un escalier, sombre et étroit, des murs de chaque côté avec des rampes en bois collées aux cloisons et des déchets accumulés de part et d'autre des marches.

Il y avait plusieurs photos de la cave, sous différents angles. La pièce était pauvrement éclairée, la seule lumière provenant d'une petite fenêtre rectangulaire située juste en dessous du plafond. Plancher en linoléum. Murs en planches de pin de dernière qualité. Des éviers. Un chauffe-eau. D'autres ordures.

Il y avait ensuite des gros plans du chauffe-eau et de l'espace qui le séparait du mur. La niche était remplie de vieux tapis roulés et de sacs en plastique. Les photos suivantes les montraient alignés sur le lino, d'abord non déballés, puis ouverts pour que le contenu en soit visible.

Les adultes avaient été enveloppés dans de grands morceaux de plastique transparent, puis enroulés dans des descentes de lit avant d'être coincés derrière le chauffe-eau. Les abdomens étaient gonflés, la peau se détachait par endroits, mais les corps étaient dans un bon état de conservation.

Ryan s'est approché pour regarder par-dessus mon épaule.

— Le chauffe-eau devait être éteint, ai-je dit en lui tendant la photo. Autrement, la chaleur aurait accéléré le processus de décomposition.

— D'après nous, le bâtiment n'était pas utilisé.

— C'était quoi ?

Il a haussé les épaules. Je suis revenue aux polaroïds.

L'homme et la femme étaient tous les deux habillés, mais pieds nus. Ils avaient la gorge tranchée, le sang imbibait leurs vêtements et tachait également les feuilles de plastique. L'homme avait une main tordue vers l'arrière, la paume entaillée de profondes coupures. Blessures liées à sa résistance à l'agresseur. Il avait essayé de sauver sa peau. Ou celle de sa famille.

Oh, Seigneur ! J'ai fermé un moment les yeux.

Pour les enfants, l'emballage avait été plus rudimentaire. Ils étaient empaquetés dans du plastique, puis dans des sacs-poubelle et empilés au-dessus des adultes.

Je regardai les petites mains, les fossettes des articulations. Bertrand avait raison. Eux ne présenteraient pas de blessures d'autodéfense. En moi, le chagrin se mêlait à la colère.

— Je veux la peau de ce fils de pute.

J'ai levé la tête pour fixer Ryan dans les yeux.

— Ouais.

— Je veux que vous le trouviez, Ryan. Je ne plaisante pas. Ce type-là, je le veux. Avant que nous ne trouvions un autre bébé massacré. À quoi sommes-nous bons si nous ne pouvons pas arrêter ça ?

Le bleu électrique soutenait mon regard.

— On va l'avoir, Brennan. Y a aucun doute là-dessus.

Le reste de la journée se passa en allers et retours d'ascenseur entre mon bureau et la salle d'autopsie. Cela prendrait au moins deux jours avant que tout soit terminé, dans la mesure où LaManche effectuerait seul les quatre autopsies. Règle de procédure classique dans une affaire d'homicide multiple. Qu'il n'y ait qu'un seul médecin légiste assure la cohérence dans le dossier et celle de son témoignage si l'affaire va en justice.

À une heure, Mathias avait été ramené dans les armoires réfrigérées de la morgue et l'autopsie du deuxième bébé commençait. La scène que nous avions jouée le matin se répétait. Mêmes acteurs. Même décor. Même victime. Excepté le fait que celle-ci avait un bracelet portant le nom de M.A.L.A.C.H.Y.

À quatre heures et demie, le ventre de Malachy était refermé, sa minuscule calotte crânienne remise en place, ainsi que son visage. Mis à part l'incision en Y et la poitrine mutilée, les bébés étaient prêts pour l'enterrement. Où aurait-il lieu ? Cela était encore pour nous une question sans réponse. Et, même, qui s'en chargerait ?

Ryan et Bertrand avaient également passé la journée en allées et venues. On avait pris les empreintes des pieds des garçonnets, mais, celles figurant dans les registres de maternité étant connues pour être illisibles, Ryan ne fondait pas beaucoup d'espoir là-dessus pour établir leur identité.

Plus de vingt-cinq pour cent de l'ossature du squelette est composée des os des mains et des poignets. Un adulte en a vingt-sept dans chaque main, un bébé, selon son âge, beaucoup moins. Les radios m'avaient permis de voir quels os étaient présents et à quel degré de formation. Selon mon estimation, Mathias et Malachy étaient âgés d'environ quatre mois au moment où ils avaient été tués.

L'information fut transmise aux médias, mais, à l'exception des habituels débiles, il y eut peu de réponses. Notre espoir reposait sur les corps des adultes, toujours conservés dans les armoires réfrigérées. Une fois établie leur identité, celle des enfants suivrait. Pour le moment, les bébés demeureraient Bébé Malachy et Bébé Mathias.

8.

Vendredi, je ne vis ni Ryan ni Bertrand. LaManche passa toute la journée au sous-sol, avec les corps des adultes de Saint-Jovite. Au labo d'histologie, j'avais fait mettre les côtes des bébés à tremper dans des bacs en verre. S'il s'y trouvait des rainures ou des éraflures, elles seraient si minuscules qu'il n'était pas question de risquer de les endommager en les faisant bouillir ou en les grattant. Pas question non plus de les rayer avec un scalpel ou des ciseaux. À cette étape-ci, tout ce que je pouvais faire, c'était changer l'eau régulièrement et enlever les chairs au fur et à mesure.

Cette accalmie était une aubaine dont je profitai pour peaufiner mon rapport sur Élisabeth Nicolet, que j'avais promis dans la journée. Comme mon retour pour Charlotte était prévu lundi, j'envisageais d'examiner les côtes samedi ou dimanche. Si rien n'arrivait d'ici là, je pensais pouvoir en finir avec les urgences avant mon départ. Mais c'était compter sans le coup de téléphone que je reçus à dix heures et demie.

— Je suis vraiment terriblement désolée de vous appeler comme cela, docteur Brennan.

Voix anglophone, élocution lente, chaque mot choisi avec attention.

— Sœur Julienne, quel plaisir de vous entendre...

— Il faut me pardonner de vous appeler si souvent...

— Si souvent ?

J'ai feuilleté la pile de fiches roses sur mon bureau. Elle avait rappelé mercredi dernier, je le savais, et j'avais pensé que c'était suite à notre précédente conversation. Mais il y avait deux autres fiches avec son nom et son numéro de téléphone.

— C'est moi qui vous dois des excuses. J'ai été très occupée toute la journée d'hier et je n'ai pas regardé mes messages. Je suis désolée.

Pas de réponse.

— Je termine la rédaction du rapport.

— Non, non, il ne s'agit pas de cela. Je veux dire, oui, bien sûr, c'est terriblement important. Et nous avons tous hâte de...

Elle a hésité et il me semblait voir la ride entre ses deux sourcils noirs se creuser encore davantage. Sœur Julienne avait toujours un air préoccupé.

— Je suis un peu mal à l'aise, mais je ne sais vers où me tourner. J'ai prié, évidemment, et je sais que Dieu m'écoute, mais il me semble que j'ai le devoir de faire quelque chose. D'accord, je me dévoue entièrement à mon travail, pour tenir les archives de Dieu, mais j'ai aussi une famille terrestre.

Elle modelait ses mots comme un pâtissier ses petits choux.

Elle s'est tue de nouveau, longuement. Je l'ai laissée poursuivre.

— Il aide ceux qui s'aident eux-mêmes.

— Oui.

— C'est à propos de ma nièce, Anna. Anna Goyette. C'est d'elle que je vous ai parlé mercredi.

— Votre nièce ?

Où cela allait-il nous mener ?

— C'est la fille de ma sœur Virginie.

— Ah, je vois.

— Elle..., nous ne sommes pas sûres de l'endroit où elle se trouve actuellement.

— Mmm...

— Normalement, c'est une enfant très réfléchie, en qui on peut avoir confiance, qui ne s'absente jamais sans prévenir.

— Mmm...

Je commençais à la voir venir.

Elle a finalement craché le morceau :

— Anna n'est pas rentrée hier soir et ma sœur est dans tous ses états. Je lui ai dit de prier, naturellement, mais, eh bien...

Sa voix a brusquement déraillé.

Que dire ? Je ne m'attendais pas à voir la conversation prendre ce tour-là.

— Votre nièce a disparu ?

— Oui.

— Si vous vous inquiétez, vous devriez peut-être téléphoner à la police.

— Ma sœur a appelé deux fois. Ils lui ont dit que, pour des jeunes de cet âge, leur politique est d'attendre quarante-huit à soixante-douze heures.

— Quel âge a-t-elle ?

— Dix-neuf ans.

— C'est elle qui étudie à McGill ?

— Oui.

Le fil de sa voix était tendu comme la lame d'une scie à métaux.

— Ma sœur, il n'y a vraiment rien que je...

J'ai entendu un sanglot retenu.

— Je sais, je sais, et je m'excuse de vous importuner, docteur Brennan.

Ses mots m'arrivaient entrecoupés de petites inspirations rapides, hoquetées.

— Je sais que vous êtes très occupée, je le sais bien, mais ma sœur est au bord de l'hystérie et je ne sais vraiment pas quoi lui dire. Elle a perdu son mari il y a deux ans et, pour elle, Anna est tout ce qui lui reste.

Elle m'appelle toutes les demi-heures, en me répétant que je dois l'aider à retrouver sa fille. Je sais que ce n'est pas votre travail, et je ne vous aurais jamais téléphoné si je n'étais pas au désespoir. J'ai prié, mais, oh...

Et, à ma stupéfaction, elle a éclaté en sanglots. Qui ont couvert sa voix, avalé ses mots. J'ai attendu, l'esprit dans une totale confusion. Qu'est-ce que j'étais supposée dire ?

Puis ça s'est un peu calmé, j'ai entendu qu'on tirait des mouchoirs d'une boîte, un nez qu'on mouchait.

— Je... je... je vous prie de m'excuser.

Sa voix tremblait.

Conseiller les gens n'a jamais été mon fort. Même pour mes proches, affronter leur émotion me rend toujours gauche et maladroite. Dans ces cas-là, je me raccroche au concret.

— Est-ce la première fois qu'Anna disparaît comme ça ?

S'attaquer au problème.

— Je ne crois pas. Mais ma sœur et moi, nous ne... La communication ne passe pas toujours bien entre nous.

Elle avait un peu recouvré son calme et recommençait à peser ses mots.

— A-t-elle eu des problèmes à l'université ?

— Je ne pense pas.

— Des problèmes avec des amis ? Avec un petit ami, peut-être ?

— Je ne sais pas.

— Avez-vous noté un changement dans son comportement ces derniers temps ?

— Que voulez-vous dire ?

— S'est-elle mise à manger différemment ? À dormir plus ou moins que d'habitude ? Est-elle devenue moins communicative ?

— Je... je suis désolée. Depuis qu'elle est à l'université, je ne la vois plus aussi régulièrement qu'auparavant.

— Est-ce qu'elle suit ses cours ?

— Je ne suis pas sûre.

Sa voix a faibli au dernier mot. Elle semblait complètement vidée.

— Est-ce qu'Anna s'entend bien avec sa mère ?

Très long silence.

— Il y a les tensions classiques, mais je sais qu'Anna adore sa mère.

En plein dans le mille.

— Ma sœur, votre nièce peut avoir eu besoin d'un peu de temps pour elle. Je suis sûre que, si vous attendez un jour ou deux, elle va soit réapparaître, soit appeler.

— Oui. Vous avez certainement raison, mais je me sens si impuissante pour aider Virginie. Elle est complètement affolée. Je n'arrive pas à la raisonner et je pensais que, si je pouvais lui dire que la police faisait le nécessaire, elle... elle serait peut-être rassurée.

J'ai de nouveau entendu qu'on tirait des mouchoirs et m'attendais à une seconde scène de pleurs.

— Laissez-moi passer un coup de fil. Je ne suis pas sûre que cela puisse servir à quelque chose, mais je vais essayer.

Elle m'a remerciée et nous avons raccroché. Pendant un moment, j'ai passé en revue mes diverses options. Ryan. Mais McGill était situé sur l'île de Montréal. Donc, Police de la communauté urbaine. La CUM. J'ai pris une grande respiration et composé un numéro. La réceptionniste a décroché.

— M. Charbonneau, s'il vous plaît, ai-je demandé.

— Un instant, je vous prie.

Elle a aussitôt repris la ligne, pour me dire que Charbonneau était sorti pour l'après-midi.

— Désirez-vous parler à M. Claudel ?

— Oui.

— Claudel...

— Monsieur Claudel, c'est Tempe Brennan.

Dans le vide qui m'a répondu j'ai dessiné son profil de perroquet, et ajouté l'expression de mépris qu'il affiche habituellement à mon égard. Parler avec lui me réjouissait au moins autant que d'avoir un furoncle. Mais, peu familière des fugues juvéniles, je ne voyais pas vraiment à quel autre enquêteur m'adresser. J'avais déjà travaillé avec Claudel sur des affaires de la CUM, et nous en étions arrivés, de son côté, au stade de la tolérance. J'avais l'espoir qu'il me dirait au moins vers qui me tourner.

— Oui ?

— Monsieur Claudel, j'ai une bien étrange requête à vous faire. Je me rends compte que vous n'êtes pas nécessairement...

— De quoi s'agit-il, docteur Brennan ?

Sec. Claudel fait partie de ces rares personnes qui peuvent rendre le français glacial.

— Allons au fait, m'dame.

— Je viens de recevoir un appel d'une femme qui s'inquiète pour sa nièce. Cette jeune fille est étudiante à McGill et elle n'est pas rentrée chez elle hier soir. Je me demande...

— Qu'ils remplissent un dossier pour personne disparue.

— On a dit à la mère qu'on ne pouvait rien faire avant quarante-huit à soixante-douze heures.

— Âge ?

— Dix-neuf ans.

— Nom ?

— Anna Goyette.

— Elle vit sur le campus ?

— Je ne sais pas. Il ne me semble pas. Je crois qu'elle vit avec sa mère.

— Elle est allée à ses cours hier ?

— Je ne sais pas.

— Où a-t-elle été vue la dernière fois ?

— Je ne sais pas.

Nouveau silence, puis il a repris :

— Il y a un bon bout que vous ne savez pas, apparemment. Ça peut très bien ne pas relever de la CUM et, dans l'état actuel des choses, cela ne concerne certainement pas le bureau des homicides.

Il devait être en train de jouer avec un objet, le visage crispé d'impatience.

— Oui. Simplement, est-ce possible de savoir qui je pourrais joindre ? ai-je crachoté.

Il me faisait sentir que j'étais insuffisamment renseignée, ce qui m'irritait. Et rendait mon français approximatif. Comme d'habitude, Claudel n'éveillait pas le meilleur de moi-même, surtout quand son attitude critique envers ma méthodologie était en partie fondée.

— Essayez le bureau des personnes disparues.

On avait raccroché. J'étais encore fumante de rage quand le téléphone a sonné de nouveau.

— Docteur Brennan ! ai-je aboyé.

— Je vous dérange peut-être ?

Cet anglais mélodieux et sudiste contrastait brutalement avec le français tronqué et nasal de Claudel...

— Docteur Jeannotte ?

— Oh, je vous en prie, appelez-moi Daisy.

— Veuillez m'excuser, Daisy. Je... Ces jours derniers ont été difficiles. Que puis-je faire pour vous ?

— Eh bien, j'ai trouvé des choses intéressantes sur la famille Nicolet. Je déteste envoyer ça par courrier, il s'agit de documents anciens, certainement de valeur. Pourriez-vous faire un saut et les prendre ici ?

Coup d'œil à ma montre : onze heures passées. Et puis pourquoi pas ? Une fois sur le campus, je pourrais peut-être m'enquérir d'Anna. Au moins, ça me ferait quelque chose à dire à sœur Julienne.

— Je pourrais passer vers midi. Est-ce que ça vous conviendrait ?

— Ce serait parfait.

De nouveau, j'étais en avance. De nouveau, la porte était ouverte et le bureau vide, à l'exception d'une jeune fille qui empilait des journaux sur une étagère. Je me suis demandé si c'était la même pile que celle qu'avait classée l'assistante de Jeannotte le mercredi précédent.

— *Hello*. Je cherche le docteur Jeannotte.

Elle s'est tournée vers moi en se balançant, et les gros anneaux de ses boucles d'oreilles ont accroché un rayon de soleil. Elle était grande, peut-être un mètre quatre-vingts, avec des cheveux bruns coupés très près du crâne.

— Elle est descendue une minute. Vous avez rendez-vous ?

— Je suis un peu en avance. Je vais attendre, ça ne fait rien.

Le bureau était aussi chaud et encombré que lors de ma première visite. J'ai enlevé ma veste, fourré mes gants dans ma poche. La jeune fille m'a indiqué un portemanteau en bois et j'y ai suspendu ma veste. Elle m'observait en silence.

— Elle a vraiment beaucoup de journaux, ai-je dit en désignant la pile sur le bureau.

— J'ai l'impression de passer ma vie à les trier.

Se haussant sur la pointe des pieds, elle en a glissé un sur l'étagère au-dessus de sa tête.

— Ça aide d'être grande, on dirait.

— Pour certaines choses, oui.

— J'ai croisé l'assistante de travaux dirigés du docteur Jeannotte mercredi dernier. Elle aussi était dans le classement.

— Mmmhh...

Elle a pris un autre document, dont elle a examiné le verso.

— Je suis le docteur Brennan, ai-je dit en guise d'introduction.

Elle l'a glissé sur une rangée à hauteur des yeux.

— Et tu t'appelles ?... ai-je demandé de mon ton le plus aimable.

— Sandy O'Reilly, a-t-elle répondu sans se retourner.

Ma remarque sur sa taille l'avait-elle vexée ?

— Ravie de faire ta connaissance, Sandy. En partant d'ici mercredi, je me suis rendu compte que je n'avais même pas demandé son nom à l'autre étudiante.

Elle a haussé les épaules.

— Anna n'est pas du genre à s'en faire pour ça.

La réponse m'a coupé le souffle. Je ne pouvais pas avoir cette chance.

— Anna ? ai-je demandé. Anna Goyette ?

— Ouais.

Elle s'est finalement tournée face à moi.

— Vous la connaissez ?

— Non, pas vraiment. Je connais quelqu'un qui a dans sa famille une étudiante de ce nom. Du coup, j'ai pensé qu'il pouvait s'agir de la même personne. Elle est là aujourd'hui ?

— Non. Je crois qu'elle est malade. C'est pour ça que je suis là. Normalement, je ne viens pas le vendredi, mais, comme Anna ne pouvait pas aujourd'hui, le docteur Jeannotte m'a demandé de la remplacer.

— Elle est malade ?

— Ouais, je pense. En fait, je n'en sais rien. Tout ce que je sais, c'est qu'elle est encore absente. Ça me va. Je sais quoi faire de mes sous.

— *Encore* absente ?

— Eh bien, euh..., elle l'est assez souvent. C'est généralement moi qui la remplace. C'est correct, pour l'argent en plus, mais c'est pas ça qui fait avancer ma thèse.

Elle a eu un petit rire, mais la contrariété perçait dans sa voix.

— Anna a des problèmes de santé ?

Sandy a penché la tête en me regardant.

— Vous vous intéressez donc bien à elle...

— Oh non, pas vraiment. Je suis venue chercher des documents que le docteur Jeannotte a préparés pour moi. Je suis une amie de la tante d'Anna et je sais que sa famille est inquiète parce qu'ils ne l'ont pas vue depuis hier matin.

Elle a secoué la tête et a pris un autre document.

— Effectivement, ils devraient s'inquiéter. C'est un drôle de numéro.

— Drôle de numéro ?

Elle a rangé le document sur l'étagère, s'est tournée vers moi. Pendant un long moment, elle m'a regardée dans les yeux, me jaugeant.

— Vous êtes une amie de la famille ?

— Oui.

D'une certaine manière, c'était exact.

— Vous n'êtes pas enquêteur, journaliste, ou quelque chose du genre ?

— Je suis anthropologue.

C'était vrai, bien qu'assez imprécis. L'image d'une Margaret Mead ou d'une Jane Goodall serait sans doute plus rassurante.

— Si je pose des questions, c'est simplement parce que la tante d'Anna m'a appelée ce matin. Alors, quand il s'est avéré que nous parlions de la même personne...

Sandy a traversé la pièce, jeté un coup d'œil dans le couloir, puis elle s'est appuyée au mur juste à côté de la porte. Sa grande taille ne la dérangeait pas et elle se déplaçait tête haute, avec de longues foulées souples.

— Je ne voulais pas dire quelque chose qui puisse lui faire perdre son boulot. Ou me faire perdre le mien. S'il vous plaît, ne dites à personne de qui ça vient, surtout pas au docteur Jeannotte. Elle n'aimerait pas savoir que je bavarde à propos de l'un de ses étudiants.

— Tu as ma parole.

Elle a pris une longue inspiration.

— Je pense qu'Anna est vraiment perturbée et qu'elle a besoin d'aide. Et ce n'est pas juste parce qu'il faut que je la remplace. Anna et moi, on était amies ou, du moins, on se voyait beaucoup l'année dernière. Puis elle a changé. Elle est complètement ailleurs. Ça fait un moment déjà que j'avais envie d'appeler sa mère. Il faut que quelqu'un soit au courant.

Elle a dégluti et changé de jambe d'appui.

— Anna passe la moitié de son temps au centre psychosocial, à cause de tous ces problèmes qu'elle a. Elle manque tout le temps et, quand elle est là, on dirait qu'elle n'a pas de vie à elle. Elle reste plantée ici, à tourner en rond. Et toujours avec cet air, comme si elle allait se jeter sous un pont d'une minute à l'autre.

Elle s'est arrêtée, les yeux rivés aux miens, pesant le pour et le contre. Puis :

— Un ami m'a dit qu'elle était impliquée dans quelque chose.

— Oui ?

— Je ne sais absolument pas si c'est vrai ou non, et même si je devrais vous en parler. Ce n'est pas mon style de placoter sur les gens, mais, si Anna a des problèmes, je ne me pardonnerais jamais de n'avoir rien dit... Si c'est vrai, elle peut être en danger.

— Et dans quoi penses-tu qu'elle est impliquée ?

— Cela paraît tellement bizarre.

Elle a secoué la tête et ses boucles d'oreilles sont venues rebondir sur son menton.

— Je veux dire, on entend parler de ça, et ce n'est jamais quelqu'un qu'on connaît.

De nouveau, elle a avalé sa salive et elle a jeté un coup d'œil par-dessus son épaule vers le couloir.

— Mon ami m'a dit qu'Anna était entrée dans une secte. Un groupe d'adorateurs de Satan. Je ne sais pas si...

Un craquement de parquet. Sandy a retraversé la pièce et repris des journaux en main. Elle semblait absorbée dans son rangement quand Daisy Jeannotte est apparue dans l'encadrement de la porte.

9.

— Je suis vraiment désolée, a dit Daisy avec un charmant sourire, vous allez croire que je vous fais systématiquement attendre. Vous avez fait connaissance avec Sandy ?

Sa coiffure était toujours aussi impeccablement lissée.

— Oui, absolument. Nous parlions des joies du classement.

— Je leur en demande beaucoup. Photocopier et classer. C'est très ennuyeux, je le sais. Mais une grande part du travail de recherche est en fait très ennuyeux. Mes étudiants et mes assistants ont beaucoup de patience à mon égard.

Elle a tourné son sourire vers Sandy, qui y a répondu par sa propre version abrégée, avant de reporter son attention sur les journaux. C'était frappant de voir combien l'attitude de Jeannotte cette fois-ci différait de ce que j'avais pu observer avec Anna.

— Eh bien, que je vous montre ce que j'ai trouvé. Je pense que cela va vous plaire.

Elle m'a désigné le canapé.

Une fois toutes les deux installées, elle a pris la pile de documents qui était posée sur une table basse à sa droite et a consulté une liste imprimée sur deux pages. Une raie, nette et blanche, séparait ses cheveux.

— Il s'agit des titres de livres traitant du Québec au

XIXe siècle. Vous trouverez certainement mention de la famille Nicolet dans bon nombre d'entre eux.

Elle m'a tendu la bibliographie, que j'ai parcourue des yeux, mais ce n'était pas à Élisabeth Nicolet que je pensais.

— Et ce livre-ci traite de l'épidémie de variole en 1885. Il devrait parler d'Élisabeth ou de son travail durant cette période. De toute manière, cela vous donnera une idée de l'époque et de l'immense souffrance que l'on a pu endurer à Montréal.

Le livre était neuf, à croire que personne ne l'avait jamais lu. Je l'ai feuilleté, sans rien voir. Qu'est-ce que Sandy allait me dire ?

— Mais je pense que ceci va particulièrement vous plaire.

Elle m'a tendu ce qui ressemblait à trois vieux registres de comptabilité, puis, se carrant dans le fauteuil, le sourire toujours accroché aux lèvres, m'a observée avec beaucoup d'attention.

Couvertures grises, tranches et onglets bourgogne foncé. J'ai entrouvert le premier avec précaution et en ai tourné quelques pages. Il dégageait un parfum de moisissure, comme s'il était resté des années dans une cave ou un grenier. Ce n'était pas un livre de comptabilité, mais un journal intime, calligraphié d'une écriture ferme et ronde. Jai regardé la première date inscrite : 1er janvier 1844. Et la dernière : 23 décembre 1846.

— Ceci a été rédigé par Louis-Philippe Bélanger, l'oncle d'Élisabeth. Il était connu pour tenir son journal scrupuleusement. J'ai eu une intuition et suis allée vérifier dans notre section d'ouvrages rares. De fait, McGill possède une partie de la collection. Je ne sais où se trouvent les autres volumes, si même ils ont été conservés, mais je pourrais les obtenir, a-t-elle dit en riant. J'ai emprunté ceux correspondant à l'époque de la naissance et de la petite enfance d'Élisabeth.

— C'est trop beau pour être vrai, ai-je répliqué, oubliant un moment Anna Goyette. Je ne sais que dire.

— Promettez-moi d'en prendre un soin jaloux.

— Puis-je vraiment les emporter ?

— Oui, je vous fais confiance. Je suis certaine que vous êtes consciente de leur valeur et que vous allez les manipuler en conséquence.

— Daisy, je ne sais comment vous remercier. C'est au-delà de ce que j'avais espéré.

Elle a levé la main en signe de dénégation, pour la reposer ensuite calmement sur ses genoux. Un moment de silence a suivi. J'avais terriblement hâte de sortir d'ici et de me plonger là-dedans. Puis j'ai repensé à la nièce de sœur Julienne. Et aux paroles de Sandy.

— Daisy, je me demandais si je pouvais vous poser une question au sujet d'Anna Goyette ?

— Oui.

Le sourire était toujours là, mais ses yeux étaient devenus méfiants.

— Comme vous le savez, j'ai travaillé avec sœur Julienne, qui est la tante d'Anna.

— J'ignorais qu'elles étaient parentes.

— Oui. Sœur Julienne m'a appelée pour me dire qu'Anna n'était pas rentrée depuis hier matin et que sa mère était très inquiète.

Tout au long de notre conversation, j'étais restée consciente des mouvements de Sandy, qui poursuivait son travail de classement. Mais, soudain, l'autre bout de la pièce fut silencieux. Jeannotte aussi s'en est aperçue.

— Sandy, tu dois être bien fatiguée. Vas-y maintenant, fais une pause.

— Je term...

— Vas-y, je t'en prie.

J'ai croisé son regard au moment où elle est passée à côté de nous pour sortir de la pièce. Son expression était indéchiffrable.

— Anna est une jeune fille très brillante, a poursuivi Jeannotte. Un peu difficile de caractère, mais d'un bon niveau. Je suis certaine qu'elle va bien.

Le ton était ferme.

— D'après sa tante, ce n'est pas son genre de disparaître ainsi.

— Anna avait probablement besoin d'un temps de réflexion. Je sais qu'elle a eu des désaccords avec sa mère. Elle n'est sans doute partie que pour quelques jours.

Sandy avait laissé entendre que Jeannotte protégeait beaucoup ses étudiants. Était-ce cela que j'observais ? Savait-elle quelque chose qu'elle ne disait pas ?

— Je suppose que je suis plus alarmiste que la plupart des gens. Dans mon travail, je vois tant de jeunes filles pour qui justement cela *ne va pas*.

Jeannotte regardait fixement ses mains. Pendant un instant, elle est restée d'une immobilité totale. Puis elle a repris, avec le même sourire :

— Anna Goyette est en train d'essayer de se libérer d'une situation familiale impossible. C'est tout ce que je peux dire, et je vous assure qu'elle va bien et qu'elle est heureuse.

Qu'est-ce qui la rendait si catégorique ? Devais-je tenter le coup ? Oh, et puis après tout... J'ai craché le morceau pour voir sa réaction.

— Daisy, je sais que cela paraît bizarre, mais j'ai entendu dire qu'Anna serait impliquée dans une secte plus ou moins satanique.

Le sourire a disparu.

— Je ne vous demanderai même pas d'où vous tenez cette information. Cela ne me surprend pas... — Elle a secoué la tête. — Violeurs d'enfants. Meurtriers psychopathes. Messies dépravés. Suppôts de Satan. Le voisin monstrueux qui donne de l'arsenic aux petits enfants à la fête de Halloween.

— Mais de telles menaces existent réellement, non ? ai-je déclaré en haussant les sourcils.

— Vous croyez ? Ou elles ne sont que légendes urbaines ? Mémotharsis de nos temps modernes ?

— Mémotharsis ?

123

Je ne voyais pas le rapport avec Anna.

— Un terme utilisé par les spécialistes du folklore pour décrire comment les gens se servent des légendes populaires afin d'ingérer leurs propres peurs. C'est une manière d'expliquer des expériences déroutantes.

Mon expression a dû trahir mon incompréhension.

— Toute culture a ses histoires, ses légendes, qui expriment en général des angoisses retenues. La peur des bonshommes sept'heures, des étrangers, des formes de vie extraterrestres. Quand quelque chose survient que nous ne pouvons comprendre, nous réactivons des mythes. La sorcière enlevant Hansel et Gretel. L'homme guettant l'enfant qui traîne dans la rue. C'est un moyen de donner un semblant d'explication à des expériences troublantes. D'où les histoires d'enlèvements par des ovnis, de gens qui ont cru voir Elvis, d'empoisonneurs de Halloween. C'est toujours arrivé à l'ami d'un ami, à un cousin, au fils du patron.

— Les bonbons empoisonnés de Halloween ne sont-ils pas un fait réel ?

— Un sociologue a passé en revue les journaux des années soixante-dix et quatre-vingt et a trouvé, pour toute la période, uniquement deux morts qui pouvaient être dues à des bonbons empoisonnés. Les deux affaires impliquant des membres de la famille. Le nombre d'événements similaires pour lesquels on ait pu rassembler des preuves est minime. Mais la légende s'amplifie parce qu'elle permet d'extérioriser des peurs très profondes : la peur de perdre un enfant, la peur du noir, la peur de l'étranger.

Je la laissais parler, attendant toujours le lien avec Anna.

— Vous avez dû entendre parler des mythes de subversion ? Les anthropologues en raffolent.

Je me suis replongée en pensée dans mon séminaire de mythologie de troisième cycle.

— Le besoin de trouver un coupable. Les histoires qui désignent des boucs émissaires en réponse à des problèmes complexes.

— Tout à fait. En général, les boucs émissaires sont des étrangers. Groupes raciaux, ethniques, ou religieux, qui dérangent. Les Romains accusaient les premiers chrétiens d'inceste et de sacrifices d'enfants. Plus tard, les sectes chrétiennes qui ont montré les Juifs du même doigt accusateur. Des milliers de gens sont morts à cause de ce type de croyance. Pensez aux procès en sorcellerie. Ou à la Shoah. Et ce n'est pas que de l'histoire ancienne. Lors de la révolte estudiantine en France à la fin des années soixante, les propriétaires de magasins juifs furent accusés de kidnapper des adolescentes dans les cabines d'essayage.

Cela me disait vaguement quelque chose.

— Et, plus récemment, ce fut le tour des immigrants turcs et nord-africains. Il y a quelques années, des centaines de parents français les ont accusés d'avoir violé, tué et éviscéré des enfants, bien qu'en réalité aucun enfant n'ait été porté disparu en France durant cette période. Et cette légende persiste, même ici à Montréal. Sauf que maintenant il s'agit d'un nouveau croque-mitaine qui pratique des meurtres rituels d'enfants.

Elle s'est penchée vers moi, les yeux écarquillés, sa voix se réduisant à un quasi-murmure sur les derniers mots.

— Adeptes de Satan.

Jamais elle ne s'était montrée aussi expansive. Une image est venue prendre forme dans mon esprit. Malachy étendu sur une table en inox.

— Ce qui n'est pas surprenant, à dire vrai, continuait-elle. Le démoniaque revient toujours en force en période de changement social. Et au tournant d'un millénaire. Alors, de nos jours, le danger vient de Satan.

— Hollywood n'en a-t-il pas créé un certain nombre ?

— Pas de manière intentionnelle. Bien sûr, cela y a certainement contribué. Pour Hollywood, il ne s'agit que de faire des films à succès. Mais c'est une question vieille comme le monde : l'art modèle-t-il une époque ou la reflète-t-il ? *Rosemary's Baby, La Malédiction, L'Exorciste*... Quels rôles tiennent ces films ? Ils expliquent les angoisses sociales au travers d'images d'inspiration démoniaque. Et le public écoute et regarde.

— Mais n'est-ce pas simplement un des effets de l'intérêt croissant pour le mysticisme qui se manifeste dans la culture américaine depuis ces trente dernières années ?

— Naturellement. Et quelle autre tendance pouvons-nous observer aujourd'hui ?

J'avais l'impression d'être à un jeu télévisé. Qu'est-ce que tout cela avait à voir avec Anna ? J'ai secoué la tête.

— La montée de popularité de l'intégrisme chrétien. L'économie y prend une grande part de responsabilité. Les licenciements, les plans de restructuration, les fermetures d'entreprises. La pauvreté et l'insécurité matérielle sont de grands facteurs de stress. Mais ce n'est pas la seule source d'inquiétude. À tous les niveaux économiques, les transformations qui affectent les normes sociales créent des angoisses. Les relations ont changé entre hommes et femmes, au sein des familles, entre générations.

Elle énumérait les différents points sur ses doigts.

— Les explications que l'on donnait auparavant sont plus pertinentes et on n'en a pas encore déterminé de nouvelles. Les Églises intégristes offrent un réconfort du fait qu'elles apportent des réponses simples à des questions complexes.

— Satan.

— Satan. Tout le mal présent dans le monde vient de Satan. Des adolescents sont enrôlés dans des cultes sataniques. On agresse et on tue des enfants lors de rituels démoniaques. Dans tout le pays, il est question d'animaux domestiques victimes de manipulations sataniques. Un symbole satanique serait caché dans le logo

126

de Proctor & Gamble. Ces rumeurs s'implantent dans le terreau des frustrations et y trouvent de quoi prospérer.

— Donc, d'après vous, ces cultes sataniques n'existeraient pas ?

— Je ne dis pas cela. Il y en a quelques-uns, qui sont, comment dire... organisés, influents. Comme celui d'Anton LaVey.

— L'Église de Satan, près de San Francisco ?

— Oui. Mais cela ne constitue qu'un petit, tout petit groupe. La plupart des satanistes — elle a tracé dans l'air des guillemets imaginaires — sont vraisemblablement des jeunes de milieu bourgeois, blancs, qui jouent à reproduire des cultes sataniques. Occasionnellement, bien sûr, ils vont franchir la ligne, vandaliser des églises ou profaner des cimetières, torturer des animaux. Dans l'ensemble, ils s'adonnent surtout à un certain nombre de rituels, à des *trips* du folklore légendaire.

— Des *trips* du folklore légendaire ?

— D'après moi, le terme vient des sociologues. Visites dans des lieux inquiétants, tels que cimetières ou maisons hantées. Ils font des feux, se racontent des histoires de revenants, se livrent à des rites d'envoûtement, à un peu de vandalisme aussi. Cela tourne autour de ça. Quand, par la suite, la police retrouve des graffitis, une pierre tombale renversée, les vestiges d'un feu de camp, peut-être un chat mort, elle présume que les jeunes du coin appartiennent tous à une secte satanique. La presse s'en empare, les prêtres donnent l'alarme, c'est le départ d'une nouvelle légende.

Elle semblait, comme d'habitude, totalement maîtresse d'elle-même, mais ses narines palpitaient tandis qu'elle parlait, trahissant une excitation que je ne lui avais encore jamais vue. Je me taisais.

— Donc, selon moi, la menace du satanisme est largement exagérée. Il s'agit d'un nouveau mythe de subversion, comme diraient vos collègues.

D'un seul coup, sans avertissement, sa voix est devenue si aiguë et perçante que j'en ai sursauté :

— David, c'est toi ?

Je n'avais rien entendu.

— Oui, ma'am, a fait une voix étouffée.

Une grande silhouette est apparue dans l'encadrement de la porte, le visage caché par le capuchon d'un parka et un énorme cache-nez. La forme courbée me disait vaguement quelque chose.

— Excusez-moi un instant.

Jeannotte s'est levée et est allée dans le couloir. La conversation m'a largement échappé, mais l'homme semblait dans un état de grande agitation, la voix passant de l'aigu au grave comme un enfant qui pleurniche. Jeannotte l'interrompait fréquemment. Elle disait de courtes phrases, d'un ton aussi ferme que le sien était instable. Je n'ai pu saisir qu'un mot : « Non. » Elle l'a répété plusieurs fois.

Puis il y a eu un silence. Un moment plus tard, Jeannotte est revenue, mais sans se rasseoir.

— Les étudiants..., a-t-elle dit en riant et en secouant la tête.

— Laissez-moi deviner. Il lui faut plus de temps pour terminer son devoir.

— Rien de neuf sous le soleil... Elle a regardé sa montre. Eh bien, Tempe, j'espère que votre visite n'a pas été inutile. Vous allez prendre soin des documents, n'est-ce pas ? Ils sont très précieux.

J'étais congédiée.

— Bien sûr. Je les rapporterai lundi au plus tard.

Je me suis levée, j'ai glissé les trois livres dans mon porte-documents et ramassé ma veste et mon sac.

Elle me souriait encore alors que j'étais déjà dans le couloir.

En hiver, le ciel de Montréal est une palette de teintes grises, allant du gris perle jusqu'au gris métallisé, en passant par le gris plombé, ou de tôle galvanisée. Lorsque j'ai émergé de Birks Hall, le jour avait pris une couleur étamée sous l'étouffement de lourds nuages.

J'ai passé les courroies de mon sac et de mon porte-documents sur l'épaule, enfoncé les mains dans mes poches, et pris la rue qui descendait où soufflait un vent humide et aigre. Avant d'avoir parcouru vingt pas, les larmes me brouillaient la vue. Une image de Fripp Island a traversé mon esprit. Palmiers. Folle avoine du front de mer. Soleil miroitant sur les marais.

Ça suffit, Brennan. Mars est venteux et froid en bien des endroits de la planète. Arrête de prendre les Carolines comme la référence météorologique planétaire. Cela pourrait être pire. Il pourrait neiger.

En me disant cela, j'ai senti un premier flocon glisser sur ma joue.

J'ouvrais ma portière, quand, relevant la tête, j'ai aperçu un grand jeune homme qui m'observait depuis le trottoir d'en face. J'ai reconnu le parka et l'écharpe. C'était David, le visiteur malheureux de Jeannotte.

Nos regards sont restés un instant accrochés l'un à l'autre et ce que le sien exprimait de violente colère m'a frappée. Puis, sans un mot, il a tourné les talons et est reparti rapidement vers le bâtiment. Déconcertée, je suis montée dans la voiture, soulagée que ce soit Jeannotte et non moi qui ait à traiter ses problèmes.

Sur la route du labo, mon esprit a repris son cours habituel, remâcher ce qui venait de se passer et s'inquiéter de ce qui n'était pas fait. Où était Anna ? Devait-on prendre au sérieux les inquiétudes de Sandy à propos de cette histoire de secte ? Jeannotte avait-elle raison ? Ces cultes sataniques n'étaient-ils guère plus que des clubs de jeunes ? Pourquoi ne lui avais-je pas demandé de développer, quand elle avait dit qu'Anna allait bien ? Notre conversation avait pris un tour si fascinant que mon attention avait été détournée. Était-ce délibéré ? Est-ce que Jeannotte dissimulait intentionnellement quelque chose ? Et, si oui, quoi et pourquoi ? Jouait-elle le rôle d'un écran protecteur afin d'éviter à ses étudiants toute intrusion dans leur vie personnelle ? Quelle était la « situation familiale impossible » d'Anna ? Pourquoi David avait-il eu ce comportement si inquiétant ?

Comment étudier les trois cahiers d'ici à lundi ? Mon vol était à dix-sept heures. Pouvais-je boucler le rapport sur Nicolet vendredi, celui des bébés samedi, et lire le journal intime dimanche ? Inutile de se demander pourquoi je n'avais pas de vie sociale...

Le temps d'arriver rue Parthenais, il y avait déjà une belle couche de neige dans la rue. J'ai trouvé une place juste devant la porte, en priant pour que la voiture ne soit pas ensevelie à mon retour.

Dans le hall, l'air sentait le chien mouillé. J'ai secoué mes bottes, et la mare glissante et épaisse de neige fondue s'est étendue sur le plancher. J'ai appelé l'ascenseur. En montant, j'en ai profité pour essuyer le mascara qui avait coulé sur mes joues.

J'avais deux fiches roses sur mon bureau. Sœur Julienne. Qui, sans aucun doute, voulait des nouvelles d'Anna et d'Élisabeth. Je n'étais prête ni pour l'une ni pour l'autre. Au suivant. Ryan.

J'ai composé le numéro et c'est lui qui a répondu.

— Ça vous prend du temps pour manger.

J'ai vérifié ma montre. Une heure quarante-cinq.

— Je suis payée à l'heure. Quoi de neuf ?

— On a finalement retrouvé la trace du propriétaire de la maison de Saint-Jovite. C'est un certain Jacques Guillion. Il est originaire de Québec et il a déménagé en Belgique il y a plusieurs années. On ne sait toujours pas où il est. Une voisine belge dit qu'il aurait loué sa maison du Québec à une vieille dame du nom de Patricia Simonnet. D'après elle, la locataire aussi est belge, mais elle n'en est pas certaine. Elle dit que c'est Guillion qui fournissait les voitures. Nous vérifions.

— Voisine bien informée.

— Apparemment, ils étaient proches.

— Le corps calciné de la cave pourrait être Simonnet.

— Possible.

— Les radios de l'examen d'autopsie sont bonnes, et entre les mains de Bergeron.

— On a donné le nom à la Gendarmerie royale. Ils travaillent avec Interpol. Si elle est d'origine belge, ils vont retrouver sa trace.

— Et les deux autres corps dans la maison principale, ainsi que le couple avec les petits ?

— On s'en occupe.

Nous sommes repartis dans nos réflexions respectives.

— Plutôt grand pour une vieille dame seule.

— Semblerait qu'elle n'y était pas si seule que ça.

Je passai les deux heures suivantes au labo d'histologie où je finis de décoller ce qui restait de tissus sur les côtes des bébés, avant de les examiner au microscope. Comme je le craignais, ni entaille ni marque d'aucune sorte n'étaient visibles. La seule chose que je pouvais dire était que le tueur avait utilisé un couteau très aiguisé, et que ce n'était pas un couteau-scie. Mauvais pour l'enquête. Bon pour moi. Le rapport serait bref.

Je venais juste de revenir à mon bureau quand Ryan a rappelé.

— Qu'est-ce que vous diriez d'une bonne bière ?

— Je n'ai jamais de bières dans mon bureau, Ryan. Autrement, je les boirais.

— Vous ne buvez jamais.

— Alors, pourquoi me parlez-vous de bière ?

— Je vous demande si vous en aimeriez une. Verte, par exemple.

— Comment ?

— Vous êtes bien irlandaise, Brennan ?

Coup d'œil au calendrier mural. 17 mars.

Date anniversaire de certaines de mes plus belles performances. Je préférais ne pas me souvenir.

— Plus question pour moi, Ryan.

— Manière de dire : faisons un break.

— C'est une invitation ?

— Oui.

— Avec vous ?

— Non. Avec le prêtre de ma paroisse.

— Wouahh... Et ses vœux ?

— Brennan, voulez-vous me retrouver ce soir pour aller prendre un verre ? Sans alcool ?

— Ryan, je...

— C'est la Saint-Patrick, un vendredi soir, et il neige en enfant de chienne. Vous avez une meilleure offre ?

Non. À vrai dire, je n'en avais pas d'autre. Mais, avec Ryan, nous étions souvent sur les mêmes affaires et j'avais toujours eu pour politique de séparer travail et vie privée.

Toujours. Très bien. J'étais adulte et célibataire depuis près de deux ans. Et, pour ce qui était de la compagnie masculine, ça ne s'était pas bousculé au portillon.

— Je ne pense pas que ce soit une bonne idée.

Un silence m'a répondu. Puis :

— On a une piste pour Simonnet. Interpol est tombé dessus. Née à Bruxelles, y a vécu jusqu'à il y a deux ans. Elle paie encore des impôts fonciers d'une propriété à la campagne. Une brave petite bonne femme, fidèle au même dentiste toute sa vie. Le type en question exerce depuis l'âge de la pierre et ne jette rien. Ils nous faxent les dossiers. Si les empreintes coïncident, ils nous enverront les originaux.

— Elle est née en quelle année ?

Un bruit de papier qu'on feuillette.

— 1918.

— Ça correspond. De la famille ?

— Nous vérifions.

— Pourquoi a-t-elle quitté la Belgique ?

— Peut-être qu'elle avait besoin de changer de décor. Écoutez, très chère, si vous vous décidez, je serai chez Hurley à partir de neuf heures. S'il y a la queue, dites que vous êtes avec moi.

Je suis restée un instant assise sans bouger, à réfléchir aux raisons de mon refus. Avec Pete, nous étions parvenus à un accord. Nous nous aimions toujours, mais nous ne pouvions pas vivre ensemble. Séparés, nous étions de nouveau capables d'être amis. Nos relations n'avaient jamais été aussi bonnes depuis des années. Pete avait des aventures, j'étais libre de faire la même chose. Oh, Seigneur, aventures ! Le mot m'évoquait des images d'acné et d'appareils dentaires.

Pour être honnête, je trouvais Ryan extrêmement séduisant. Sans boutons ni bagues dentaires. Un plus, indéniablement. Et, concrètement, nous ne travaillions pas ensemble. Je le trouvais aussi prodigieusement agaçant. Et imprévisible. Non. Ryan signifiait problèmes.

J'étais en train de terminer mon rapport sur Malachy et Mathias, quand le téléphone a sonné de nouveau. J'ai souri. O.K., Ryan, gagné.

C'était un agent de la sécurité. J'avais un visiteur dans le hall. Quatre heures vingt. Qui pouvait venir à cette heure ? Je ne me souvenais pas d'avoir pris de rendez-vous. J'ai demandé le nom. Mon cœur a flanché :

— Oh non !

C'était sorti tout seul.

— Il y a un problème ?

— Non. Pas de problème. Je descends tout de suite.

Pas de problème ? Je me moquais de qui ?

Cela m'a repris dans l'ascenseur.

Oh non !

10.

— Qu'est-ce que tu fais là ?

— Eh bien, tu pourrais avoir l'air contente de me voir.

— Je..., bien sûr que je suis contente de te voir, Harry. Simplement, tu me prends par surprise.

Je n'aurais pas été plus interloquée si le garde m'avait annoncé Teddy Roosevelt.

Elle a soupiré :

— C'est d'une sincérité à faire grincer des dents...

Elle était assise dans le hall de l'immeuble de la police provinciale, entourée de sacs de chez Nieman Marcus et de sacs en toile de toutes sortes et de toutes tailles. Elle portait des bottes à boucles de cow-boy rouges, décorées de circonvolutions noires et blanches, et une veste en cuir du même genre, à franges. Quand elle s'est levée, j'ai noté que son jean était si serré qu'il devait couper toute circulation sanguine. Tout le monde, d'ailleurs, l'a noté.

Harry m'a serrée dans ses bras, tout à fait consciente — mais pas gênée le moins du monde — de l'effet qu'elle pouvait produire sur les autres. Particulièrement les autres dotés de chromosomes Y.

— Waouuu, il fait un froid à se peler le cul, dehors ! Je pourrais faire le glaçon dans une tequila.

Elle a haussé les épaules et serré les bras sur sa poitrine.

— Oui.

La ressemblance m'avait échappé.

— Mon vol était supposé atterrir à midi, mais cette maudite neige nous a retardés. En tout cas, hein, je suis là, grande sœur.

Elle a baissé les épaules, laissé tomber ses bras, ce qui a imprimé un mouvement de cha-cha-cha à ses franges. Elle était tellement hors contexte ici que c'en était irréel. Le Texas débarquant dans la toundra.

— Eh bien, c'est super. Quelle surprise. Bon. Je... Qu'est-ce qui t'amène à Montréal ?

— Je vais te raconter tout ça. C'est spécial. Quand on m'en a parlé, je ne voulais pas en croire mes oreilles. Je veux dire, à Montréal et tout.

— Qui, « on », Harry ?

— Les gens du séminaire que j'ai suivi. Je t'en ai parlé au téléphone la semaine dernière. Je l'ai fait. Je me suis inscrite au cours de formation à Houston et, depuis, je suis complètement accro au truc. Je ne me suis jamais sentie gonflée à bloc comme ça. Je t'ai surfé sur le premier niveau, mon amie, je te jure, surfé. Il y a des gens qui mettent des années à prendre conscience de leur propre réalité et tout. Et moi, je t'ai réglé le cas en quelques semaines. Je te dis, j'apprends une méthode superperformante en stratégies thérapeutiques et je prends ma vie en main. Si bien que, quand ils m'ont invitée à l'atelier de niveau deux, en plus justement là où vit ma grande sœur, je vais te dire, j'ai bouclé mes bagages et hop ! j'ai pris la direction nord.

Rayonnante, elle me regardait de ses grands yeux bleu clair, auréolés de grumeaux de mascara.

— Tu es venue pour un atelier ?

— Exactamundo. Tous frais payés. Enfin, presque.

— Il faut que tu m'expliques ça.

J'espérais fortement que le cours serait de courte

durée. Je n'étais pas certaine que le Québec puisse survivre à la visite de Harry.

— Ce truc est vraiment spécial, a-t-elle répété, sans ajouter grand-chose à sa première déclaration.

— Viens avec moi, je vais rassembler mes affaires. À moins que tu ne préfères m'attendre ici.

— Pas question... Je veux voir où l'éminent spécialiste des cadavres officie. Ouvre la marche.

— Il faut que tu fournisses une pièce d'identité avec une photo pour obtenir le badge visiteur, lui ai-je fait remarquer en désignant le garde derrière son comptoir.

Ce dernier observait la scène avec un demi-sourire. Il s'est interposé avant que nous ayons eu le temps de faire un mouvement.

— Votre sœur ? a-t-il aboyé à travers le hall en échangeant force coups d'œil avec ses collègues.

J'ai opiné. Il était clair que maintenant chacun savait que Harry était ma sœur et trouvait cela du plus haut comique.

Il a désigné l'ascenseur d'un grand geste du bras.

— Merci, ai-je grogné en lui décochant un regard glacial.

— *Meurci*..., a articulé Harry en saluant chaque gardien d'un sourire radieux.

Nous avons rassemblé ses paquets et pris l'ascenseur jusqu'au cinquième, où j'ai tout empilé dans le couloir devant mon bureau. Hors de question de prétendre caser cela à l'intérieur. Le volume de ses bagages amplifiait mon inquiétude quant à la durée de son séjour.

— Seigneur, on croirait qu'une tornade est passée par là, a-t-elle fait en examinant la pièce.

Bien qu'elle ne mesure qu'un mètre soixante-quinze et soit mince comme un mannequin, elle semblait emplir tout l'espace.

— C'est un peu la pagaille en ce moment. Laisse-moi éteindre l'ordinateur et ramasser quelques affaires. Puis on y va.

136

— Prends ton temps, je ne suis pas pressée. Je vais faire la conversation à tes petits camarades.

Elle regardait la rangée de crânes perchés sur leur étagère, la tête rejetée en arrière, et les pointes de ses cheveux frôlaient le bas de la frange de sa veste. Il ne me semblait pas qu'elle était si blonde la dernière fois.

— Salut, a-t-elle déclaré au premier. Alors, on s'est pris la tête et on a fait cavalier seul ?

Je n'ai pu m'empêcher de sourire. Son ami crânien, non. Tandis qu'elle continuait sa petite exploration le long de l'étagère, j'ai quitté mes dossiers informatiques, ramassé le livre et les documents de Daisy Jeannotte. Mon intention était de venir à la première heure demain main, j'ai donc laissé là le rapport à terminer.

— Et puis quoi de neuf pour toi ? disait Harry au quatrième crâne. Tu ne dis rien ? Oh, tu es si sexy quand tu as cet air sinistre.

— C'est son humeur habituelle.

Ryan se tenait à la porte.

Harry s'est retournée, l'a inspecté des pieds à la tête. Lentement. Puis les yeux bleus ont rencontré les yeux bleus.

— Hé, salut...

Le sourire qu'elle avait adressé aux gardiens n'était rien en comparaison de celui dédié à Ryan qui a illuminé son visage. Au même instant, j'ai réalisé que le destin apporte toujours son lot de calamités.

— Nous étions sur le départ, ai-je déclaré en refermant ma sacoche d'ordinateur.

— Et puis ?

— Et puis quoi, Ryan ?

— De la grande visite ?

— Un bon détective sait toujours remarquer l'évidence.

— Harriet Lamour, a dit ma sœur en se précipitant, main tendue. Je suis la petite sœur de Tempe.

Selon son habitude, elle insistait bien sur notre différence d'âge.

— Je jugerais que vous n'êtes pas du coin, a dit Ryan d'une voix traînante.

La frange y est allée de tout son cœur lorsqu'ils se sont serré la main.

— Lamour ? ai-je demandé, incrédule.

— Houston. Texas. Jamais allé dans ce coin-là ?

— Lamour ? ai-je répété. Et qu'est devenu Trone ?

— Une fois ou deux. Bien belle région.

Ryan jouait son Mel Gibson.

— Et Dawood ?

Cela a eu le mérite d'attirer son attention.

— Non mais, pourquoi veux-tu que j'aille repêcher le nom de ce retardé mental ? Est-ce que tu te souviens, vraiment, d'Esteban ? Le seul être humain à se faire virer pour avoir été incapable de gérer le stock de l'épicerie du coin ?

Esteban Dawood avait été son troisième mari. Je n'avais même plus ne serait-ce qu'une vague idée de la tête qu'il avait.

— Tu es déjà divorcée d'avec Striker ?

— Non, mais je l'ai planté là et son nom ridicule avec. Trone ? Mais à quoi ai-je pensé ? Qui aurait jamais choisi un nom débile comme Trone ? Comment veux-tu laisser cela à tes descendants ? Ma'am Trone ? Arrière grand-papa Trone ?

— Pas si mal si vous êtes un Trone à conquérir.

Ryan s'y mettait.

Harry a gloussé.

— Ouais, mais aucune envie d'être un trône à aba...

— O.K., allons-y, ai-je fait en décrochant ma veste.

— Bergeron a dit que nous avions une identification positive.

J'ai suspendu mon élan pour le regarder. Il avait repris son air sérieux.

— Simonnet ?

Il a hoché la tête.

— Rien sur les corps du premier étage ?

— Bergeron pense qu'ils sont probablement européens aussi. Du moins que leurs caries ont été soignées là-bas. Je ne connais pas grand-chose aux soins dentaires. Nous avions lancé Interpol sur la Belgique, à cause de Simonnet, mais ils sont revenus bredouilles. La vieille n'avait pas de famille, donc, de ce côté, cul-de-sac. La Gendarmerie royale n'a rien découvert au Canada. Pas de piste aux *States* non plus.

— Le Rohypnol n'est pas franchement en vente libre ici et ces deux-là en avaient une sacrée dose. Le lien avec l'Europe pourrait être une explication.

— Ça se pourrait.

— D'après LaManche, les corps de l'autre maison ne montrent ni traces de drogue ni traces d'alcool. Simonnet était trop calcinée pour qu'on fasse les tests.

Ryan était déjà au courant, mais je réfléchissais à voix haute.

— Dieu du ciel, Ryan, cela fait une semaine et nous n'avons toujours aucune idée des identités.

— Ouais.

Il a adressé un sourire à Harry, qui écoutait avec attention. Leur petit flirt commençait à me taper sur les nerfs.

— Vous n'avez rien trouvé comme piste dans la maison ?

— Vous avez dû entendre parler de la légère altercation mardi sur West Island ? Les Rock Machine ont ouvert le feu sur deux Hells' Angels. Les Hells' ont riposté, en laissant un mort et trois types qui se vidaient de leur sang sur le carreau. Disons que j'ai été assez occupé ailleurs.

— Patricia Simonnet a pris une balle dans la tête.

— Les deux motards ont aussi fauché un jeune de douze ans qui passait par là en se rendant à son entraînement de hockey.

— Oh, Seigneur ! Écoutez, je ne suis pas en train de dire que vous traînez les pieds, mais il y a sûrement

139

quelqu'un qui doit s'inquiéter de ces gens-là. On parle quand même de toute une famille. Plus les deux autres. Il doit bien y avoir *quelque chose* dans la maison, un indice.

— Le service de l'Identité y a ramassé quarante-sept cartons de cochonneries. On les passe en revue mais à date, zéro pointé. Pas de lettres. Pas de factures. Pas de photos. Pas de listes de commissions. Pas de carnets d'adresses. Les factures d'électricité et de téléphone étaient payées par Simonnet. Le fuel était livré une fois par an, elle réglait d'avance. On n'a pu trouver personne qui soit entré là-dedans depuis que c'est elle qui loue.

— Et les impôts fonciers ?

— Guillion. Payés par chèque certifié de la Citicorp à New York.

— On a retrouvé une arme ?

— *Niet.*

— Ce qui écarte l'idée du suicide.

— Ouais. Et on voit mal la mamie égorger toute la famille.

— Vous avez vérifié les fichiers pour l'adresse ?

— Il n'y avait rien. La police n'a jamais été appelée.

— Vous avez obtenu les relevés de téléphone ?

— On les attend.

— Et les voitures ? Elles étaient immatriculées ?

— Les deux au nom de Guillion. À l'adresse de Saint-Jovite. Les assurances aussi étaient payées par chèque certifié de la même banque.

— Simonnet avait son permis de conduire ?

— Ouais. Belge. Dossier impeccable.

— Une carte d'assurance maladie ?

— Non.

— Rien d'autre ?

— Rien d'autre de flagrant.

— Qui s'occupait de l'entretien des voitures ?

— Apparemment, Simonnet les conduisait dans un

garage en ville. Les descriptions correspondent. Elle payait en liquide.

— Et la maison ? Une femme de cet âge ne pouvait pas s'occuper elle-même des réparations.

— À l'évidence, d'autres personnes vivaient là. Les voisins disent que le couple avec les bébés était dans les parages depuis plusieurs mois. Ils ont vu des voitures qui venaient faire un tour, parfois en assez grand nombre.

— Elle prenait peut-être des pensionnaires ?

Nous nous sommes tournés en même temps vers Harry.

— Eh bien, oui, peut-être qu'elle louait des chambres.

Nous l'avons laissée poursuivre.

— Vous pourriez vérifier dans les petites annonces. Ou dans les bulletins de la paroisse.

— Ça ne semblait pas être une grenouille de bénitier.

— Peut-être qu'elle était à la tête d'un groupe de dealers. Avec l'autre type, là, Guillion. C'est pour ça qu'ils l'ont descendue. C'est pour ça qu'il n'y a trace de rien nulle part.

Elle avait les yeux ronds d'excitation. Elle s'y croyait pour de vrai.

— C'était peut-être sa planque.

— C'est qui, ce Guillion ? ai-je demandé.

— Il n'est pas fiché, pas plus ici que là-bas. Les flics belges sont en train d'enquêter. Le type ne sortait presque jamais, personne n'a l'air d'en savoir beaucoup sur son compte.

— Comme pour la vieille.

On l'a regardée tous les deux. Bonne remarque, Harry.

Un téléphone a sonné. Le son strident indiquait que les lignes avaient été transférées au service de nuit. Ryan a jeté un œil sur sa montre.

— Bon, eh bien, j'espère que je vous verrai tout à l'heure.

Mel Gibson était de retour.

— Vraisemblablement non. Je dois terminer mon rapport sur Nicolet.

Harry a ouvert la bouche, puis, devant mon coup d'œil, l'a refermée.

— Merci quand même, Ryan.

— Enchanté, a-t-il dit à Harry, puis, faisant volte-face, il a pris la direction du hall.

— Ça, c'est une belle gueule de cow-boy.

— Ne jette pas ton dévolu sur lui, Harry. Il y a plus de noms dans son petit carnet noir que dans l'annuaire.

— Je l'ai juste regardé, chérie, et c'est encore gratuit.

Il n'était que cinq heures, mais le crépuscule était déjà bien installé lorsque nous sommes sorties. Les réverbères et les phares brillaient à travers le rideau de neige. J'ai fait démarrer la voiture, puis passé un bon moment à nettoyer le pare-brise et les vitres pendant que Harry faisait la revue des stations de radio. Quand j'ai réintégré l'habitacle, mon habituelle radio du Vermont avait été remplacée par une station rock locale.

— Ça, c'est trop cool.

Mitsou déchaînait l'approbation enthousiaste de Harry.

— C'est une Québécoise, ai-je expliqué en manœuvrant pour sortir ma Mazda du banc de neige. Cela fait des années qu'elle est connue ici.

— Ah ouais, du rock and roll en français, c'est trop cool.

— Ouais.

Les roues avant ont agrippé l'asphalte et je me suis glissée dans le trafic.

Harry écoutait les paroles de la chanson tandis que

nous roulions en direction de l'ouest, vers le centre-ville.

— Ça parle d'un cow-boy ? *Mon* cow-boy ?

— Oui, ai-je répondu en tournant sur Viger, apparemment le type lui plaît.

Nous avons perdu Mitsou à l'entrée du tunnel Ville-Marie.

Dix minutes plus tard, j'ouvrais la porte de l'appartement. J'ai montré la chambre d'ami à Harry, puis je suis retournée à la cuisine pour vérifier l'état des réserves en termes de nourriture. Ayant prévu d'aller au marché d'Atwater samedi ou dimanche, je n'avais plus grand-chose. Quand Harry est venue me rejoindre, j'étais en train de farfouiller dans le petit placard qui me tient lieu de garde-manger.

— Ce soir je t'invite, Tempe.

— Vraiment ?

— À vrai dire, le V.I.P., *Vie intérieure et Puissance*, t'invite. Je te l'ai dit ! Ils règlent tous mes frais. Disons, au moins vingt dollars US pour ce soir. La Diners Club de Howie se chargera du reste.

Howie était son deuxième mari, et probablement la manne à laquelle elle devait tout ce qui se trouvait dans les sacs de Nieman Marcus.

— Et pourquoi Vie intérieure machin te paie ce voyage ?

— Du fait de mes superperformances ; en fait, c'est un contrat assez particulier.

Elle a forcé son clin d'œil, bouche ouverte, toute la partie droite du visage tirée vers le haut.

— En général, ils ne font pas ça. Mais ils tenaient vraiment à ce que je vienne.

— Eh bien, si tu en es sûre. De quoi as-tu envie ?

— D'agir !

— Je veux parler de la nourriture...

— Tout sauf des grillades.

Cela m'a demandé un instant de réflexion.

— Indien ?

— Iroquois ou Huron ?

Elle s'est esclaffée. Elle était toujours bon public pour ses propres blagues.

— L'Étoile des Indes est à deux coins de rue d'ici. Leur khorma est excellent.

— Youpi ! Je n'ai encore jamais mangé indien, je crois. En tout cas, certainement pas indien français. De toute manière, je ne pense pas que le karma se mange.

Toute repartie était inutile.

— J'ai une gueule genre : « travaux sur cinquante kilomètres », a-t-elle dit en démêlant quelques longues mèches pour les examiner. Je vais essayer de remédier à cela.

Rejoignant ma chambre, j'ai passé un jean, sorti un stylo et un calepin, et me suis installée sur le lit, le dos calé contre les oreillers. J'ai ouvert le premier volume du journal de Bélanger et j'ai noté la première date : 1er janvier 1844. J'ai vérifié directement l'index d'un des livres de la bibliothèque. Élisabeth Nicolet. Date de naissance : 18 janvier 1846. L'oncle avait commencé ce cahier deux ans auparavant.

Louis-Philippe Bélanger avait beau avoir écrit d'une main ferme, l'encre avait pâli à divers endroits avec le temps, si elle était encore lisible. Sans compter que le français, désuet, abondait en termes qui ne m'étaient pas familiers. Au bout d'une demi-heure, j'avais la tête comme un tambour et il n'y avait pas grand-chose d'inscrit sur mon carnet.

Je me suis allongée, les yeux fermés. J'entendais toujours l'eau couler dans la salle de bains. J'étais fatiguée, découragée et pessimiste. Impossible d'étudier tout ça en deux jours. Le mieux serait de me coller à la photocopieuse quelques heures, et de reprendre ensuite à mon rythme. Jeannotte n'avait dit à aucun moment qu'il ne fallait pas *photocopier* les documents. Et j'abîmerais moins les originaux.

Je n'avais pas à trouver de réponse dans l'immédiat, et après tout, mes conclusions n'exigeaient pas d'explication. Et j'avais vu ce que j'avais vu. J'allais faire mon rapport et laisser les religieuses proposer leurs hypothèses. Ou poser leurs questions.

Peut-être ne comprendraient-elles pas. Peut-être ne me croiraient-elles pas. Elles n'accueilleraient sûrement pas la nouvelle avec joie. Quoique ! Est-ce que cela affecterait leur demande auprès du Vatican ? Cela n'était pas mon problème. J'étais certaine de ne pas me tromper. C'était simplement difficile d'imaginer ce que cela pouvait signifier.

n'a [...]

11.

Deux heures plus tard, c'est Harry qui m'a réveillée. Une douche, un coup de brushing et toutes les opérations exigées par son travail de rafistolage. Exercice d'emmitouflage, puis direction Sainte-Catherine. Le manteau neigeux étouffait à peine les bruits de la ville. Panneaux, arbres, boîtes aux lettres et voitures garées le long des trottoirs étaient emmaillotés de blanc.

Au restaurant, on nous a tout de suite installées et, une fois la commande passée, je l'ai questionnée sur son atelier.

— C'est spécial. J'ai appris de toutes nouvelles manières de penser et d'être. Je ne veux pas dire une de ces mystiques orientales bidon. Et je ne te parle pas de fluides, de cristaux, ni de ces trucs à la con de projection astrale. J'entends apprendre à contrôler sa propre vie.

— De quelle manière ?

— De quelle manière ? Par la prise de conscience de ma propre identité. Par l'expérimentation des pouvoirs que génère l'éveil spirituel. Par la paix intérieure que j'acquiers dans l'équilibre et la guérison holistique.

— L'éveil spirituel ?

— Comprends bien ce que je suis en train de dire, Tempe. Il ne s'agit pas de renaissance à je ne sais quoi, comme le prêchent nos foutus évangélistes. Ni de se repentir, ou de s'égosiller à la gloire du Seigneur, ni de marcher tel le juste à travers les flammes, et tout ça.

— Où se situe la différence ?

— Tous ces trucs tournent autour de l'idée de damnation, de culpabilité, de se reconnaître pécheur et de se tourner vers le Seigneur pour qu'Il prenne soin de toi. Les sœurs n'ont pas réussi à me vendre leur salade, et ce ne sont pas trente-huit ans d'existence qui m'ont fait changer d'avis. Il s'agit de prendre soin de *moi*.

Elle se frappait la poitrine d'un doigt manucuré.

— De quelle manière ?

— Tempe, essaies-tu de te foutre de moi ?

— Non. J'aimerais savoir de quelle manière on arrive à cela ?

— Il s'agit d'être à l'écoute de son intériorité, de son corps, de se purifier.

— Harry, tout ça c'est du jargon. Ce que je te demande, c'est concrètement comment tu arrives à cela.

— Eh bien, il faut manger juste, respirer juste et... tu as remarqué, je ne prends plus de bière ? Cela fait partie de la purification.

— Ça t'a coûté cher, le séminaire ?

— Je te l'ai dit. Ils n'ont rien demandé pour les droits d'inscription et ils m'ont carrément filé le billet d'avion.

— Et à Houston ?

— Eh bien..., ouais, j'ai réglé l'inscription. Il faut bien qu'ils te fassent payer quelque chose. Ce sont vraiment des gens de grande valeur.

Nos plats sont arrivés. Pour moi, un khorma d'agneau et, pour Harry, un curry de légumes avec du riz.

— Tu vois ? a-t-elle dit en montrant son assiette. Je ne mange plus de chair morte. Je me libère des impuretés.

— Et tu as trouvé ce cours comment ?

— Par le North Harris County Community College.
Le nom faisait sérieux.

— Et tu commences quand ?

— Demain. Le séminaire dure cinq jours. Je vais tout te raconter, si, je te jure. Tous les soirs, je vais revenir à la maison et je te raconterai ce qu'on aura fait. Ça ne t'embête pas si je reste chez toi ?

— Non, bien sûr. Harry, vraiment, je suis contente de te voir. Et ce que tu fais m'intéresse. Mais je pars pour Charlotte lundi.

J'ai fouillé dans la poche arrière de mon sac où je laisse toujours une clé de secours et je la lui ai tendue.

— Reste aussi longtemps que tu veux, tu es plus que la bienvenue.

— Pas de folles soirées, hein, a-t-elle dit en se penchant et en me menaçant du doigt, j'ai une dame qui surveille la maison.

— Oui, m'man, ai-je répondu.

Cette gardienne imaginaire était peut-être la plus ancienne de nos blagues de famille.

Elle m'a adressé un de ses sourires radieux et a glissé la clé dans la poche de son jean.

— Merci. Maintenant, c'est assez parlé de moi, il faut que je te raconte pour Kit.

Pendant la demi-heure qui a suivi, nous avons discuté de mon neveu. Christopher « Kit » Howard, fruit du deuxième mariage de Harry. Pour ses dix-huit ans, il avait reçu de son père une belle somme d'argent. Du coup, il s'était acheté un bateau de seize mètres, qu'il était en train de rénover. Harry ne savait pas trop ce qu'il comptait en faire.

— Raconte-moi encore d'où Howie tient son nom ?

Je connaissais l'histoire mais je ne m'en lassais pas.

— La maman de Howie l'a abandonné juste après sa naissance. Le père, lui, s'était tiré bien avant. Elle a déposé son bébé sur les marches d'un orphelinat, à Basic, au Texas, avec un mot épinglé sur la couverture disant qu'elle allait revenir et que le bébé s'appelait

Howard. À l'orphelinat, ils n'étaient pas sûrs qu'elle ait voulu dire le nom ou le prénom, si bien qu'ils n'ont pris aucun risque. Ils l'ont baptisé Howard Howard.

— Et qu'est-ce qu'il devient, Howie ?

— Toujours dans le pétrole. Et dans la chasse à tous les jupons qui passent à l'ouest du Texas. Mais il est généreux avec moi et Kit.

Le serveur est venu débarrasser et j'ai demandé un café. Pas Harry, les excitants pouvant nuire à la bonne marche de son processus de purification. Il y a eu un moment de silence, puis elle a repris :

— Et ton cow-boy, il voulait que tu le retrouves où ?

Je suis restée la cuillère en l'air, repassant au scanner les derniers événements. Cow-boy ?

— Le flic, avec le beau petit cul...

— Ah, Ryan... Dans un bar, chez Hurley. C'est la Saint-Patrick aujou...

— Eh, mon Dieu, oui.

Elle a pris un air grave.

— Je pense que nous devons nous joindre à la commémoration de cet important saint patron, de quelque modeste façon que ce soit.

— Harry, j'ai eu une longue...

— Tempe, pense que sans saint Patrick nos ancêtres auraient été bouffés par les serpents et que nous n'aurions jamais vu le jour.

— Je ne dis pas que...

— Et particulièrement ces temps-ci, quand le peuple irlandais est dans la tourmente...

— Le problème n'est pas là et tu le sais bien.

— C'est loin d'ici, Hurley ?

— À quelques rues.

— Pas de quoi se prendre la tête.

Elle a écarté les mains, paumes vers le ciel.

— On y va, on écoute deux ou trois chansons, et on rentre. Il ne s'agit pas d'une nuit à l'Opéra.

— J'ai déjà entendu ça.

— Non, c'est promis. Dès que tu veux rentrer, on y va. Hé, je suis debout depuis la première heure aussi.

L'argument ne m'impressionnait guère. Harry faisait partie de ces gens qui peuvent passer plusieurs jours sans dormir.

— Tempe, tu devrais te forcer à sortir un peu.

Cet argument, par contre...

— D'accord, mais...

— Hey, yaouuh. Que les saints veillent sur toi, ma vieille.

Tandis qu'elle demandait l'addition, je sentais déjà le nœud se former sous mon plexus. Il y eut une époque où j'adorais les pubs irlandais. Tous les pubs. Mais je ne souhaitais ni rouvrir ce vieil album ni y ajouter de nouvelles pages.

Relaxe, Brennan. Tu as peur de quoi ? Tu es déjà allée chez Hurley sans te noyer dans la bière. Exact. Alors, pourquoi une telle panique ?

Harry bavardait avec entrain tandis que nous reprenions Sainte-Catherine vers Crescent. À neuf heures et demie, il y avait déjà du monde, couples et solitaires cherchant l'âme sœur se mêlant aux derniers flots de touristes et de consommateurs. Chacun emmitouflé dans un gros manteau, ce qui transformait tout le monde en bibendums, à la même silhouette que les arbustes emballés pour l'hiver.

La partie de Crescent au nord de Sainte-Catherine, bordée de bars et de restaurants branchés, est l'anglophone « Rue du désir ». Le Hard Rock Café. Thursdays. Le Winston Churchill. En été, les terrasses regorgent de clients qui, tout en sirotant leurs consommations, regardent d'un œil appréciateur la parade amoureuse qui s'y joue. En hiver, la scène est à l'intérieur.

Au sud de Sainte-Catherine, Crescent n'est fréquentée, presque exclusivement, que par les habitués de

Hurley. Excepté un soir de Saint-Patrick. À notre arrivée, la queue faisait la moitié du pâté de maisons.

— Oh, et puis merde, Harry. Je ne vais pas rester dehors à me geler le cul.

Aucune envie de mentionner la proposition de Ryan.

— Tu ne connais pas quelqu'un qui travaille ici ?

— Je ne suis pas une habituée.

Nous avons rejoint la queue et avons commencé à attendre en silence, dansant d'un pied sur l'autre pour résister au froid. Ce qui me fit penser aux religieuses du lac Memphrémagog. Et à mon rapport inachevé sur Nicolet. Et aux carnets sur ma table de chevet. Et au rapport sur les bébés. Et aux cours que je devais faire à Charlotte la semaine prochaine. Et à la communication que je voulais présenter sur les images de scanner assisté par ordinateur au congrès d'anthropologie physique. Je sentais mon visage s'engourdir. Comment avais-je pu me laisser entraîner ?

Rares sont les clients qui quittent un pub à dix heures. En un quart d'heure, nous avions gagné à peu près cinquante centimètres.

— Je me sens comme un gâteau surgelé, a dit Harry. Tu es sûre que tu ne connais personne là-dedans ?

— Ryan m'a dit de donner son nom s'il y avait du monde.

Mes principes d'égalité étaient sérieusement mis à l'épreuve par une hypothermie croissante.

— Mais tu as quoi dans la tête, ma sœur ?

Harry n'avait aucun scrupule à profiter du moindre petit avantage.

D'un bond, elle avait disparu. Un moment après, je l'aperçus à une porte sur le côté, flanquée d'un représentant particulièrement costaud du club de football national d'Irlande. Tous deux me faisaient signe. En évitant les regards de ceux qui attendaient toujours, j'ai filé vers les escaliers et me suis glissée à l'intérieur.

J'ai suivi Harry et son garde du corps dans le labyrinthe des salles du Hurley's Irish Pub. Les moindres chaises, recoins, tables, tabourets de bar et centimètres carrés de plancher étaient occupés par des clients, habillés tout en vert. Affiches et miroirs vantaient la Bass, la Guinness, la Kilkenny Cream Ale. Cela sentait la bière, et la fumée était si dense qu'on aurait pu s'accouder dessus.

Nous nous sommes faufilés le long des murs, entre les tables, les fauteuils en cuir et les tonneaux, pour finalement parvenir à un comptoir de bar tout en cuivre et en chêne. Le niveau sonore dépassait celui qu'on autorise sur une piste d'aéroport.

En contournant le bar, j'ai aperçu Ryan, assis sur un tabouret, dans une pièce latérale. Il était adossé au mur de brique, un talon coincé contre un barreau, l'autre jambe étendue contre les dossiers des deux tabourets libres placés à sa droite. Sa tête s'encadrait dans une fenêtre carrée, ouverte dans le mur, bordée d'un cadre en bois sculpté vert. De l'autre côté, on voyait un trio jouer du violon, de la flûte et de la mandoline. Des tables étaient disposées tout autour de la pièce, délimitant un espace incroyablement étroit où s'agitaient cinq danseurs. Trois femmes se trémoussaient de manière correcte, mais leurs deux cavaliers, jeunes, se limitaient à un balancement d'un pied sur l'autre, en aspergeant de bière tout ce qui se trouvait à moins d'un mètre à la ronde. Cela n'avait pas l'air de déranger grand monde.

Harry a donné une accolade au footballeur, qui s'est dissous dans la foule. Comment Ryan avait-il réussi à garder libres ces deux places ? Et pour qui ? Je n'arrivais pas à déterminer si une telle assurance me déplaisait ou m'était agréable.

— Eh bien, grâce en soit rendue, a-t-il déclaré en nous voyant arriver. Bien content que vous ayez pu venir, les filles. Asseyez-vous et profitez-en.

Il devait hurler pour se faire entendre.

Il a enroulé sa jambe autour d'un des tabourets, l'a poussé vers nous, en tapotant le coussin. Sans hésitation, Harry a enlevé sa veste, l'a posée sur le dossier et s'est installée.

— À une condition, ai-je hurlé à mon tour.

Il a levé les sourcils, concentrant sur moi le bleu de ses yeux.

— Pas question de jouer au cow-boy de ces dames.

— Voilà qui est agréable comme de dénicher un caillou dans son beurre d'arachide.

Il criait à s'en faire saillir les veines du cou.

— Je ne blague pas, Ryan.

Jamais je ne tiendrais à ce volume.

— O.K., O.K., asseyez-vous.

Je me suis dirigée vers le tabouret libre.

— Je peux vous offrir une petite liqueur, ma'am.

Harry s'est esclaffée. Je suis restée bouche bée, mais Ryan s'est levé, a dégrafé ma veste. Il l'a suspendue au dossier et je me suis assise.

Du bras, il a appelé une serveuse, commandé une Guinness pour lui, un Coke pour moi. Cela aussi m'a agacée. Étais-je à ce point prévisible ?

Il a regardé Harry.

— La même chose.

— Un Coke ?

— Non, le choix numéro un.

La serveuse a disparu.

— Et ta purification ? ai-je glissé à son oreille.

— Quoi ?

— Ta purification...

— C'est pas une bière qui va m'empoisonner, Tempe. Je ne suis pas fanatique à ce point.

Comme il était impossible de se faire entendre sans hurler, j'ai préféré me concentrer sur l'orchestre. Ma jeunesse a été bercée de musique irlandaise et les vieilles chansons réveillent toujours en moi des souvenirs d'enfance. La maison de ma grand-mère. Les vieilles dames, avec leur accent, leur canasta. Le lit-cage. Les comédies de Danny Kaye à la télévision, en noir et blanc. Le sommeil qui me prenait sur fond de

153

trente-trois tours de John Gary. À mon avis, la musique aurait été un peu forte pour Nanny. Trop d'amplis.

Le chanteur a entonné une ballade qui parlait d'un vagabond sans feu ni loi. Je la connaissais et j'ai croisé les bras contre ma poitrine. Au refrain, on frappait dans ses mains sur cinq temps. Clap, clap. La serveuse est arrivée sur la dernière mesure.

Ryan et Harry parlaient, mais le vacarme couvrait leur conversation. Je sirotais mon verre en examinant ce qui m'entourait. Des blasons sculptés étaient accrochés au haut du mur sur une rangée, armoiries de familles sans doute. Ou insignes de clans ? J'en ai cherché un au nom de Brennan. Avec l'obscurité et la fumée, la plupart étaient indéchiffrables. Trone ? Non plus.

Le groupe a commencé une autre chanson qui aurait plu à Nanny. L'histoire d'une jeune fille qui nouait ses cheveux avec un ruban de velours noir.

Il y avait une série de portraits, dans leurs cadres ovales, photos d'hommes et de femmes en habits du dimanche. De quand dataient-ils ? 1890 ? 1910 ? Les expressions me donnaient la même sensation de gravité que j'avais éprouvée à Birks. Peut-être que les cols rigides n'étaient pas confortables.

Deux horloges d'école indiquaient l'heure, à Dublin et à Montréal. Dix heures et demie. J'ai regardé ma montre. Yaou.

Quelques chansons plus tard, Harry a attiré mon attention en gesticulant des deux bras. On aurait dit un arbitre signalant un hors-jeu. La chope que Ryan tenait en main était vide.

J'ai fait signe que non. Ryan a dit quelque chose à Harry, puis il a levé deux doigts au-dessus de sa tête.

« Ça y est, c'est parti », ai-je pensé.

Tandis que l'orchestre entamait un quadrille, je l'ai vu qui pointait un doigt en direction de l'entrée. Harry s'est laissée glisser de son tabouret et a disparu dans la masse des corps agglutinés. L'inconvénient du jean serré. Je préférais ne pas penser au temps qu'il lui faudrait attendre. Encore une inégalité des sexes.

Ryan a pris la veste de Harry, l'a suspendue sur sa chaise, puis s'est décalé d'un cran. Il s'est penché vers moi et a crié à mon oreille :

— Vous êtes sûre que vous êtes toutes les deux de la même mère ?

— Et du même père.

Il émanait de lui un parfum de rhum et de talc.

— Elle vit au Texas depuis combien de temps ?

— Depuis qu'Abraham est parti à l'aventure.

— Abraham Lincoln ?

— Dix-neuf ans, ai-je dit en me détournant et en fixant les glaçons dans mon verre.

Ryan avait parfaitement le droit de parler avec Harry. De toute manière, il était impossible d'avoir une vraie conversation, je n'avais donc aucune raison d'être si énervée.

— C'est qui, cette Anna Goyette ?

— Comment ?

— C'est qui, Anna Goyette ?

L'orchestre s'est arrêté en plein milieu de sa phrase, du coup, le nom a retenti bruyamment dans le calme tout relatif.

— Seigneur, Ryan, vous ne voulez pas prendre un porte-voix pendant que vous y êtes...

— Serait-on un peu sur les nerfs, ce soir ?... Trop de caféine.

Il a grimacé un sourire. Je l'ai fusillé du regard.

— Ce n'est pas bon à votre âge.

— Ce n'est pas bon à tout âge. Comment êtes-vous au courant pour cette histoire d'Anna Goyette ?

La serveuse est arrivée avec les boissons et un sourire digne de ceux de Harry dans ses meilleurs moments. Il a payé et lui a adressé un clin d'œil. Pitié...

— C'est pas franchement un poème d'être avec

155

vous, a-t-il déclaré après avoir posé une des bières sur la tablette devant la veste de Harry.

— J'y travaillerai. Comment êtes-vous au courant pour Anna Goyette ?

— Je suis tombé sur Claudel, à propos des motards, et on en a parlé.

— Et pourquoi diable vous mêlez-vous de cela ?

— Parce qu'il me l'a demandé.

Jamais je ne comprendrai Claudel. Il m'envoie promener, puis il discute de mon coup de téléphone avec Ryan.

— Donc, de qui s'agit-il ?

— D'une étudiante de McGill. Sa tante m'a demandé de la retrouver. Ce n'est pas le Watergate.

— Claudel dit que c'est une jeune personne très intéressante.

— Ce qui veut dire quoi, au juste ?

Harry a choisi ce moment-là pour nous rejoindre.

— Eh bien, mes petits amis, si vous voulez aller pisser, vous avez intérêt à prévoir ça d'avance...

Elle a pris note de la nouvelle distribution et s'est glissée à la gauche de Ryan. Comme un fait exprès, l'orchestre a entamé là-dessus une chanson où il était question de chope de whisky. Harry a commencé à se trémousser et à taper dans ses mains, jusqu'à ce qu'un type avec une casquette à carreaux et des bretelles vertes vienne se dandiner à sa hauteur et la prenne par la main. Elle a sauté de son tabouret et l'a suivi dans une salle à l'arrière où deux jeunes se lançaient dans la danse de la grue. Le cavalier de Harry avait un sacré ventre et un visage rond et mou. Pourvu qu'elle ne l'achève pas.

J'ai regardé ma montre. Minuit moins vingt. La fumée me brûlait les yeux, et j'avais la gorge irritée à force de hurler.

Qui plus est, je m'amusais follement.

Qui plus est, j'avais envie d'un verre.

Sérieusement.

156

— Écoutez, j'ai mal à la tête. Dès que Ginger Rogers sort de la piste, je rentre.

— Quand vous voulez, l'amie. Vous vous en êtes bien sortie pour votre première séance.

— Seigneur, Ryan, ce n'est pas la première fois que je viens ici.

— Sans mentir ?

— Non !

J'y avais souvent pensé. J'adore la musique folklorique irlandaise.

Je voyais Harry sauter et swinguer, ses longs cheveux blonds au vent. Tout le monde la regardait. J'ai finalement crié à l'oreille de Ryan :

— Est-ce que Claudel sait où est Anna ?

Il a secoué la tête. J'ai laissé tomber. Côté conversation, c'était potentiellement au niveau zéro.

Harry continuait à danser avec son type, dont le visage cramoisi luisait de sueur et dont le nœud de cravate avait glissé de côté selon un drôle d'angle. Quand les sautillements de Harry l'ont amenée à se tourner face à moi, j'ai passé un doigt sur ma gorge. Fini. On dégage.

Elle a gaiement agité la main.

Du pouce, j'ai désigné la sortie, mais elle s'était déjà détournée. Oh, nom de Dieu.

Ryan me regardait, un sourire amusé sur les lèvres.

Le regard que je lui ai envoyé aurait congelé El Niño. Ses épaules se sont voûtées et il a écarté les bras, paumes en l'air.

Quand à nouveau Harry s'est retrouvée face à moi, j'ai réitéré ma mimique, mais elle fixait quelque chose derrière mon épaule, avec une bizarre expression.

À minuit et quart, mes prières se sont vues exaucées grâce à l'interruption momentanée de l'orchestre. Harry est revenue vers nous, les joues vermeilles mais resplendissante. Son cavalier semblait bon pour une réanimation.

— Waouh, j'en peux plus et j'ai plus un poil de sec.

Elle a passé un doigt dans son col, a grimpé sur le tabouret et a bu la bière que lui avait commandée Ryan. Quand le type a fait mine de vouloir s'installer à côté, elle a tapoté sa casquette.

— Merci bien, superman. À plus tard.

Il a incliné la tête de côté, avec un regard de chien battu.

— Bye-bye.

Elle a agité les doigts, le type a haussé les épaules, avant de se perdre à nouveau dans la foule.

Harry s'est penchée devant Ryan.

— Tempe, qui c'est, le type là-bas ?

De la tête, elle indiquait le comptoir derrière nous. J'ai fait mine de me retourner.

— Non, ne regarde pas maintenant !

— Mais quoi ?

— Le grand maigre avec des lunettes.

J'ai levé les yeux au ciel, ce qui n'allait pas arranger mon mal de tête. C'était une vieille tactique de Harry, datant du collège, quand je voulais partir et qu'elle voulait rester.

— Je sais. Il est mignon, il n'arrête pas de me dévisager, seulement, il est timide. J'ai déjà donné, Harry, arrête.

L'orchestre est reparti sur un quadrille. Je me suis levée et j'ai enfilé ma veste.

— L'heure de dormir.

— Non, c'est sûr. Ce type ne t'a pas lâchée des yeux tout le temps que je dansais. Je le voyais faire à travers la vitre.

Je me suis retournée pour regarder dans la direction qu'elle indiquait. Il n'y avait personne correspondant à sa description.

— Où ?

Elle a passé en revue les gens autour du bar, puis a jeté un œil par-dessus son épaule.

— Pour vrai, Tempe.

Elle a haussé les épaules.

158

— Je ne le vois plus.

— C'est probablement un de mes étudiants. Cela les étonne toujours beaucoup de me rencontrer sans chevalier servant.

— Ouais, ça doit être ça. Il avait l'air pas mal jeune pour toi.

— Merci.

Ryan nous lorgnait comme un papy observant des jeunesses.

— Tu es prête ?

J'ai boutonné ma veste, passé mes gants.

Harry a consulté sa Rolex, puis a proféré exactement les mots auxquels je m'attendais.

— C'est à peine passé minuit. On ne pourrait pas...

— J'y vais, moi, Harry. L'appartement est à quatre blocs d'ici et tu as la clé. Tu n'es pas obligée de partir.

Elle est demeurée indécise un moment, puis s'est tournée vers Ryan.

— Allez-vous rester là encore un peu ?

— Pas de problème, mon petit.

Elle m'a regardée avec le même air de chien battu que son cavalier.

— Tu es sûre que ça ne t'embête pas ?

— Bien sûr que non.

En chris...

Je lui ai expliqué pour les clés et elle m'a embrassée.

— Je vous raccompagne, a dit Ryan en prenant son manteau.

Toujours le protecteur.

— Non, merci. Je suis une grande fille.

— Alors, laissez-moi vous appeler un taxi.

— Ryan, j'ai l'autorisation de sortir sans escorte.

— Comme vous voulez.

L'air froid me fit du bien après la chaleur et la fumée du pub. Durant un millième de seconde. La température avait baissé d'un cran et le vent s'était levé, ce qui devait plonger à des billions de degrés sous zéro.

Au bout de quelques pas, mes yeux étaient troubles, et le contour de mes narines commençait à geler. J'ai tendu mon écharpe devant mon nez et ma bouche, pour la nouer avec un gros nœud derrière ma tête. J'avais l'air d'une folle, mais, au moins, mes poumons étaient protégés.

Mains profondément enfoncées dans les poches, tête baissée, j'ai poursuivi mon chemin. Un peu moins exposée et avec une visibilité réduite, j'ai tourné sur Sainte-Catherine. Pas une âme en vue.

Je venais de traverser Mackay quand j'ai senti l'écharpe se plaquer contre ma bouche et mes pieds partir vers l'avant. Ma première pensée a été que j'avais glissé sur une plaque de verglas. Mais d'un seul coup j'ai compris qu'on me tirait en arrière. Je venais de dépasser le vieux Théâtre d'York, et quelqu'un était en train de me traîner sur le côté de l'édifice. Brutalement, on m'a fait pivoter face au mur. J'avais toujours les mains coincées dans les poches. Mon visage a heurté la brique, j'ai glissé sur les genoux, nez dans la neige. Un poids m'écrasait par-derrière, comme si un type costaud s'appuyait de ses deux genoux contre ma colonne vertébrale. La douleur a irradié dans mon dos, j'ai expiré violemment à travers l'écharpe. J'étais plaquée au sol, à plat ventre. Impossible de rien voir, de bouger, de respirer. J'ai senti monter la panique. Le besoin d'air. Le sang martelait mes tympans.

J'ai fermé les yeux, tous mes efforts concentrés pour réussir à tourner la tête de côté. Une brève inspiration. Une autre. Encore une autre. La sensation de brûlure a décru, j'ai recommencé à respirer normalement.

La mâchoire et le visage m'élançaient. Ma tête était tordue dans un angle anormal, l'œil droit plaqué contre la neige gelée. Une grosseur sous mon ventre. Mon sac ! Je m'en étais servie pour me protéger du vent.

Donne-lui le sac !

J'ai gigoté pour me libérer. J'étais enserrée dans mon manteau et mon écharpe comme dans une camisole de force. Je le sentais bouger au-dessus de moi. Il a semblé s'étirer, puis j'ai senti son souffle contre mon oreille. Bien que filtrée par l'écharpe, sa respiration semblait forte, haletante. Comme un animal fou de panique.

Ne t'évanouis pas. Par ce froid, c'est la mort. Bouge ! Fais quelque chose !

Sous mes multiples épaisseurs, j'étais trempée de sueur. J'ai imperceptiblement bougé la main dans ma poche. Mes doigts étaient moites sous la laine.

Là !

J'ai agrippé mes clés. Au moment où il me lâcherait, je serais prête. Impuissante, j'attendais l'occasion.

— Laisse tomber, a sifflé une voix dans mon oreille.

Il a senti mon mouvement.

Je me suis figée.

— Tu ne sais pas où tu as mis les pieds. N'insiste pas.

Insister, à propos de quoi ? Mais qui croit-il que je suis ?

— Laisse tomber, a-t-il répété, la voix tremblante d'émotion.

Je ne pouvais pas parler, et il n'avait pas l'air d'attendre une réponse. Ce pouvait-il que ce soit un fou, et non un voleur ?

Nous sommes restés comme ça pendant ce qui m'a paru une éternité. Des voitures passaient en faisant crisser leurs pneus sur la neige. Mon visage était devenu tout à fait insensible. La douleur dans mes vertèbres cervicales était telle que j'étais certaine qu'elles allaient se briser d'un instant à l'autre. Je respirais bouche ouverte, la salive gelant dans mon écharpe.

Ne panique pas. Réfléchis !

Mon esprit passait en revue à toute allure les

diverses possibilités. Il était soûl ? Drogué ? Indécis ? Était-il en train d'assouvir un fantasme et allait-il passer à l'acte ? Mon cœur battait si fort que je craignais que cela ne puisse être un catalyseur.

Puis j'ai entendu des bruits de pas. Lui aussi avait dû les entendre, parce qu'il a resserré sa prise sur mon écharpe et placé sa main gantée contre mon visage.

Crie ! Fais quelque chose !

De ne pas réussir à le voir me rendait folle.

— Lâche-moi, maudit sac à merde ! ai-je hurlé.

Mais ma voix me semblait à des millions de kilomètres, étouffée par les épaisseurs de laine.

Je serrais mes clés avec toute l'énergie du désespoir, la main trempée de sueur sous le gant, entièrement concentrée dans l'idée de les lui planter dans l'œil si j'en avais la possibilité. Soudain, l'écharpe s'est tendue encore davantage, l'homme a bougé. Il s'est de nouveau agenouillé, tout son poids reposant au milieu de mon dos. Avec le sac qui me comprimait les poumons d'autre part, j'étouffais littéralement.

Prenant prise sur l'écharpe pour me relever la tête, il l'a ensuite violemment rabattue avec sa main. Mon oreille a heurté le sol de glace et de graviers, un jaillissement d'étincelles m'est monté aux yeux. De nouveau il m'a relevé la tête, puis l'a rabattue. Les étincelles se sont coagulées. Je sentais du sang sur mon visage, dans ma bouche. Quelque chose a cédé dans mon cou. Mon cœur bondissait sous mes côtes.

Lâche-moi, maudite merde de dingue !

L'étourdissement me gagnait. Mon esprit à la torture anticipait le rapport d'autopsie. Mon rapport d'autopsie. « Aucun résidu sous les ongles. Pas de marques de résistance. »

Ne t'évanouis pas !

J'ai gigoté, essayé de crier, mais ma voix était toujours aussi peu audible.

Tout à coup, le martèlement a cessé, mon attaquant était de nouveau penché sur moi. Il parlait. Les sons me parvenaient déformés à travers le bourdonnement dans mes oreilles. Puis j'ai senti ses mains appuyer sur mon dos, le poids s'alléger. Des crissements de semelles sur la neige... Il était parti.

Hébétée, j'ai libéré mes mains, me suis mise à quatre pattes, pour rouler et me mettre en position assise. Un étourdissement m'a submergée. J'ai laissé retomber ma tête entre mes genoux. Mon nez coulait, du sang ou de la salive dégouttait de ma bouche. Mes mains tremblaient quand j'ai voulu m'essuyer le visage avec un coin d'écharpe. J'étais prête à fondre en larmes.

Le vent faisait trembler les vitres cassées du théâtre abandonné. Comment s'appelait-il déjà ? Yale ? York ? Cela me semblait d'une importance extraordinaire. Je m'en souvenais tout à l'heure, pourquoi cela ne me revenait-il pas ? J'avais perdu tout sens de l'orientation. J'ai commencé à grelotter de manière incoercible, de froid, de peur, et peut-être de soulagement.

Dès que le malaise s'est estompé, je me suis levée et, à tout petits pas, j'ai longé l'édifice pour jeter un œil dans la rue. Pas un chat en vue.

Les jambes en coton, j'ai titubé en direction de la maison. Je ne pouvais faire un pas sans lancer un regard par-dessus mon épaule. Les rares personnes que je croisais détournaient le regard, passaient bien au large. Encore une qui a trop bu.

Dix minutes après, j'étais assise sur mon lit, faisant l'inventaire de mes blessures. Mes pupilles réagissaient toujours en coordination. Pas d'engourdissement. Pas de nausée.

L'écharpe avait été une semi-bénédiction. D'un côté, mon agresseur s'en était servi pour mieux me tenir, et par ailleurs cela avait amorti les coups. J'avais quelques coupures et des éraflures sur le côté droit du visage mais sans doute pas de traumatisme crânien.

« Pas mal pour quelqu'un qui vient d'échapper à une agression », me suis-je dit en me glissant entre les

163

draps. Mais de quel type d'agression s'agissait-il ? Le type ne m'avait rien volé. Qu'est-ce qui l'avait fait s'en aller ? Avait-il paniqué et laissé tomber ? Avait-il simplement trop bu ? S'était-il rendu compte que je n'étais pas la bonne personne ? Les températures en dessous de zéro excitent rarement les agresseurs sexuels. Quel était son motif ?

Je voulais dormir, mais mon taux d'adrénaline était encore à son maximum. Ou était-ce un symptôme de stress post-traumatique ? Mon tremblement ne s'était pas calmé et le moindre bruit me faisait sursauter.

Fallait-il appeler la police ? Pour dire quoi ? Mes blessures étaient superficielles et on ne m'avait rien volé. Et je n'avais même pas entr'aperçu le type. En parler à Ryan ? La manière dont je l'avais traité de haut en partant me laissait peu de marge de manœuvre. Harry ? Pas question.

Oh, mon Dieu ! Et si Harry revenait seule, serait-il encore là ?

J'ai roulé sur le côté pour regarder l'heure. Deux heures trente-sept. Où diable était-elle passée ?

J'ai touché ma lèvre meurtrie. Allait-elle le remarquer ? Probablement. Harry avait l'instinct d'un chat sauvage. Rien ne lui échappait. J'ai envisagé des explications bidon. Les portes, ça marchait toujours. Ou le fait que c'est toujours le visage qui porte quand on glisse sur la glace avec les mains enfoncées dans les poches.

Mes paupières se fermaient. Puis de nouveau j'avais les yeux grands ouverts, avec la sensation d'un genou sur mon dos, d'une respiration haletante à mon oreille.

Quelle heure ? Trois heures et quart. Hurley restait-il ouvert si tard ? Était-elle partie avec Ryan ?

« Où es-tu, Harry ? » ai-je demandé à la luminosité verte des chiffres.

L'envie qu'elle rentre me tenait éveillée, l'envie de ne plus être seule.

12.

À mon réveil, il faisait jour et il régnait dans l'appartement un silence total. J'avais dormi par à-coups, en orchestrant mentalement une réunion qui avait duré toute la nuit pour tirer au clair les événements de ces derniers jours. Élèves absents. Agresseurs. Saints. Bébés et grand-mères assassinés. Harry. Ryan. Harry et Ryan. La levée de séance n'avait eu lieu que peu avant l'aube, sans que rien de concret n'en résulte.

Je me suis mise sur le dos et la douleur qui a irradié dans mon cou m'a rappelé l'aventure de la veille. J'ai fait quelques mouvements de flexion et d'extension, cou, jambes, bras, des deux côtés. Tout fonctionnait. À la lumière du matin, cette agression paraissait absurde et imaginaire. Mais le souvenir de la peur était bien réel.

Je suis restée allongée encore un moment, me tâtant le visage pour prendre la mesure des dégâts et l'oreille tendue vers d'éventuels signes de vie du côté de ma sœur. Zones sensibles au niveau du visage. Néant pour ma sœur.

À huit heures et quart, je suis sortie du lit et j'ai passé ma vieille robe de chambre de flanelle et mis mes chaussons. La porte de la chambre d'ami était ouverte, le lit fait. Était-elle seulement rentrée ?

Il y avait un Post-it sur le réfrigérateur, elle m'informait que deux yoghourts avaient disparu et qu'elle serait de retour après sept heures. Bon. Elle était rentrée, mais avait-elle dormi là ?

Qu'est-ce que ça peut bien faire ? me suis-je dit en prenant la boîte de café en grains.

Au même moment, le téléphone a sonné. J'ai brutalement laissé retomber le couvercle et j'ai couru prendre l'appel dans le salon.

— Ouais.

— Salut, m'man. La nuit a été rude ?

— Excuse-moi, mon cœur. Quoi de neuf ?

— Est-ce que tu seras à Charlotte, pas cette semaine mais celle d'après ?

— J'arrive lundi, et je ne bouge que début avril, pour le congrès d'anthropologie physique à Oakland. Pourquoi ?

— Eh bien, je pensais venir passer quelques jours à la maison. Mon projet de bains de mer est tombé à l'eau !

— Super. Enfin, je veux dire : super que nous puissions nous retrouver un moment. Désolée que pour ton voyage cela n'ait pas marché.

Je me suis abstenue de demander pourquoi.

— Tu vas venir chez moi ou chez papa ?

— Oui.

— Bon, bon. Ça va, les études ?

— Ouais ! J'aime vraiment ça, la psychopathologie. Le prof est super-cool. Et la criminologie aussi, c'est pas mal sympa. On n'est pas obligé de remettre nos devoirs dans les temps.

— Mmm. Et comment va Aubrey ?

— Qui ?

— Ça répond à ma question. Où en est le bouton ?

— Parti.

— Comment se fait-il que tu sois levée de si bonne heure un samedi ?

— J'ai une note à rédiger pour mon cours de crimino. Je vais faire un truc sur les profils, peut-être y mettre un peu de psychopathologie.

— Je croyais que tu n'avais rien à rendre dans les temps ?

— J'ai deux semaines de retard.

— Oh...

— Tu peux m'aider à trouver un sujet de dossier pour mon cours d'anthropo ?

— Bien sûr !

— Pas quelque chose de trop compliqué. On n'est pas supposé y passer plus d'une journée.

Bip.

— J'ai un autre appel, Katy. Je réfléchis pour ton sujet. Tiens-moi au courant de ta date d'arrivée à Charlotte.

— Promis.

J'ai changé de ligne, pour tomber, à ma grande surprise, sur la voix de Claudel.

— Claudel.

Comme d'habitude, pas de bonjour ni d'excuse pour m'appeler chez moi un samedi matin. Il est allé droit au sujet.

— Anna Goyette est rentrée chez elle finalement ?

J'ai senti un vide se creuser dans ma poitrine. Claudel ne m'avait jamais appelée chez moi. Anna devait être morte. J'ai avalé ma salive.

— Je ne crois pas.

— Elle a dix-neuf ans, c'est ça ?

— Oui.

J'ai vu en pensée le visage de sœur Julienne. Je me sentais incapable de lui annoncer cela.

— Particularités physiques ?

— Je ne sais pas. Il faut que je demande à la famille.

— Quand a-t-elle été vue pour la dernière fois ?

— Jeudi. Monsieur Claudel, pourquoi ces questions ?

Silence. J'entendais beaucoup de bruit derrière, il devait m'appeler du bureau des homicides.

167

— Tôt ce matin, on a trouvé un corps de sexe féminin, de race blanche. Nu. Sans pièce d'identité.

— Où ça ?

La sensation de vide remontait maintenant au plexus.

— Sur l'Ile-des-Sœurs. Il y a un endroit avec des arbres et un lac. Le corps a été retrouvé sur la berge.

— Retrouvé... dans quel état ?

Il me distillait l'information au compte-gouttes.

Il s'est arrêté à ma question un moment. J'imaginais son nez crochu, ses yeux rapprochés qui devaient en loucher de concentration.

— La victime a été assassinée. Les circonstances sont... — nouvelle hésitation —, ne sont pas usuelles.

— C'est-à-dire ?

Changeant le combiné de main, j'ai essuyé ma paume moite contre ma robe de chambre.

— Le corps a été retrouvé dans un vieux container. Blessures multiples. LaManche doit faire l'autopsie aujourd'hui.

— Quel type de blessures ?

Mes yeux restaient fixés sur une série de taches sur le tissu.

Il a pris une grande respiration.

— Multiples coups de couteau et marques de ligatures au poignet. D'après LaManche, il y aurait aussi des traces d'une attaque par un animal.

Sa manière de dépersonnaliser les êtres m'agaçait. Corps de sexe féminin. La victime. Les poignets. Pas même un pronom personnel.

— Et on a sans doute brûlé le corps.

— Brûlé ?

— LaManche en saura plus dans la journée. Il va faire l'analyse *post mortem* aujourd'hui au labo.

— Seigneur...

Il y avait toujours un médecin légiste de garde, mais les autopsies le week-end étaient rares. Le meurtre devait sortir de l'ordinaire.

— La mort remonte à quand ?

— Le corps n'est que partiellement gelé, il était donc dehors depuis moins de douze heures. LaManche va essayer de déterminer l'heure du décès plus précisément.

Je n'avais nulle envie de poser la question suivante.

— Qu'est-ce qui vous fait penser qu'il peut s'agir d'Anna Goyette ?

— L'âge et la description correspondent.

Je me suis sentie défaillir.

— Et à quelles particularités physiques faites-vous référence ?

— La victime n'a pas de molaires en bas.

— Elles ont été extraites ?

À peine avais-je fini de formuler la question que je me suis sentie idiote.

— Docteur Brennan, je ne suis pas dentiste. Il y a également un petit tatouage sur la hanche droite. Deux personnages avec un cœur au milieu.

— J'appelle la tante d'Anna, et je vous rappelle.

— Je peux...

— Non. Je vais le faire. J'ai autre chose à voir avec elle.

Il m'a donné son numéro de bip et a raccroché.

Mes mains tremblaient en composant le numéro du couvent. Je revoyais des yeux paniqués sous une frange blonde.

Avant que j'aie pu réfléchir à la manière dont j'allais formuler ma question, sœur Julienne était en ligne. Je l'ai remerciée longuement de m'avoir orientée sur Daisy Jeannotte et lui ai raconté l'histoire du journal de l'oncle. Je tournais autour du pot, et c'est elle qui m'a finalement percée à jour.

— Il est arrivé quelque chose de grave, je le sens.

Sa voix était douce, mais la tension était là, juste en dessous. J'ai demandé si Anna était revenue. Non, elle n'était pas rentrée.

— Ma sœur, on a retrouvé une jeune fille.

Bruit de froissement de tissu. Elle se signait.

— Il faut que je vous pose quelques questions personnelles au sujet de votre nièce.

— Oui.

Sa voix était à peine audible.

Je lui ai demandé pour les molaires et le tatouage. Il y a eu un moment de silence sur la ligne, puis, à ma grande surprise, je l'ai entendue rire.

— Oh, mon..., non, non, il ne s'agit pas d'Anna. Oh, Ciel, non, jamais elle ne se serait laissé tatouer. Et je suis sûre qu'Anna a toutes ses dents. En fait, elle en parle souvent. C'est comme ça que je suis au courant. Il semble qu'elle ait beaucoup de problèmes dentaires, elle se plaint régulièrement que ça lui fait mal quand elle mange froid. Ou chaud.

Les mots se déversaient en un tel torrent que j'avais presque l'impression de sentir son soulagement parcourir le fil.

— Mais, ma sœur, il est possible que...

— Non. Je connais ma nièce. Elle a toutes ses dents. Elles sont une source de problèmes, mais elle les a toutes... — De nouveau, un rire nerveux. — Et pas de tatouage, Dieu merci.

— Je suis heureuse d'entendre cela. Cette jeune femme n'est sans doute pas Anna. Le mieux serait que nous ayons tout de même ses dossiers dentaires, simplement pour en être certains.

— Je suis sûre.

— Oui. Peut-être pour tranquilliser la personne qui enquête. Cela ne peut nuire en rien.

— Je suppose. Et je vais prier pour la famille de cette pauvre jeune fille.

Elle m'a donné le nom du dentiste, et j'ai rappelé Claudel.

— Elle est sûre qu'Anna n'a pas de tatouage.

— Hé, salut, ma sœur tantine. Tu sais pas quoi, je me suis fait tatouer le cul la semaine dernière...

— Je suis d'accord avec vous. On imagine mal.

Je l'ai entendu soupirer.

— Mais elle est absolument certaine qu'Anna a toutes ses dents. Il semble que sa nièce s'en plaigne souvent, d'ailleurs.

— En général, qui se fait arracher des dents ?

C'était exactement mon opinion.

— Ce ne sont pas les gens qui ont une dentition saine.

— Non.

— Et la tantine croit aussi qu'Anna n'est jamais sortie sans en parler à sa mère, pas vrai ?

— C'est ce qu'elle m'a dit.

— Anna Goyette est plus rapide que David Copperfield. Elle a disparu sept fois dans les dix-huit derniers mois. Du moins, c'est le nombre de rapports de disparition que la mère a remplis.

— Oh !

La sensation de vide s'étendait maintenant de mon plexus jusqu'au creux de l'estomac.

J'ai demandé qu'il me tienne au courant et j'ai raccroché. Je doutais qu'il le fasse.

J'étais douchée, habillée, et au bureau à neuf heures et demie. J'ai terminé le rapport sur Élisabeth Nicolet, avec description et explication de mes observations, exactement comme je l'aurais fait pour un dossier de médecine légale. J'aurais aimé pouvoir y inclure des informations provenant du journal de Bélanger, mais le temps m'avait tout simplement manqué pour en prendre connaissance.

Une fois mon rapport imprimé, j'ai procédé aux prises de vues. J'étais tendue, maladroite, et j'avais toutes les difficultés du monde à placer les os dans le bon ordre. À deux heures, j'ai déniché un sandwich à la cafétéria, que j'ai mangé en mettant au point mes conclusions sur Mathias et Malachy. Mais mon esprit était fixé sur le téléphone et je n'arrivais pas à me concentrer.

J'étais à la photocopieuse avec les volumes du journal de Bélanger quand, levant les yeux, j'ai aperçu Claudel.

— Ce n'est pas votre jeune fille.

J'ai plongé mon regard dans le sien.

— Vous êtes sûr ?

Il a confirmé d'un hochement de tête.

— Qui est-ce ?

— Une certaine Carole Comptois. Quand, grâce au dossier dentaire, on a exclu Goyette, on a lancé une recherche à partir des empreintes, et la fille était fichée. Deux arrestations pour racolage.

— Âge ?

— Dix-huit.

— Elle est morte comment ?

— LaManche est en train de finir l'examen.

— Des suspects ?

— Plein.

Il m'a regardée un moment sans rien dire, puis il est parti. J'ai continué à faire mes photocopies comme un robot alors que les émotions tourbillonnaient en moi. Le soulagement que j'avais ressenti en apprenant qu'il ne s'agissait pas d'Anna s'était immédiatement transformé en culpabilité. Il y avait quand même une jeune fille sur la table en bas. Une famille à prévenir.

Soulever le couvercle. Tourner la page. Abaisser le couvercle. Appuyer sur le bouton.

Dix-huit ans.

Aucune envie d'assister à l'autopsie.

À quatre heures et demie, j'avais terminé. Je déposai les rapports sur les bébés au secrétariat, puis plaçai un mot d'explication sur le bureau de LaManche au sujet des photocopies. Mais, en revenant, je suis tombée sur lui et Bergeron qui discutaient dans le couloir devant le bureau de l'odontologiste. Ils avaient tous les deux l'air épuisé et la mine sombre. À mon approche, ils ne réagirent pas.

— Difficile ? ai-je demandé.

LaManche a hoché la tête.

— Que lui a-t-on fait ?

— Plutôt : qu'est-ce qu'on ne lui a pas fait, a dit Bergeron.

J'ai levé les yeux vers lui. Même voûté, il mesurait plus d'un mètre quatre-vingts. Le néon d'un plafonnier éclairait son toupet de cheveux blancs. J'ai repensé à ce que Claudel avait dit à propos d'une attaque animale. Bergeron avait dû y passer aussi son samedi.

— Il semble qu'elle a été suspendue par les poignets, battue, puis mordue par des chiens, a dit LaManche. Par deux au moins, d'après Marc.

— L'un notamment de grande taille, a continué Bergeron. Un berger ou un doberman, vraisemblablement. Il y a plus de soixante marques de morsures.

— Seigneur !

— On a versé sur elle un liquide bouillant, sans doute de l'eau, alors qu'elle était nue. La peau présente de vilaines brûlures, mais je n'ai pas trace d'autre substance, a poursuivi LaManche.

— Vivait-elle encore ?

Mon ventre se noua à l'idée de la souffrance que cela avait dû représenter.

— Oui. Elle a succombé aux multiples coups de couteau, au niveau de la poitrine et de l'abdomen. Vous voulez voir les polaroïds ?

J'ai secoué la tête.

— Y a-t-il des blessures traduisant une résistance ?

Je repensais à ma propre agression.

— Non.

— Et à quand remonte le décès ?

— Probablement hier soir.

Je ne voulais pas avoir plus de détails.

— Autre chose, a dit LaManche, les yeux empreints d'une grande tristesse. Elle était enceinte de quatre mois.

Je les ai quittés rapidement pour me réfugier dans mon bureau. Je ne sais pas combien de temps j'ai pu rester là, regardant, mais sans plus les voir, tous les objets familiers qui m'entouraient. Malgré une certaine immunité émotive, inoculée par des années d'exposition à la cruauté et à la violence, certaines morts rompaient la digue. La dernière vague d'horreurs semblait encore plus violente que d'habitude. Ou peut-être mes circuits étaient-ils surchargés, et n'étais-je plus en mesure d'en absorber davantage.

L'affaire Carole Comptois n'était pas de mon ressort, et jamais mes yeux ne s'étaient posés sur elle. Malgré moi, des images remontaient des profondeurs les plus noires de mon inconscient : ses derniers moments, le visage tordu de douleur, de peur. Avait-elle supplié pour sa vie ? Pour celle du bébé qu'elle portait ? Quel genre de monstre pouvait ainsi courir le monde ?

« Qu'ils aillent au diable ! », ai-je déclaré au bureau vide.

J'ai fourré mes papiers dans mon porte-documents, attrapé mes affaires et claqué la porte derrière moi. Bergeron a dit quelque chose quand je suis passée devant son bureau, mais je ne me suis pas arrêtée.

Le bulletin de six heures a débuté au moment où je passais sous le pont Jacques-Cartier. Avec, en titre principal, le meurtre de Comptois. J'ai tourné le bouton :

« Qu'ils aillent au diable ! »

Le temps d'arriver chez moi, la colère était retombée. Certaines émotions sont trop intenses pour perdurer sans refluer. J'ai appelé sœur Julienne, pour la rassurer au sujet d'Anna. Claudel l'avait déjà fait, mais je voulais lui parler directement. Je lui dis qu'Anna n'allait pas tarder à réapparaître. Elle a répondu que oui, qu'elle le pensait aussi. Nous n'en étions pleinement persuadées ni l'une ni l'autre.

Je l'ai prévenue que le squelette d'Élisabeth était empaqueté et prêt à être récupéré, et que le rapport était à la frappe. Elle a dit que les os seraient enlevés aux premières heures lundi matin.

— Merci beaucoup, docteur Brennan, vraiment. Nous attendons votre rapport avec beaucoup d'impatience.

Je n'ai pas profité de l'occasion. Je n'avais aucune idée de la manière dont ils allaient réagir.

Ayant passé un jean, je me suis mise à préparer le dîner, m'interdisant de penser à Carole Comptois. Harry est rentrée à sept heures et demie. Nous avons mangé, limitant notre conversation aux pâtes et aux courgettes. Elle paraissait fatiguée, distraite, et toute prête à croire que j'avais chuté tête la première sur la glace. Les événements de la journée m'avaient complètement vidée. Je n'ai pas posé de question ni sur sa dernière nuit ni sur son séminaire, et elle n'en a pas parlé. Je pense que, l'une comme l'autre, nous étions ravies de n'avoir ni à écouter ni à répondre.

Après dîner, elle s'est plongée dans ses cours, et moi de nouveau dans le journal intime de Bélanger. Mon rapport était bouclé, mais je voulais en savoir plus. La photocopie n'avait pas amélioré la lisibilité, c'était tout aussi décourageant que le vendredi précédent. Sans compter que Louis-Philippe n'était pas un chroniqueur des plus exaltants. Jeune médecin, il racontait en long et en large ses journées à l'hôpital de l'Hôtel-Dieu. Les quarante premières pages faisaient peu référence à sa sœur. Apparemment, le fait qu'Eugénie continue à se produire après son mariage avec Alain Nicolet le préoccupait. Il n'aimait pas non plus sa manière de se coiffer. Louis-Philippe semblait très à cheval sur les principes.

Dimanche, Harry était déjà partie quand je me levai. Lessive, un tour à la gym, et préparation de mon cours de mardi sur l'évolution. En fin d'après-midi, j'ai trouvé que j'en avais assez fait. J'ai allumé un feu et, une tasse d'Earl Grey à portée de main, je me suis confortablement installée sur le canapé avec le journal et mon carnet de notes.

J'ai repris le texte là où je m'étais interrompue la

veille. Mais, au bout de vingt pages, j'ai laissé tomber au profit du petit livre sur l'épidémie. Qui, lui, était aussi passionnant que Louis-Philippe était rasoir.

On y parcourait les rues que j'empruntais tous les jours. Dans les années 1880, plus de deux cent mille personnes vivaient à Montréal et dans les villages environnants. La ville s'étendait depuis la rue Sherbrooke, au nord, jusqu'au port fluvial, au sud. Vers l'est, elle était bordée par la ville industrielle de Hochelaga, à l'ouest par les villages d'ouvriers de Sainte-Cunégonde et de Saint-Henri, situés en bordure du canal Lachine. Celui-ci était bordé aujourd'hui d'une piste cyclable que j'avais parcourue à bicyclette l'été précédent.

Il y avait déjà des tensions à l'époque. Bien que Montréal fût majoritairement anglophone à l'ouest de la rue Saint-Laurent, les francophones, à l'époque, représentaient une nette majorité et contrôlaient la politique municipale, tandis que les anglophones tenaient le commerce et la presse.

Les Français et les Irlandais étaient catholiques, les Anglais, protestants. Les deux groupes vivaient totalement séparés, aussi bien dans la vie que dans la mort. Chacun avait son cimetière, tout en haut de la montagne.

J'ai fermé les yeux pour mieux réfléchir. Même aujourd'hui, la langue et la religion restent déterminantes pour bien des choses à Montréal. Églises catholiques. Églises protestantes. Nationalistes. Fédéralistes. Quelle aurait été l'allégeance d'Élisabeth Nicolet ?

La pièce s'obscurcissait peu à peu. J'ai continué à lire.

Vers la fin du XIXe siècle, Montréal était une place commerciale de première importance, s'enorgueillissant d'un magnifique port, avec d'immenses entrepôts en pierre, de tanneries, de savonneries et autres usines. McGill était déjà une université moderne. Mais, comme d'autres villes victoriennes, c'était un lieu de contrastes : les immenses demeures des princes du commerce écrasant les taudis de la classe ouvrière pauvre. À côté de larges avenues pavées, au-delà de Sherbrooke et de Dorchester, on trouvait des centaines de ruelles terreuses et sales.

Le système de ramassage des ordures était peu développé. Détritus et carcasses d'animaux se décomposaient sur des terrains vagues, il y avait des excréments partout. Le fleuve était utilisé comme un égout à ciel ouvert. Gelés en hiver, déchets animaux et ordures pourrissaient durant les mois chauds et empuantissaient l'atmosphère. Tout le monde se plaignait des odeurs fétides.

Mon thé avait refroidi. M'étirant, je me suis levée pour aller m'en préparer une autre tasse. Reprenant le livre, j'ai sauté directement au chapitre traitant de l'hygiène publique. C'était l'une des obsessions de Louis-Philippe à l'Hôtel-Dieu. J'y trouverais très probablement une référence à mon bon ami. Il avait fini par devenir membre du comité de santé publique du conseil municipal.

Le compte rendu des discussions du conseil au sujet des déchets d'origine humaine était passionnant. Du côté des systèmes d'évacuation, c'était le chaos. Certains Montréalais déversaient leurs excréments dans les égouts municipaux qui allaient directement au fleuve. D'autres utilisaient des fosses d'aisances, qu'ils recouvraient de terre, et qui étaient ensuite ramassées. D'autres encore allaient déféquer dans des toilettes personnelles extérieures.

Le rapporteur médical du conseil exposait le fait que les habitants produisaient environ cent soixante-dix tonnes d'excréments par jour, soit à peu près deux cent quinze mille tonnes par an. Il soulignait que les dix mille toilettes extérieures et fosses d'aisances de la ville étaient la première source de maladies infectieuses, telles que la typhoïde, la scarlatine et la diphtérie. Le conseil se décida en faveur d'un système de ramassage et d'incinération. Louis-Philippe vota un oui enthousiaste. Nous étions le 28 janvier 1885.

Le lendemain du vote, le train de marchandises arrivant de l'ouest entrait en gare de Bonaventure. Le médecin de la compagnie fut appelé chez le conducteur, qui était malade. L'examen permit de diagnostiquer un cas de variole. Le malade étant protestant, on l'envoya à l'Hôpital général de Montréal. Où l'admission lui fut refusée. Il fut autorisé à attendre dans une pièce isolée dans l'aile des maladies contagieuses. Enfin, suite aux supplications du médecin de la compagnie de chemin de fer, il fut accepté de mauvaise grâce à l'hôpital catholique de l'Hôtel-Dieu.

Je me suis levée pour attiser le feu. Se dessinaient dans mon esprit les bâtiments de pierre grise à l'angle de l'avenue des Pins et de la rue Saint-Urbain. L'Hôtel-Dieu était toujours en activité. J'étais passée bien des fois devant en voiture.

Retour au livre. Mon estomac grondait, mais je voulais lire jusqu'à l'arrivée de Harry.

Les médecins de l'Hôpital général pensèrent que le cas de variole avait été rapporté aux autorités sanitaires de la ville par les médecins de l'Hôtel-Dieu. Qui, eux, pensèrent l'inverse. Personne ne prévint les autorités ni le personnel médical de l'un et de l'autre établissement hospitalier. Le temps que l'épidémie soit enrayée, il y avait eu trois mille morts, pour la plupart des enfants.

J'ai refermé le livre. Mes yeux brûlaient et le sang me battait aux tempes. Sept heures et quart. Que faisait donc Harry ?

À la cuisine, j'ai sorti et rincé deux darnes de saumon. Tout en préparant la sauce à l'aneth, j'essayais d'imaginer le quartier qui m'entourait tel qu'il était à l'époque. Comment combattait-on la variole dans ces temps-là ? À quels remèdes domestiques avait-on recours ? Près des deux tiers des morts étaient des enfants. Quel effet cela faisait-il de voir mourir ceux du voisin ? Comment chacun vivait-il son impuissance à soigner un enfant condamné ?

J'ai brossé sous l'eau deux pommes de terre, que j'ai

mises à cuire dans mon petit four, puis lavé de la salade, des tomates, des concombres. Toujours pas de Harry.

Même si ma lecture m'avait détourné l'esprit de Mathias, de Malachy et de Carole Comptois, la tension était toujours là. Et la tristesse. Je me suis fait couler un bain, avec des sels aromatiques. Et mis un CD de Leonard Cohen pour l'accompagner agréablement.

Élisabeth m'aidait à détourner mon esprit des homicides. Ce voyage dans l'histoire était captivant, mais je n'avais encore rien appris de ce que je voulais savoir. Je savais quel avait été le travail d'Élisabeth durant l'épidémie grâce à toutes les informations que sœur Julienne m'avait transmises avant l'exhumation.

Élisabeth avait été cloîtrée des années, mais, lorsque l'épidémie s'était propagée, elle se fit l'avocate des méthodes médicales modernes. Elle écrivit au ministre de la Santé de la province, au comité de santé du conseil municipal et à Honoré Beaugrand, maire de Montréal, pour réclamer l'amélioration de l'hygiène publique. Elle bombarda de lettres les journaux francophones et anglophones, demandant la réouverture de l'hôpital municipal spécialisé dans le traitement de la variole, et prôna une vaccination publique.

Elle écrivit à son évêque, pointant du doigt le fait que la maladie se répandait dans les lieux où se rassemblaient les foules, et le supplia de fermer momentanément les églises. L'évêque Fabre refusa, en disant que ce serait se moquer de Dieu. Au contraire, il pressa ses ouailles de s'y réunir, arguant que la réunion des prières serait plus efficace que de se recueillir dans l'isolement.

Bien pensé, l'évêque. Voilà pourquoi les catholiques francophones mouraient et pas les protestants anglophones. Les hérétiques se faisaient vacciner et restaient à la maison.

J'ai fait couler un peu d'eau chaude. Quelle frustration avait dû éprouver Élisabeth et comme j'aurais dû faire preuve de plus de tact !

D'accord, j'étais maintenant au courant de ce qu'elle avait fait, et de la manière dont elle était morte. Les religieuses s'étaient empressées de m'en faire part. J'avais lu des tonnes d'informations sur la maladie qui l'avait finalement emportée et sur les funérailles publiques qui avaient suivi.

Mais c'était sa naissance qui m'intéressait.

J'ai pris le savon et l'ai fait mousser.

La lecture du journal intime était incontournable.

Savonnage des épaules.

Mais, grâce aux photocopies, cela pouvait attendre Charlotte.

Lavage des pieds.

La presse. Jeannotte avait fait cette suggestion. Oui. J'allais profiter du temps qui me restait à Montréal lundi pour consulter les journaux de l'époque. De toute manière, il fallait que je retourne à McGill rapporter les documents.

Me replongeant dans l'eau chaude jusqu'au cou, j'ai pensé à ma sœur. Pauvre Harry. Je lui avais passablement battu froid hier soir. J'étais fatiguée, mais était-ce la seule raison ? Ou cela avait-il à voir avec Ryan ? Elle avait le droit de coucher avec qui elle voulait. Alors, pourquoi m'être montrée si peu aimable ? Je tâcherais de l'être ce soir.

J'étais en train de m'essuyer quand j'ai entendu le bip du système de sécurité. J'ai sorti du tiroir une chemise de nuit Disney que Harry m'avait offerte à un Noël.

Elle était dans le salon, la veste encore sur les épaules, avec ses gants et son bonnet, les yeux perdus au loin, à des millions de kilomètres.

— La journée a été dure, à ce que je vois.

— Ouais.

Elle est revenue à elle et m'a concédé un demi-sourire.

— Tu as faim ?

— Je suppose. Laisse-moi juste quelques minutes.

Elle a jeté son sac sur le canapé et s'est affalée.

— Bien sûr. Enlève ta veste et prends ton temps.

— D'accord. Seigneur, il fait froid ici. Je me sens comme un sorbet rien que d'être venue à pied depuis le métro.

Quelques minutes plus tard, je l'ai entendue remuer dans la chambre d'ami, puis elle m'a rejointe à la cuisine. J'ai mis le saumon sous le gril, brassé la salade pendant qu'elle dressait la table. Une fois assises, je lui ai demandé comment s'était passée sa journée.

— Bien.

Elle a coupé sa pomme de terre, l'a écrasée et l'a nappée de crème sure.

— Bien ?

Histoire de l'encourager à poursuivre.

— Ouais. On a pas mal avancé.

— À ta tête, on dirait plutôt que c'était cinquante kilomètres de travaux à cloche-pied.

— Ouais. Je suis assez crevée.

Que j'ai repris l'une de ses expressions ne l'a même pas fait sourire.

— Alors, tu as fait quoi ?

— Beaucoup de cours, des exercices. C'est quoi, les petits brins verts ?

— De l'aneth. Quelle sorte d'exercices ?

— De méditation. Des jeux.

— Des jeux ?

— Raconter des histoires. De la gymnastique douce. Ce qu'ils nous disent de faire.

— Vous faites tout ce qu'ils vous disent de faire ?

— C'est mon choix, a-t-elle déclaré sèchement.

Je n'en revenais pas. Il était rare que Harry me parle sur ce ton.

— Excuse-moi. Je suis fatiguée.

Il n'y eut pendant un moment que le bruit des fourchettes. Je n'avais pas particulièrement envie d'entendre parler de sa thérapie physico-émotionnelle, mais, après quelques minutes, j'ai refait une tentative.

— Vous êtes combien ?

— Pas beaucoup.

— Il y a des gens intéressants ?

— Je ne vais pas là pour rencontrer des gens, Tempe. J'apprends à me prendre en charge. À être responsable de moi-même. J'ai une vie à la con et j'essaie de savoir comment la remettre sur les rails.

Elle donnait des coups de fourchette nerveux dans sa salade. Je ne l'avais jamais vue si déprimée.

— Et ça t'aide, ces exercices ?

— Tempe, tu n'as qu'à essayer par toi-même. Je ne peux pas te dire exactement ce qu'on fait ni comment ça fonctionne.

Elle a raclé la sauce, chipoté son saumon. Je n'ai pas répliqué.

— Je ne pense pas que tu comprendrais, de toute manière. Tu es trop bloquée.

Elle a pris son assiette et l'a rapportée à la cuisine. C'était bien la peine d'être amicale.

Je l'ai rejointe devant l'évier.

— Je crois que je vais aller me coucher, a-t-elle dit en posant une main sur mon épaule. Je te vois demain.

— Je pars dans l'après-midi.

— Oh ! Eh bien, je t'appelle.

Une fois au lit, je me suis repassé notre conversation. Jamais Harry ne s'était montrée si amorphe ni à ce point agressive dès qu'on faisait mine de l'approcher. Ce devait être la fatigue. Ou l'histoire avec Ryan. Ou sa rupture avec Striker.

Plus tard je me suis demandé pourquoi je n'avais pas fait attention aux signes. La suite aurait été tellement différente.

13.

Lundi, je me levai à l'aube, avec l'idée de nous préparer un bon petit déjeuner. Mais Harry déclina l'invitation, sous le prétexte qu'elle avait une journée très chargée. À sept heures, elle était partie, en tenue de jogging et sans maquillage, ce que jamais je n'aurais imaginé voir un jour.

On répertorie les endroits les plus froids du monde, les plus secs, ceux où la pression atmosphérique est la plus basse. La palme du plus sinistre revient sans aucun doute à la section des périodiques et des microfilms de la bibliothèque McLennan de McGill. Située au premier étage, c'est une longue pièce étroite, tout en béton, éclairée par des néons et astucieusement égayée par un plancher rouge sang.

Suivant les instructions du bibliothécaire, j'ai dépassé les piles de périodiques et de journaux pour atteindre les étagères métalliques où s'alignaient petites boîtes en carton et boîtiers ronds en aluminium. Ayant trouvé ce que je cherchais, je me suis rendue en salle de lecture. Presse anglophone pour commencer. J'ai sorti le rouleau de microfilm et l'ai installé sur la visionneuse.

En 1846, le *Montreal Gazette* paraissait trois fois par semaine, dans un format correspondant au *New York Times* aujourd'hui. Colonnes étroites, peu de photos, importante rubrique de petites annonces. L'appareil fonctionnait mal et le microfilm était en mauvais état. Ce qui donnait l'impression de lire sous l'eau. La partie imprimée se baladait de droite à gauche sur l'écran que venaient traverser sans cesse cheveux et particules de toute nature.

Dans les annonces, on trouvait des bonnets en fourrure, des articles de papeterie anglaise, des peaux de mouton brutes. Le docteur Taylor vendait un baume pour le foie, le docteur Berlin des pilules pour la vésicule biliaire. John Bower Lewis était, selon ses propres dires, un avocat et un attorney de qualité. Pierre Grégoire serait heureux de s'occuper de votre coiffure. La publicité se trouvait ainsi libellée :

Coiffeur spécialisé dans une clientèle de choix, pour hommes et femmes. Même les cheveux rêches deviendront doux et soyeux. L'excellence de ses produits vous donnera de ravissantes boucles et les cheveux abîmés seront soignés. Prix raisonnables. Sur rendez-vous.

Ensuite, les nouvelles.

Antoine Lindsay était décédé à la suite des coups que son voisin lui avait assénés sur la tête avec un bout de bois. Conclusion du coroner : meurtre avec préméditation.

Une jeune Anglaise, Maria Nash, récemment arrivée à Montréal, avait été séduite, puis abandonnée. Amenée dans un état de démence à l'Emigrant Hospital, elle y était morte.

Lors de l'accouchement de Bridget Clocone, au Woman's Lying in Hospital, d'un enfant mâle, les docteurs s'aperçurent que la veuve de quarante ans avait récemment mis au monde un autre bébé. La police fit une perquisition au domicile de son employeur et découvrit le cadavre d'un nourrisson caché dans une boîte, sous des vêtements. Il présentait « des marques de violence semblant résulter d'une forte pression exercée par les doigts au niveau du cou ». Conclusion du coroner : meurtre avec préméditation.

Seigneur ! Rien ne changeait donc jamais ?

Je défilai ensuite plus rapidement pour survoler la liste des bateaux et celle des passagers transocéaniques partant de Montréal vers Liverpool. Passionnant.

Tarifs des bateaux à vapeur. Services de transport par diligence vers l'Ontario. Annonces de déménagement. Les gens n'avaient pas beaucoup bougé cette semaine-là.

Finalement : naissances, mariages, décès. Pour la ville, le 17 de ce mois, Mme David Mackay avait eu un fils, Mme Marie-Claire Bisset une fille. Aucune mention d'Eugénie Nicolet ni de son bébé.

Ayant repéré l'emplacement de la rubrique dans le journal, j'ai pu passer assez rapidement en revue les quelques semaines suivantes. Rien. J'ai vérifié toute la bobine. Jusqu'à la fin de 1846, aucune annonce ne faisait référence à la naissance d'Élisabeth.

Vérification des autres journaux de langue anglaise. Même histoire. Aucune mention d'Eugénie Nicolet. Ni de la naissance d'Élisabeth. Je suis passée à la presse francophone. Toujours rien.

À dix heures, j'avais les yeux qui me brûlaient, les épaules et le dos douloureux. M'appuyant contre le dossier, je me suis étirée et me suis massé les tempes. Et maintenant ?

À l'autre bout de la pièce, quelqu'un, devant une autre visionneuse, a rembobiné. Pas une mauvaise idée. Pas plus mauvaise que n'importe quelle autre. Repartir en arrière. Élisabeth était née en janvier. J'allais vérifier la période où spermatozoïde et ovule avaient fait connaissance.

M'étant procuré les boîtes, j'ai installé le nouveau microfilm sur les bobines. Avril 1845. Publicités identiques. Mêmes annonces de déménagement. Même liste de passagers. Presse anglophone. Presse francophone.

Le temps d'en arriver à *La Presse*, mes yeux avaient du mal à focaliser. Onze heures et demie... Encore vingt minutes...

J'ai posé mon menton sur mon poing et appuyé sur le bouton de rembobinage. Le film s'est arrêté sur mars. J'avançais manuellement, m'arrêtant ici et là pour parcourir le centre de l'écran, quand le nom de Bélanger m'a sauté aux yeux.

Je me suis redressée. Mise au point sur l'article, qui était bref. Eugénie Bélanger était partie pour Paris. La célèbre cantatrice, femme d'Alain Nicolet, serait accompagnée durant sa tournée par un orchestre de douze musiciens et reviendrait au pays après la saison. À part le baratin sur le vide qu'elle laissait ici, c'était tout.

Eugénie avait donc quitté Montréal. Quand était-elle revenue ? Où se trouvait-elle en avril ? Est-ce qu'Alain était parti avec elle ? L'avait-il rejointe là-bas ? J'ai jeté un coup d'œil sur ma montre. Merde.

Vidant mon portefeuille et la poche arrière de mon sac, j'ai imprimé autant de pages que me le permettait ma monnaie. Ayant rembobiné, j'ai rapporté les films et me suis dépêchée de rejoindre Birks Hall par le campus.

La porte du bureau de Jeannotte était fermée à clé. J'ai cherché le bureau du département. La secrétaire a levé les yeux de son écran d'ordinateur le temps de m'assurer que les documents seraient remis en bonnes mains. J'y ai ajouté un mot de remerciement et me suis éclipsée.

Tout en rentrant à pied, je repensai à cette période de l'histoire. J'imaginais les vastes et vieilles demeures que je longeais telles qu'elles devaient être un siècle auparavant. Quelle vue sur Sherbrooke avaient leurs occupants ? Pas le musée des Beaux-Arts ni le Ritz-

Carlton. Pas les toutes dernières vitrines de Ralph Lauren, de Giorgio Armani, ni l'atelier de Versace.

Auraient-ils aimé des voisins aussi branchés ? Évidemment, ces boutiques étaient plus chic que l'hôpital des varioleux qui avait rouvert ses portes non loin de leur arrière-cour.

À la maison, j'ai tout de suite écouté mon répondeur. J'avais peur d'avoir manqué un appel de Harry. Aucun message. Je me suis vite préparé un sandwich et j'ai pris la voiture pour le labo. J'avais des rapports à signer. Avant de partir, j'ai laissé une note sur le bureau de LaManche, lui rappelant ma date de retour. En principe, je passais tout le mois d'avril à Charlotte, ce qui bien entendu impliquait que je revienne à Montréal en cas de comparution ou d'urgence. Mai et la fin du semestre de printemps étant proches, je serais rentrée pour l'été.

Retour à la maison pour une heure, le temps de préparer mes bagages et mes dossiers. Voyager léger n'était pas exactement mon genre, même si ce n'étaient pas les vêtements qui posaient problème. Des années de va-et-vient d'un pays à l'autre m'avaient amenée à avoir tout en double. J'avais le plus gros modèle de valise à roulettes du monde, que je bourrais de livres, de dossiers, de journaux, de manuscrits, de notes de lecture, et de tout ce dont j'avais besoin pour travailler. Cette fois-ci, j'allais transporter quelques kilos de photocopies.

À trois heures et demie, je pris un taxi pour l'aéroport. Harry n'avait pas appelé.

À Charlotte, j'habite dans ce qui est sans doute le duplex le plus inattendu de toute la ville. C'est le plus petit du Complex Sharon Hall, une grande propriété située dans Myers Park. Les actes notariés n'ont pas gardé mention de la vocation première de cette construction, et aujourd'hui, en l'absence d'un meilleur qualificatif, les résidents la nomment « l'Annexe de la remise du coche » ou, plus simplement, « l'Annexe ».

La maison principale de Sharon Hall fut élevée en 1913 pour le magnat local du bois d'œuvre. À la mort de sa femme, en 1954, Queens College reçut les sept cents mètres carrés d'architecture anglaise en don. Le département de musique y trouva refuge jusqu'au milieu des années quatre-vingt, date à laquelle la propriété fut vendue, la demeure principale et l'Annexe se trouvèrent converties en appartements. On ajouta alors des ailes et des dépendances, ainsi qu'une dizaine de petits pavillons, tous dans l'esprit architectural des bâtiments d'origine. On incorpora dans les nouvelles constructions de vieilles briques prélevées sur le mur de la cour, et les fenêtres, les moulures, les planches de bois restèrent, dans la mesure du possible, fidèles au style initial.

Au début des années soixante fut bâti un petit belvédère, juste à côté de l'Annexe, qui faisait office de cuisine d'été. Il fut finalement abandonné, puis utilisé comme débarras durant vingt autres années. En 1993, un riche banquier fit l'acquisition de l'Annexe et l'aménagea en pavillon, le plus petit au monde, dans lequel il intégra le belvédère. Il fut muté au moment même où mon mariage se délitait et me mettait sur le marché immobilier. Je dispose ainsi de soixante mètres carrés répartis sur deux étages et, malgré l'exiguïté des lieux, j'en suis ravie.

Dans la maison ne résonnait que le lent et régulier tic-tac de mon horloge murale. Pete était passé. C'était bien son genre de venir aérer en prévision de mon arrivée. J'ai appelé Birdie, mais il ne s'est pas montré. Ayant suspendu ma veste dans le placard de l'entrée, j'ai hissé ma valise le long de l'étroit escalier qui conduit à ma chambre.

— Bird ?

Ni miaulement, ni petite tête blanche et moustachue apparaissant au coin.

Au rez-de-chaussée, il y avait un mot sur la table de la cuisine. Pete avait gardé le chat, mais, comme il partait un ou deux jours pour Denver mercredi, il voulait que je le récupère au plus tard le lendemain. Le répondeur clignotait comme un feu de détresse, c'était d'à-propos, me suis-je dit.

Dix heures et demie. Aucune envie de ressortir maintenant.

J'ai composé le numéro de Pete. Le mien durant tant d'années. Je voyais le téléphone accroché au mur de la cuisine, encastré dans la petite encoche en V du chambranle à droite. Nous avions vécu de bons moments dans cette maison, particulièrement dans cette cuisine, avec sa cheminée de plain-pied et son immense table ancienne en pin. Les invités se retrouvaient toujours là, bien que j'essaie de les entraîner ailleurs.

Répondeur. La voix de Pete, réclamant que l'on soit bref. Je me suis exécutée. J'ai essayé Harry. Même chose. Ma voix.

Mes propres messages, maintenant. Pete. Le secrétariat de mon département. Deux étudiants. Un ami m'invitant pour le mardi précédent. Ma belle-mère. Deux appels raccrochés. Ma meilleure amie, Anne. Pas de mine antipersonnel. Et, chaque fois, le soulagement que l'enchaînement des monologues prenne fin sans l'annonce d'une catastrophe, effective ou à venir.

J'ai effacé les messages, me suis réchauffé au micro-ondes une pizza surgelée. J'avais pratiquement fini de déballer mes affaires quand le téléphone a sonné.

— Tu as fait un bon voyage ?

— Oui, plutôt. La routine.

— Bird dit qu'il va porter plainte.

— Pour ?

— Abandon.

— Cela pourrait aller jusqu'aux poursuites. Tu le représenteras ?

— S'il peut me verser un acompte.

— Qu'est-ce que tu vas faire à Denver ?

— Une déposition. La routine.

— Je peux attendre demain pour venir chercher Birdie ? Je suis debout depuis six heures et je suis vraiment épuisée.

— Apparemment tu as eu la visite de Harry.

— Le problème n'est pas là, ai-je répondu sèchement.

Ma sœur avait toujours été un sujet de frictions entre Pete et moi.

— Hé, hé, calmons-nous ! Comment va-t-elle ?

— En pleine forme.

— C'est bon pour demain. À quelle heure ?

— C'est ma journée de reprise, donc je ne finirai certainement pas de bonne heure. Six heures ou sept heures, probablement.

— Pas de problème. Viens après sept heures et je te prépare à dîner.

— Je...

— Pour Birdie. Il a besoin de voir que nous sommes encore amis. J'ai l'impression qu'il se sent responsable de toute cette histoire.

— C'est juste.

— Tu ne veux tout de même pas l'envoyer en thérapie vétérinaire...

J'ai souri. Cher Pete.

— O.K. J'apporterai quelque chose.

— Cela me convient.

La journée du lendemain fut encore plus trépidante que je ne l'avais imaginé. J'étais debout à six heures, sur le campus à sept heures et demie. À neuf heures, j'avais consulté mon courrier électronique, trié mon courrier postal et relu mes notes de cours.

Je rendais des devoirs dans mes deux classes, si bien que je restai à mon bureau bien plus tard que d'habitude. Un certain nombre d'étudiants voulaient discuter leur note, d'autres implorer ma clémence parce qu'ils ne s'étaient pas présentés à l'examen. Les proches meurent beaucoup en période d'examen, tout comme surgit tout un éventail de problèmes personnels qui handicapent les étudiants. Cette mi-session ne faisait pas exception.

À quatre heures, j'assistai à une réunion du comité « Cursus et Enseignement », où nous passâmes quatre-vingt-dix minutes à débattre d'un éventuel changement d'intitulé, par le département de philosophie, d'un cours sur Thomas d'Aquin. De retour à mon bureau, j'avais deux messages.

Encore un étudiant dont la tante était morte. Le second était un message du service de sécurité du campus, m'informant qu'il y avait eu des effractions dans le bâtiment de sciences physiques.

Il me fallut ensuite rassembler croquis, compas, moulages et l'ensemble de matériaux que mon assistante devait installer le lendemain pour les travaux pratiques. Plus une heure au labo, pour m'assurer que les spécimens choisis convenaient bien.

À six heures, je fermai tous les placards et la porte extérieure du labo. Le couloir était silencieux et désert, mais, au moment où je tournais au coin, j'eus la surprise de voir une jeune fille penchée contre la porte de mon bureau.

— Je peux vous aider ?

Elle a sursauté au son de ma voix.

— Je... Non, excusez-moi, je frappais.

Elle me parlait sans se tourner vers moi, laissant son visage dans l'ombre.

— Je me suis trompée de bureau.

Sur ce, d'un bond, elle a disparu.

D'un seul coup, je me suis rappelé le message sur les effractions.

On se calme, Brennan. Elle était sans doute en train d'écouter s'il y avait quelqu'un.

J'ai tourné la poignée et la porte s'est ouverte. Merde. J'étais certaine d'avoir fermé à clé. Quoique...

J'avais les bras si chargés que j'avais tiré la porte avec mon pied. Le loquet n'avait pas bien fonctionné.

Rapide inventaire des lieux : rien ne semblait avoir été déplacé. J'ai sorti mon sac du dernier tiroir de mon bureau. Argent. Clés. Passeport. Cartes de crédit. Tout ce qui aurait pu intéresser un voleur se trouvait là.

Peut-être s'était-elle réellement trompée. Elle avait pu pousser la porte ouverte, jeter un œil à l'intérieur, s'apercevoir de son erreur et ressortir. En fait, je ne l'avais pas vue ouvrir la porte.

Et puis qu'importe.

J'ai bouclé mon porte-documents, enclenché le verrou de la poignée et vérifié que la porte était bien fermée.

Charlotte est aussi différente de Montréal que Boston l'est de Bombay. Ville atteinte de multiples troubles de la personnalité, c'est à la fois tout le charme du vieux Sud et la seconde place financière du pays. De grosses compagnies, comme la Charlotte Motor Speedway, de grandes banques comme la NationsBank et la First Union y ont leur siège social. On y trouve aussi bien l'Opera Carolina que la célèbre salle de variétés et de music-hall du Coyote Joe. Il y a des églises à tous les coins de rue et, derrière chaque coin, un bar topless. Des clubs très chics et des restaurants où l'on peut manger le meilleur-travers-de-porc-sauce-barbecue-du-Sud, des voies express surchargées et des culs-de-sac tranquilles. Bill Graham y a grandi dans une ferme laitière, remplacée maintenant par une grande surface, et Jim Bakker a fait ses débuts dans une église locale, pour finir au tribunal provincial. C'est à Charlotte que l'application de la loi sur le ramassage scolaire des enfants noirs, visant la parité raciale dans les écoles publiques, a été en premier respectée et là aussi que se multiplient les écoles privées, à vocation religieuse ou purement laïque.

Charlotte connut la ségrégation jusque dans les

années soixante. À partir de là, un formidable rassemblement de leaders blancs et noirs se mit à travailler pour imposer l'intégration raciale dans les restaurants, les édifices publics et les transports. Quand le juge James B. McMillan rendit son verdict concernant le ramassage scolaire en 1969, il n'y eut pas de bagarres. Le juge avait été soumis à une très forte pression mais son arrêt ne fut pas cassé et la ville s'y plia.

J'ai toujours vécu dans la partie sud-est de la ville. Dillworth. Myers Park. Eastover. Foxcroft. Bien qu'éloignés de l'université, ces quartiers sont les plus anciens et les plus agréables, labyrinthes de rues aérées, bordées de maisons imposantes et de grands parcs couverts d'immenses ormes et de chênes saules plus vieux que les pyramides. La majorité des rues de la ville, comme ses habitants, est agréable et pleine de charme.

J'ai descendu ma vitre et respiré le parfum de cette soirée de mars. La journée avait ressemblé en tout point à ce à quoi l'on s'attend à cette époque : ce n'est pas encore le printemps mais plus vraiment l'hiver, et l'on enlève et remet sa veste au moins douze fois par jour. Déjà, les crocus perçaient la terre, et bientôt l'air serait saturé de l'odeur des fleurs de cornouiller, de cercis et d'azalée. Oublions Paris. Au printemps, Charlotte est la plus belle ville du monde.

J'avais le choix entre plusieurs itinéraires pour rentrer chez moi. Pour ce soir, ce serait la nationale, en sortant par Harris Boulevard. La 185 et la 177 étaient dégagées ; en quinze minutes, j'avais rejoint la route provinciale, direction sud-est. Arrêt au Comptoir des pâtes pour acheter des spaghettis, une salade César et du pain à l'ail, et, à sept heures et quelques, je sonnais chez Pete.

Il est venu m'ouvrir, vêtu d'un jean délavé et d'un maillot de rugby bleu et jaune, col ouvert. Il avait les cheveux dressés sur la tête, comme s'il s'était peigné avec les doigts. Il avait l'air en forme, mais Pete avait toujours l'air en forme.

— Pourquoi tu ne te sers pas de ta clé ?

C'est vrai, pourquoi ?

— Pour trouver une belle blonde en déshabillé dans ton antre ?

— Où ça ? a-t-il dit en se retournant, comme s'il la cherchait vraiment.

— Ça te plairait, hein ? O.K., va faire bouillir de l'eau.

Tandis que je lui tendais les pâtes, Birdie a fait son apparition, étirant d'abord une patte arrière, puis l'autre, s'asseyant, les quatre pattes rassemblées formant un minuscule carré. Ses yeux étaient fixés sur moi, mais il ne s'est pas approché.

— Hello, Bird, tu t'es ennuyé de moi ?

Il n'a pas bougé.

— Tu as raison, Pete. Il m'en veut.

J'ai lancé mon sac sur le canapé et suivi Pete à la cuisine. Du courrier empilé, la plus grande partie non décachetée, encombrait les chaises à chaque bout de la table. Même chose avec la chaise basse sous la fenêtre, et l'étagère en bois du téléphone. Je n'ai pas fait de commentaires. Ce n'était plus mon problème.

Nous avons passé une heure agréable à manger nos spaghettis et à parler de Katy et de la famille. Je lui ai dit que sa mère m'avait téléphoné pour se plaindre d'être abandonnée. Il s'est déclaré prêt à lui faire un prix de gros, pour la représenter avec Birdie. Je lui ai demandé de l'appeler. Il m'a promis de le faire.

À huit heures et demie, j'ai porté Birdie dans la voiture, Pete suivant derrière avec tout l'équipement. Mon chat voyage avec plus de bagages que moi.

Au moment où j'ouvrais la portière, Pete a posé sa main sur la mienne.

— Tu es sûre que tu ne veux pas rester ?

Sa main pressait la mienne, de l'autre il me caressait les cheveux.

Et pourquoi pas ? Son geste était si doux, et le dîner s'était déroulé si tranquillement, de manière si plaisante. En moi, quelque chose commençait à fondre.

Penses-y, Brennan. Tu es fatiguée. Tu es en état de manque. Rentre chez toi et vite.

— Et qu'est devenue Judy ?

— Simple perturbation dans l'ordre cosmique.

— Je ne pense pas, Pete. On a déjà joué à ce jeu-là. J'ai beaucoup apprécié le dîner.

Il a haussé les épaules, retiré sa main.

— Tu sais où j'habite.

Et il est reparti vers la maison.

J'avais lu qu'il y a dix trillions de cellules dans un cerveau humain. Toutes les miennes ce soir étaient en alerte, et discutaient frénétiquement d'un seul et même sujet : Pete.

Pourquoi n'avais-je pas utilisé ma clé ?

Limites de territoire, reconnaissaient mes cellules. Non pas le vieux défi : il y a une ligne tracée au sol que tu ne dois pas dépasser, mais la reconnaissance d'une nouvelle géographie, aux frontières aussi réelles que symboliques.

Pourquoi cette cassure ? Il y eut un temps où je ne souhaitais qu'une chose, épouser Pete et vivre avec lui le restant de mes jours. Qu'est-ce qui avait changé entre le moi d'autrefois et le moi de maintenant ? J'étais très jeune lorsque je m'étais mariée, mais le moi d'alors était-il si différent du moi d'aujourd'hui ? Ou bien était-ce Pete qui avait changé ? Le Pete que j'avais épousé était-il si irresponsable ? Si peu fiable ? Avais-je un jour considéré cela comme faisant partie de son charme ?

Un peu plus et on dirait une chanson de Sinatra, déclaraient mes cellules.

Qu'est-ce qui dans notre parcours nous avait conduits à la séparation actuelle ? Quels choix avions-nous faits ? Ferions-nous les mêmes aujourd'hui ?

Était-ce moi ? Pete ? Le destin ? Qu'est-ce qui avait mal tourné ? Ou bien tourné ? Étais-je maintenant dans une nouvelle voie mais qui me correspondait, celle de mon mariage m'ayant conduite aussi loin que possible ?

Questions difficiles...

Avais-je toujours envie de dormir avec Pete ?

« Oui » unanime des cellules.

L'année avait été bien maigre en termes de sexualité, ai-je argumenté.

Intéressant comme choix de mot, m'ont fait remarquer les copines du ça. Maigre. Pas de chair. Ce qui implique appétit.

Il y a eu l'avocat de Montréal, ai-je protesté.

Aucun rapport avec la question, ont déclaré les instances supérieures. C'est à peine si ce type a fait bouger l'aiguille. Là, le voltage est passé dans la zone rouge.

Cela ne sert à rien de discuter quand le cerveau est dans cet état d'esprit.

14.

Mercredi matin, j'étais à peine arrivée au bureau que le téléphone sonnait. J'ai été toute surprise d'entendre la voix de Ryan.

— Je ne veux pas de bulletin météo, a-t-il dit en guise de salutations.

— Un minimum de seize et j'ai mis de l'écran total.

— Au fond, vous êtes perverse, Brennan.

J'ai laissé dire.

— Il faut que je vous parle de Saint-Jovite.

— Allez-y.

J'ai pris un stylo et commencé à dessiner des triangles.

— Nous avons des noms pour les quatre du fond.

Puis, comme je ne disais rien.

— C'était une famille. La mère, le père et les petits jumeaux.

— On le savait déjà, non ?

Bruissement de papier.

— Brian Gilbert, vingt-trois ans, Heidi Schneider, vingt ans, Malachy et Mathias, quatre mois.

J'ai relié ma première série géométrique à une rangée de triangles secondaires.

— La plupart des femmes se montreraient impressionnées par mon discernement.

— Je ne suis pas la plupart des femmes.

— Vous êtes fâchée contre moi ?

— J'aurais des raisons ?

J'ai desserré les mâchoires et aspiré une grande goulée d'air. Cela lui a pris du temps avant de répondre.

— Bell Canada ne s'est pas pressé, comme d'habitude, mais les relevés de téléphone sont finalement arrivés lundi. Le seul numéro longue distance appelé durant toute l'année écoulée débute par 803.

Ma main est restée suspendue au milieu d'un triangle.

— Faut croire que nous n'êtes pas la seule à avoir le cœur au sud.

— Poétique.

— Le bon vieux temps ne s'oublie pas.

— Où ?

— Beaufort. Caroline du Sud.

— Vous êtes sérieux ?

— La vieille dame était pas mal portée sur le téléphone. Jusqu'à l'hiver dernier, où les appels ont cessé.

— Elle appelait où ?

— Probablement un domicile privé. Le shérif va vérifier aujourd'hui.

— La maison où vivait la petite famille ?

— Pas tout à fait. La relation avec Beaufort m'a travaillé. Les appels sont pas mal réguliers, puis il y en a eu un dernier le 12 décembre. Pourquoi ? Ce qui nous ramène trois mois avant le feu. Ça m'a emmerdé, ce truc. Les trois mois d'interruption. Puis ça m'est revenu. Cela correspond au moment où les voisins de Saint-Jovite ont, selon leurs déclarations, commencé à voir le couple avec les enfants. Vous aviez dit que les bébés avaient dans les quatre mois, j'ai donc pensé que les petits étaient peut-être à Beaufort, et que les appels ont cessé quand ils sont arrivés à Saint-Jovite.

Je l'ai laissé poursuivre.

— J'ai appelé l'hôpital de Beaufort. Mais ils n'ont aucun enregistrement de jumeaux pour la dernière année. J'ai alors essayé les cliniques et, là, je suis tombé sur le jackpot. Ils se souvenaient de la mère à la... — nouveau bruissement de papier — clinique médicale générale de Beaufort-Jasper, sur Saint Helena. C'est une île.

Je sais, Ryan.

— C'est un centre médical en milieu rural, où la plupart des médecins sont noirs, comme la plupart des patients. J'ai parlé avec l'une des gynéco-obstétriciennes qui, après l'habituel bla-bla sur la protection de la vie privée, a admis avoir eu une patiente correspondant à ma description. La femme s'était présentée à son quatrième mois de grossesse, enceinte de jumeaux. Le terme était prévu pour la fin novembre. Heidi Schneider. Le docteur s'en souvenait, d'une part, parce que c'était une Blanche et, d'autre part, à cause des jumeaux.

— Elle a donc accouché là ?

— Non. L'autre raison pour laquelle elle s'en souvenait, c'est que la fille s'était volatilisée. Elle est venue aux rendez-vous jusqu'au sixième mois, puis elle a disparu.

— C'est tout ?

— C'est tout ce qu'elle m'a dit avant que je lui faxe la photo d'autopsie. Je pense qu'elle va la voir en rêve pendant un petit moment. Quand elle m'a rappelé, elle était bien plus coopérante. Non que les informations inscrites au dossier soient particulièrement intéressantes. Heidi n'avait pas été très explicite en remplissant les formulaires. Elle a déclaré que Brian Gilbert était le père, indiqué une adresse à Sugar Land, au Texas, et laissé en blanc l'adresse locale et le numéro de téléphone.

— À quoi correspond l'adresse au Texas ?

— Nous vérifions, m'dame.

— Ne commencez pas, Ryan.

— Et les flics de Beaufort, quel est leur niveau scolaire ?

— Je ne les connais pas. De toute manière, Saint

Helena n'est sûrement pas sous leur juridiction. Ce n'est pas enregistré, c'est donc le terrain de jeu du shérif.

— Eh bien, il faut que nous les rencontrions.

— Nous ?

— J'ai un avion dimanche, et je vais avoir besoin d'un guide local. Vous savez, quelqu'un qui parle la langue, qui connaît les usages du coin. Je n'ai aucune idée de la manière dont il faut manger le gruau de maïs.

— Impossible pour moi. Katy vient me retrouver la semaine prochaine. Et pourtant, Beaufort est sans doute l'endroit au monde que je préfère. Si je vous y emmène en visite, ce qui n'arrivera sans doute jamais, ça ne sera en tout cas pas tant que vous êtes sur cette affaire.

— Pourquoi ?

— Pourquoi quoi ?

— Pourquoi des gens mangent-ils du gruau de maïs ?

— Je suis sûre que Martha Stewart en fera un sujet parfait pour son émission de cuisine.

— Pensez-y.

Ce n'était pas nécessaire. Je n'avais aucune intention de rejoindre Ryan à Beaufort, pas plus que de m'inscrire à « célibataire et libre » dans la rubrique « Rencontres » de mon journal local.

— Et les deux corps calcinés d'en haut ?

— On s'en occupe.

— Anna Goyette a-t-elle réapparu ?

— Aucune idée.

— Y a-t-il du nouveau à propos du crime de Claudel ?

— Lequel ?

— La fille enceinte qu'on a ébouillantée.

— Rien que je sache.

— Vous avez été une mine d'informations. Tenez-moi au courant de ce que vous avez trouvé au Texas.

J'ai raccroché et suis allée me chercher un Coke. J'allais passer une bonne partie de ma journée au téléphone, mais je ne le savais pas encore.

Tout mon après-midi fut consacré à la communication que je voulais faire au congrès de l'American Association of Physical Anthropology, début avril. Je stressais de m'y prendre à la dernière minute.

À trois heures et demie, alors que j'étais en train de trier des photos, le téléphone a sonné de nouveau.

— Vous devriez prendre l'air plus souvent.

— Il y a des gens qui travaillent, Ryan.

— L'adresse au Texas est celle de la maison des Schneider. D'après les parents qui, entre nous, ne risquent pas de gagner le grand prix de « Questions pour un champion », Heidi et Brian ont débarqué en août et sont restés là jusqu'à la naissance des bébés. Heidi a refusé tout soin prénatal, et a accouché à la maison avec une sage-femme. Naissance sans problème. Heureux grands-parents. Puis il y a un homme qui est venu les voir début décembre et, une semaine après, une vieille dame est arrivée avec un camion et ils sont partis.

— Et où sont-ils allés ?

— Les parents n'en savent rien. Ils n'ont plus eu aucune nouvelle par la suite.

— Qui était l'homme ?

— Aucune idée, mais ils disent qu'il a vraiment foutu la pétoche à Heidi et Brian. Après son passage, ils cachaient les bébés et refusaient de sortir de la maison. Jusqu'à l'arrivée de la vieille. Papa Schneider ne portait pas beaucoup l'homme dans son cœur non plus.

— Pourquoi ?

— Il n'aimait pas son genre. Il lui faisait penser à une..., attendez que je retrouve le terme exact... — il devait être en train de feuilleter son carnet —, une maudite bête puante. Assez poétique, vous ne trouvez pas ?

— Le père est un disciple de Yeats à ses heures. Rien d'autre ?

— Parler avec eux ou avec ma perruche, c'est du pareil au même, mais il y a encore une dernière chose.

— Je ne savais pas que vous aimiez les oiseaux.

— La mère dit que Heidi et Brian ont fait partie d'une espèce de communauté. Où ils vivaient tous ensemble. Vous êtes assise ?

— Je viens juste d'avaler quatre Valium. Ne m'épargnez pas.

— À Beaufort, en Caroline du Sud.

— Tout cela concorde.

— Comme les pieds d'O. J. Simpson dans les chaussures Bruno Maglis.

— Qu'est-ce qu'ils ont dit d'autre ?

— Rien de bien intéressant.

— Et Brian Gilbert ?

— Il a rencontré Heidi au collège il y a deux ans, à la suite de quoi ils ont tous les deux abandonné leurs études. La mère Schneider pense qu'il était originaire de l'Ohio. Il parlait drôle, a-t-elle dit. Nous vérifions.

— Vous leur avez annoncé la nouvelle ?

— Oui.

Silence. Annoncer un meurtre est la partie la plus difficile d'un travail d'enquêteur, celle qu'ils redoutent le plus.

— Ma proposition tient toujours, pour le guide à Beaufort.

— Mon refus tient toujours. C'est un boulot pour la police, mais qui ne concerne pas la médecine légale.

— Connaître les méchants doit accélérer les choses.

— Je ne suis pas sûre qu'il y ait des méchants à Beaufort.

Dix minutes plus tard, retéléphone.

— Bonjour, Temperance. Comment ça va ?

LaManche. Ryan n'avait pas perdu de temps et avait bien défendu sa cause. Pouvais-je éventuellement assister le lieutenant Ryan dans son enquête à Beaufort ? Il s'agissait d'une affaire particulièrement sensible et les médias commençaient à s'agiter. Je pourrais facturer mon temps et mes frais seraient remboursés.

Le voyant des messages s'était allumé pendant que nous parlions, indiquant que j'avais manqué un appel. J'ai promis à LaManche de voir ce que je pouvais faire et j'ai raccroché.

Le message était de Katy. Il y avait eu un changement dans ses plans pour la semaine suivante. Elle venait toujours en fin de semaine, mais voulait ensuite rejoindre ses amis à Hilton Head Island.

Carrée dans le fauteuil, les yeux posés sans le voir sur mon écran d'ordinateur et mon travail inachevé, je réfléchissais. C'était *envisageable* d'aller à Beaufort avec Katy ce week-end, et donc *envisageable* de travailler là-bas. De là, Katy irait rejoindre ses amis à Hilton Head, et je resterais pour aider Ryan. LaManche serait content. Ryan serait content. Et Dieu sait si un supplément d'argent serait le bienvenu.

Mais j'avais également mes raisons pour ne pas y aller.

Depuis que Ryan avait appelé, l'image de Malachy n'avait cessé de flotter dans mon esprit. Ses yeux à demi ouverts, sa poitrine mutilée, ses tout petits doigts crispés dans la mort. Je pensais à son petit frère, mort, à ses parents, morts, à ses grands-parents douloureusement frappés. Tout cela me déprimait et je voulais prendre un peu de recul.

J'ai regardé mon programme pour la semaine suivante. Jeudi, j'avais prévu un film pour mon cours sur l'Évolution. Je pouvais le déplacer. Don Johanson serait tout aussi instructif mardi.

Exercice de questions à choix multiple au cours d'ostéologie, puis labo libre. Je n'ai eu qu'un petit appel à passer. Pas de problème. Alex pourrait les surveiller, si j'arrangeais tout pour elle.

Vérification de l'agenda. Aucune réunion de comité ce mois-ci. Et, à part demain, aucun rendez-vous d'étudiant prévu avant la fin de la semaine suivante. Comment était-ce possible ? Il me semblait pourtant avoir rencontré tous les élèves du campus hier.

Ça pouvait marcher.

Et, pour dire la vérité, mon devoir était d'apporter mon aide dans la mesure de mes possibilités. Aussi modeste que soit ma contribution. Je ne pouvais pas ramener les couleurs sur les joues de Malachy. Ni refermer la terrible plaie dans sa poitrine. Et je ne pouvais pas non plus effacer la douleur des parents Schneider ni leur rendre leur enfant et leurs petits-enfants. La seule chose que je pouvais faire, c'était d'aider à maîtriser ce monstre psychopathe qui les avait tués. Et peut-être sauver un futur Malachy.

Si tu peux jouer un rôle là-dedans, alors fais-le, Brennan.

J'ai appelé Ryan pour lui dire qu'il pouvait compter sur moi lundi et mardi. Je lui confirmerais mon lieu de résidence.

J'avais une autre idée, j'ai donc passé un deuxième coup de fil, puis appelé Katy. Je lui ai expliqué mes plans, et elle s'est montrée tout à fait enthousiaste. Elle viendrait me rejoindre ici vendredi et nous partirions avec ma voiture.

— Va tout de suite au centre médical et fais-toi faire le test de tuberculose, lui ai-je dit. Intradermo, pas seulement la cuti. Et fais-le lire avant ton départ.

— Pourquoi ?

— Parce que j'ai une super-idée pour ton projet. Et, pendant que tu es là-bas, demande une photocopie de ton carnet de vaccination.

— De mon quoi ?

— La liste de toutes tes vaccinations. Il a fallu que tu en établisses une pour t'inscrire à l'université. Et apporte tout ce que votre professeur vous a distribué pour vos travaux pratiques.

— Pourquoi ?

— Tu verras.

15.

Jeudi passa dans un brouillard confus de cours et de rendez-vous avec des étudiants. Après dîner, j'appelai Pete pour lui demander de jeter un œil sur Birdie durant le week-end. Harry me passa un coup de fil sur le coup de dix heures pour me dire que son séminaire venait de se terminer. Le professeur voulait la rencontrer expressément et l'avait invitée chez lui vendredi soir. Elle aurait bien gardé l'appartement jusqu'à la fin de la semaine.

Je lui proposai de rester aussi longtemps qu'elle le souhaitait. En m'abstenant de lui demander où elle avait été toute la semaine, et pourquoi elle n'avait pas téléphoné. Je l'avais appelée plusieurs fois sans succès, et à deux reprises après minuit. Cela non plus, je ne le lui fis pas remarquer.

— Tu retrouves Ryan au pays du coton la semaine prochaine ? a-t-elle demandé.

— Ça en a l'air.

J'ai senti mes mâchoires se crisper. Comment le savait-elle ?

— Ça devrait être sympa.

— C'est purement professionnel, Harry.

— Ouais. Ça reste qu'il est pas piqué des vers.

— Ses ancêtres déterraient les truffes.

— Quoi ?

— Laisse tomber.

Vendredi matin, j'ai sélectionné mes échantillons d'os, mis mes questions par écrit et disposé le tout sur des plateaux. Alex, mon assistant de travaux pratiques, placerait cartes et spécimens par ordre numérique et chronométrerait les étudiants dans leur progression de poste en poste. Examen bateau de questions à choix multiple en analyse osseuse.

Katy s'étant présentée à l'heure, à midi nous étions en route vers le sud. Il faisait plus de seize degrés et le ciel avait la couleur des affiches publicitaires vantant les grandes plages du Sud-Est. Nous avons chaussé nos lunettes de soleil et baissé les vitres pour laisser nos cheveux flotter dans le vent. C'était moi qui conduisais et Katy s'occupait de la musique rock.

I77 sud jusqu'à Columbia, puis sud-est sur la 126, et de nouveau direction sud sur la I95. À Yemassee, nous quittions l'interrégionale pour des petites routes de campagne. C'étaient des bavardages, des rires. Nous nous arrêtions quand l'envie nous prenait. Grillades chez Maurice. Un coup d'œil sur les ruines de la vieille église de Sheldon-Prince Williams, que Sherman avait incendiée dans sa marche vers la mer. C'était merveilleux de se sentir libre de son temps, d'être avec ma fille, en route vers l'endroit que j'aime le plus au monde.

Katy me racontait ses cours, les garçons qu'elle fréquentait. Aucun n'avait la clé de son cœur, selon ses propres termes. Elle me détailla la brouille qui avait menacé ses projets de vacances avec ses amis. Sa description des copines avec qui elle allait partager l'appartement de Hilton Head me fit rire à en avoir mal au ventre. C'était bien là ma fille, avec son humour, noir à attirer les vampires. Jamais je n'avais été si proche d'elle et, pendant un moment, j'étais jeune et libre, j'oubliai les bébés assassinés.

À Beaufort, nous longeâmes la base aérienne des marines, puis, après un court arrêt au supermarché, nous traversâmes la ville, avant d'emprunter le Woods Memorial Bridge vers Lady's Island. À la sortie du pont, je jetai un coup d'œil en arrière vers la rive de Beaufort, panorama qui me met toujours le cœur en fête.

J'ai passé tous les étés de mon enfance près de Beaufort, et la plupart de ceux de ma vie adulte, le lien ne s'étant rompu que récemment, depuis que je travaille à Montréal. Les chaînes de fast-food ont poussé comme des champignons, et on a construit l'édifice gouvernemental du comté, surnommé le Taj Mahal par les gens du coin. Les routes ont été élargies et la circulation était plus dense. Les îles accueillent maintenant golfs et immeubles locatifs. Mais Bay Street restait toujours semblable à elle-même. Les vieilles maisons gardaient leur majesté d'avant-guerre, dans l'ombre des chênes des marais drapés de longs rubans de mousse espagnole. Il y a si peu de choses dans la vie sur lesquelles on peut compter et le rythme paisible de Beaufort est pour moi une source de réconfort. Le temps lui-même y reflue avec lenteur vers la mer éternelle.

En longeant la rive après le pont, sur la gauche, on apercevait au loin plusieurs bateaux amarrés à la marina de Factory Creek, dans une anse abritée de la rivière Beaufort. Le soleil bas de l'après-midi se reflétait sur les hublots et jetait un éclat blanc sur les mâts et les ponts. Encore un petit kilomètre sur la nationale 21, et je tournai dans le parking d'Ollie, le restaurant de fruits de mer. Empruntant l'allée bordée de chênes de Virginie, j'allai me garer en face de la mer.

Nos courses et les sacs marins sous le bras, nous avons pris la passerelle menant de chez Ollie à la marina de Lady's Island. De chaque côté s'étendaient les pâtures où le vert printanier égayait d'une note claire les chaumes de l'année précédente. Les troglodytes des marais lançaient leurs plaintes grinçantes sur notre passage et volaient comme des flèches parmi les herbages et les joncs. Le doux parfum d'eau saumâtre, de chlorophylle et d'humus montait vers nous, et me rendait si heureuse d'être de retour dans les basses terres.

La passerelle depuis la rive traversait comme un tunnel les quartiers généraux de la marina, bâtiment cubique et blanc avec un deuxième étage étroit qui faisait toute la longueur du toit et une aire ouverte au rez-de-chaussée. À droite, des portes donnaient sur des toilettes et la buanderie. À gauche se trouvaient les bureaux d'Apex Immobilier, d'un fabricant de bateaux et de la capitainerie.

Plus loin, nous avons emprunté une passerelle flottante en lattes de bois, jusqu'à l'autre bout des quais. Katy examinait attentivement chacun des bateaux que nous dépassions. L'*Ecstasy*, Morgan de quatorze mètres venant de Norfolk, Virginie. Le *Blew Palm*, dix-huit mètres construit sur mesure avec une coque métallique et assez de voile pour faire le tour du monde. Le *Paradis-des-Rudes*, yacht à moteur classique des années trente, jadis élégant mais aujourd'hui bien abîmé et hors d'état de prendre la mer. Le *Melanie Tess* était le dernier sur la droite. Katy lorgnait sur le chriscraft de quatorze mètres mais n'a pas fait de remarque.

— Reste ici une seconde, lui ai-je dit en déposant mes affaires sur le quai.

Je suis montée sur le pont avant. Une boîte à outils se trouvait à la droite du siège du capitaine. J'ai fait la combinaison, l'ai ouverte, en ai extrait une clé avec laquelle j'ai déverrouillé la porte arrière. Puis, tirant l'écoutille, je me suis glissée le long des trois marches qui conduisaient à la cabine principale. À l'intérieur, il faisait frais, cela sentait le bois, l'humidité et un parfum de désinfectant au pin. J'ai débloqué la porte côté port, Katy m'a tendu les provisions et les sacs, avant de monter à bord.

D'un accord tacite, nous avons tout abandonné dans le carré pour aller fureter dans le bateau, voir comment il était aménagé. C'était un rite instauré entre nous depuis qu'elle était petite et, même quand je serai très vieille, cela sera toujours le meilleur moment d'un séjour dans un lieu inconnu. Le *Melanie Tess* ne m'était pas tout à fait étranger, mais cinq ans s'étaient écoulés depuis ma dernière visite et j'étais curieuse de voir les modifications dont Sam m'avait parlé.

Notre exploration nous conduisit à une cuisine, séparée du salon principal par une marche, équipée de deux plaques électriques, d'un évier et d'un réfrigérateur, avec porte en bois et compartiment à glace muni d'une poignée à l'ancienne. Parquet de bois, murs en teck. À tribord, un coin salle à manger, avec des coussins d'un vert et d'un rose audacieux. À l'avant de la cuisine se trouvaient un placard, la salle de bains et une couchette surélevée assez large pour y dormir à deux.

La cabine du capitaine, vaste, avec un grand lit double et une armoire à glace, se trouvait à la proue. Comme dans le salon et la cuisine, tout était en teck et les cotonnades, claires, au motif de feuillages. Le soulagement se marqua sur le visage de Katy quand elle aperçut la douche dans la salle de bains.

— C'est super-cool, a-t-elle déclaré. Je peux prendre la couchette ?

— Tu es sûre ?

— Absolument. C'est tellement douillet comme coin que je vais me faire un nid là-haut, mettre toutes mes petites affaires sur ces étagères.

Elle a mimé le fait d'aligner et d'ordonner des choses.

Cela m'a fait rire. Le sketch des « affaires » de Georges Carlin était l'une de nos scènes préférées.

— En plus, je suis seulement là pour deux nuits, c'est toi qui prends le grand lit.

— D'accord.

— Tiens, il y a un message pour toi.

Elle m'a tendu l'enveloppe posée sur la table où mon nom s'inscrivait et je l'ai décachetée.

« L'eau et l'électricité sont branchées, alors prenez vos aises. Appelez-moi quand vous serez installées, je vous emmène manger un morceau. Faites comme chez vous. Sam. »

Le temps de ranger les commissions et Katy est allée installer ses affaires, pendant que j'appelais Sam.

— Salut, ma belle ! Comment allez-vous ?

— Cela fait tout juste vingt minutes que nous sommes arrivées. C'est magnifique, Sam. Je n'arrive pas à croire que c'est le même bateau.

— Rien qu'un peu d'argent et d'huile de coude ne puissent accomplir.

— On dirait. Tu viens habiter ici de temps en temps ?

— Bien sûr ! D'où le téléphone et le répondeur. C'est un peu exagéré pour un bateau, mais je ne peux pas me permettre de ne pas recevoir un message. N'hésite pas à t'en servir.

— Merci, Sam, j'apprécie vraiment.

— Eh maudit ! je ne l'utilise pas assez ce bateau.

— Eh bien, merci encore.

— Et pour le dîner... ?

— Je ne voudrais vraiment pas nous imposer...

— Eh maudit ! il faut que je mange moi aussi. Je dois aller au Gay Seafood Market acheter du mérou pour une maudite mixture que Mélanie veut préparer demain. On pourrait se retrouver au Factory Creek Landing. C'est sur la droite, juste après Ollie et avant le pont. Le cadre n'est pas très raffiné, mais les crevettes y sont excellentes.

— À quelle heure ?

— Il est sept heures moins vingt, eh bien, disons sept heures et demie. Il faut que je repasse au magasin chercher ma Harley.

— À une condition. C'est moi qui paie.

— Tu es une femme intraitable, Tempe.

— Ne m'embête pas.

— Vous êtes toujours partantes pour demain ?

— Si cela te va. Je ne veux pas...

— O.K., O.K. Tu lui as dit ?

— Pas encore. Mais elle comprendra dès qu'elle te verra. On se retrouve dans une heure.

J'ai jeté mon sac sur le lit et suis montée sur le pont. Le soleil se couchait, et ses derniers rayons teintaient la Terre de chaudes tonalités pourpres. Il enflammait le marais sur ma droite, colorait l'ibis blanc dressé dans les herbages. Le pont en direction de Beaufort se découpait en noir sur le ciel rose, comme l'arc de la colonne vertébrale de quelque animal préhistorique. Sur l'autre rive, les bateaux de la marina de la ville clignaient de l'œil vers notre ponton.

Bien que la température ait fraîchi, l'air était encore doux comme du satin. Une brise souleva une mèche de mes cheveux et vint la plaquer doucement contre mon visage.

— Quel est le programme ? a demandé Katy en me rejoignant.

J'ai regardé l'heure.

— Nous retrouvons Sam Rayburn pour dîner dans une demi-heure.

— *Le* Sam Rayburn ? Je croyais qu'il était mort.

— Il l'est. Celui-ci est le maire de Beaufort et un vieil ami.

— Vieux comment ?

— Plus vieux que moi. Mais il est encore autonome. Il va te plaire.

— Attends une minute.

Elle a pointé son doigt vers moi et je voyais dans ses yeux qu'elle réfléchissait à toute vitesse. Puis le déclic s'est produit.

— C'est le type des singes ?

J'ai souri.

— C'est là qu'on va demain ? Non, ne dis rien. Bien sûr que c'est ça. Voilà pourquoi je devais faire vérifier mes vaccins.

— Tu l'as fait, n'est-ce pas ?

— Annule la réservation au sanatorium, a-t-elle dit en m'ouvrant les bras. Je suis certifiée non tuberculeuse.

Lorsque nous sommes arrivées au restaurant, la moto de Sam était déjà garée. L'été dernier, elle était venue rejoindre la Lotus, le bateau et l'ULM, dans la longue liste de ses jouets. Difficile de dire s'il repoussait ainsi la cinquantaine qui se profilait ou si c'était un moyen pour se comporter comme un humain, lui qui s'était si longtemps préoccupé des comportements des primates.

Malgré nos dix ans de différence, nous étions amis depuis plus de vingt ans. Nous nous étions rencontrés alors que j'étais encore étudiante au collège, et Sam en deuxième année de troisième cycle. Notre attirance réciproque s'explique, je pense, par le fait que nos vies avaient été jusque-là si différentes.

D'origine texane, Sam est le fils unique d'une famille juive propriétaire d'une pension de famille. Lorsqu'il avait quinze ans, son père est mort alors qu'il défendait un tiroir-caisse qui ne contenait que vingt dollars. À la suite du décès de son mari, Mme Rayburn avait sombré dans une dépression dont elle n'était jamais sortie. Sam avait dû prendre sur ses épaules la gestion de la pension, tout en finissant ses études et en prenant soin de sa mère. Après sa mort, sept ans plus tard, il avait vendu la pension et s'était engagé dans les marines. C'était un être anxieux, plein de colère et que rien n'intéressait.

La vie dans l'armée n'avait fait que nourrir son cynisme. Dans les camps d'entraînement, les fanfaronnades des autres recrues lui parurent profondément ennuyeuses, et il devint de plus en plus introverti. Durant son service au Vietnam, il passa des heures à observer la faune en guise d'échappatoire. Ce carnage le consternait et il se sentait terriblement coupable d'y prendre part. Les animaux, par contraste, lui paraissaient innocents et ne préméditaient pas de tuer leurs congénères. Les singes l'attiraient particulièrement : leur organisation sociale et le fait qu'ils résolvaient les conflits avec un minimum d'agressions physiques. Pour la première fois, Sam était vraiment fasciné par quelque chose.

Il revint aux États-Unis et s'inscrivit à l'université de Champaign-Urbana, en Illinois. Il passa sa licence

212

et, quand je fis sa connaissance, il était assistant du cours d'introduction à la zoologie où je m'étais inscrite. Parmi les étudiants de licence, il avait la réputation d'avoir la tête près du bonnet, une langue acerbe et l'agacement facile. Notamment envers ceux qui manquaient de vivacité intellectuelle. Il était méticuleux et exigeant, mais d'une honnêteté scrupuleuse dès qu'il évaluait le travail des étudiants.

En apprenant à le connaître, je m'aperçus que, s'il aimait peu de gens, il était d'une loyauté à toute épreuve envers les rares élus admis dans son cercle. Il me dit un jour qu'ayant passé tant d'années avec les primates il ne se sentait plus du tout à sa place dans la société humaine. La « perspective singe », comme il l'appelait, lui avait dévoilé le ridicule de notre comportement.

Il s'orienta finalement vers l'anthropologie physique, mena des études sur le terrain en Afrique et termina son doctorat. Après des affectations temporaires dans plusieurs universités, il trouva enfin un poste à Beaufort dans les années soixante-dix, comme chercheur responsable de la faculté de primatologie.

Si l'âge l'avait adouci, je doutais que cela puisse un jour modifier sa déception dans le domaine des relations humaines. Non qu'il y ait de sa part refus de participer. Il fait des efforts. Sa candidature au poste de maire en est la preuve. Simplement, la vie n'agit pas sur lui de la même manière que sur les autres. Alors, il s'achète des motos et des ailes pour voler, ce qui le stimule et l'exalte, mais il en reste maître. Sam se trouve être une des personnes les plus complexes et les plus intelligentes que je connaisse.

M. le maire était au bar, attablé devant le match de base-ball et une bière pression.

J'ai fait les présentations et, comme d'habitude, Sam a pris les choses en main, commandant une autre bière pour lui, du Coke pour nous, avant de nous entraîner au fond du restaurant.

Ma fille n'a pas perdu de temps à vérifier ses suppositions concernant nos projets et s'est mise à bombarder Sam de questions.

— Depuis combien de temps dirigez-vous le centre ?

— Plus longtemps que je n'ai envie d'y penser. J'y étais salarié jusqu'il y a à peu près dix ans, où j'ai repris toute la maudite affaire à mon compte. Cela a failli me conduire à l'HP, mais je suis content de l'avoir fait. Rien de tel qu'être son propre patron.

— Il y a combien de singes sur l'île ?

— À l'heure actuelle, autour de quatre mille cinq cents.

— Ils appartiennent à qui ?

— À la *Food and Drug Administration*. Ma compagnie est propriétaire de l'île et prend soin des animaux.

— D'où viennent-ils ?

— Ici, à Murtry Island, ils proviennent d'un groupe de recherche de Puerto Rico. Où nous avons d'ailleurs travaillé ta mère et moi il y a longtemps, à l'âge du bronze. Mais, d'origine, ils viennent d'Inde. Ce sont des rhésus.

— *Macaca mulatta*, a-t-elle énoncé d'une petite voix chantonnante.

— Bien ! Où as-tu appris la taxinomie des primates ?

— Je suis des études en psycho. Beaucoup de recherches se font à partir des rhésus. Vous savez, Harry Harlow et ses héritiers...

Sam allait répondre quand la serveuse est arrivée avec notre commande : assiettes de palourdes et d'huîtres frites, crevettes, beignets de maïs et salade de chou. Pendant un moment, toute notre attention s'est trouvée absorbée : la sauce à mettre, les citrons à presser, décortiquer un premier lot de crevettes.

— Et on utilise les singes pour quoi faire ?

— Le groupe de Murtry est une colonie d'élevage. Des jeunes d'un an seront envoyés à la FDA, mais, si un animal n'est pas attrapé avant d'avoir atteint un certain poids, il reste là à vie. Le paradis des singes.

— Qu'est-ce qu'il y a d'autre dans l'île ?

Ma fille n'avait aucun problème à parler et à mâcher en même temps.

— Pas grand-chose. Les singes vivent en liberté, ils vont et viennent à leur guise. Ils établissent leurs propres groupes sociaux, leurs propres règles. Il y a des mangeoires pour la nourriture et des enclos de capture, mais, en dehors du campement, l'île est vraiment à eux.

— Le campement ?

— C'est comme ça que nous appelons ce qui se trouve tout de suite en arrivant, à droite du quai. S'y regroupent le centre de recherche, une petite clinique vétérinaire, d'urgence essentiellement, des remises pour entreposer la nourriture des singes et une roulotte où peuvent habiter les étudiants et les chercheurs.

Il a trempé une crevette dans la sauce cocktail, puis, renversant la tête, l'a laissée tomber dans sa bouche.

— Au XIXᵉ siècle, il y a déjà eu des cultures dans la partie arrière de l'île — des gouttelettes rouges restaient accrochées à sa barbe —, qui appartenait à la famille Murtry. D'où le nom de l'île.

— Qui est autorisé à entrer là ? a-t-elle demandé en se décortiquant une autre crevette.

— Absolument personne. Ces singes ne sont porteurs d'aucun virus et valent beaucoup, beaucoup de sous. Toute personne, et je dis bien toute, posant le pied sur l'île passe par moi et doit présenter tout un tas de vaccinations, y compris un test négatif de tuberculose datant de moins de six mois.

Il m'a regardée d'un air interrogateur et j'ai acquiescé.

— Je ne pense pas qu'on puisse encore aujourd'hui attraper la tuberculose.

— Le test n'est pas pour toi, jeune fille. Les singes sont extrêmement vulnérables à la tuberculose. Que la maladie se déclare et c'est toute la colonie qui y passe le temps de dire merde.

— Tes étudiants aussi devaient faire le test d'intra-dermoréaction ? a-t-elle demandé en se tournant vers moi.

— À chaque fois.

Plus tôt dans ma carrière, avant de me trouver embarquée dans le domaine judiciaire, mes recherches avaient porté sur l'effet du vieillissement chez le squelette, ce qui impliquait une étude sur des singes. J'avais enseigné tout le cursus de primatologie à l'UNCC, et encadré un camp à Murtry Island. J'y avais amené des étudiants pendant quatorze ans.

— Mmm, a dit Katy tout en engloutissant une palourde. Ça va être cool.

À sept heures et demie, le lendemain, nous nous trouvions sur le quai à l'extrême nord de Lady's Island, impatientes de gagner Murtry. De venir jusqu'ici en voiture m'avait donné l'impression de traverser un vivarium. Un épais brouillard engloutissait tout, effaçant les contours, et nous coupait presque du reste du monde. Bien que l'île soit à moins de deux kilomètres devant nous, mes yeux tentaient en vain de percer la bande opaque au-dessus de l'eau. Plus près, un ibis surpris s'envola, ses longues pattes grêles comme une traîne sur l'eau.

L'équipe était déjà là et chargeait le matériel dans deux bateaux à moteur. Ils en eurent vite fini et s'en allèrent. Katy et moi buvions un café en attendant le signal de Sam. Finalement, on a entendu son sifflement, et d'un geste il nous a invitées à le rejoindre. Nous avons jeté nos verres en plastique dans le vieux bidon d'huile qui servait de poubelle et nous nous sommes précipitées vers le quai inférieur.

Il nous a aidées à monter l'une après l'autre, a détaché l'amarre et sauté dans le bateau. Il a fait un signe au barreur et nous nous sommes engagés dans le bras de mer.

— C'est long, la traversée ? a demandé Katy à Sam.

— Comme la marée est haute, on va prendre par Parrot Creek, la baie suivante, puis couper par le marais. Cela devrait prendre au moins quarante minutes.

Katy était assise jambes croisées au fond du bateau.

— Tu ferais mieux de te lever et de rester appuyée contre le bord, a suggéré Sam. Quand Joey met les gaz, ça secoue. Les vibrations sont assez fortes pour t'entrechoquer les vertèbres.

Elle s'est levée et il lui a tendu une corde.

— Tiens-toi avec ça. Tu veux un gilet de sauvetage ?

Katy a secoué la tête. Il m'a regardée.

— Elle est très bonne nageuse, l'ai-je rassuré.

Au même moment, Joey a enclenché le moteur et le bateau a pris brusquement de la vitesse. Nous filions sur l'eau, nos cheveux et nos vêtements claquaient au vent, nous arrachant les mots des lèvres. À un moment, Katy a tapé sur l'épaule de Sam et montré une bouée du doigt.

— Casiers à crabes ! cria-t-il.

Un peu plus loin, il lui désigna un nid de balbuzard sur une bouée du chenal. Elle répondit d'un vigoureux hochement de tête.

Bien vite, nous nous sommes engagés dans le marais. Joey, debout jambes écartées, le regard vers la proue, manœuvrait le gouvernail pour diriger le bateau à travers d'étroites passes. Il n'y avait pas plus d'un mètre de dégagement dans chaque passe, et nous bifurquions de gauche et de droite, de part et d'autre du chenal, tandis que l'écume de chaque côté du bateau se chargeait d'herbe.

Accrochées l'une à l'autre — et au bateau — Katy et moi étions projetées de bâbord à tribord à chaque virement brusque, et cela nous faisait rire. Heureuses de ressentir cette vitesse et si contentes de cette belle journée. Autant j'adore Murtry Island, autant je crois avoir toujours encore davantage adoré la traversée.

Le temps d'atteindre l'île, le brouillard s'était levé. Le soleil chauffait le quai, éclaboussait la pancarte qui marquait l'entrée du camp. La brise dans les feuillages projetait des ombres et des éclats lumineux qui dansaient sur les mots : PROPRIÉTÉ DU GOUVERNEMENT. ENTRÉE FORMELLEMENT INTERDITE.

Quand les bateaux furent déchargés, et que tout le monde fut réuni au centre de recherche, Sam présenta Katy à l'équipe. Je les connaissais presque tous, à l'exception de quelques nouveaux visages. Joey avait été engagé deux ans auparavant. Fred et Hank étaient encore en formation. Tout en faisant les présentations, Sam résuma brièvement le mode de fonctionnement du centre.

Joey, Larry, Tommy et Fred étaient les techniciens, leur première mission étant la maintenance au jour le jour du matériel, et le transport du ravitaillement. Ils s'occupaient de tout ce qui était peinture et réparations, nettoyage des enclos et des mangeoires, et assuraient l'approvisionnement en eau et en nourriture des animaux.

Jane, Chris et Hank travaillaient plus directement avec les singes, consignant un certain nombre de données sur les groupes.

— Comme quoi ? a demandé Katy.

— Les gestations, les naissances, les décès, les problèmes vétérinaires. Nous suivons la population de près. Sans compter des projets de recherche particuliers. Jane poursuit une étude sur la sérotonine. Chaque jour, elle note certains types de comportement, pour voir quels singes se montrent plus agressifs ou plus impulsifs. Nous mettons ensuite ces données en corrélation avec leur niveau de sérotonine. Nous prenons aussi en considération leur rang dans le groupe. Ces singes portent des colliers émetteurs télémétriques, dont les signaux permettent de les repérer. Vous en verrez sûrement.

— La sérotonine est une substance chimique présente au niveau du cerveau, ai-je expliqué.

— Je sais, a dit Katy. Un neurotransmetteur dont on pense qu'il intervient dans l'agressivité.

J'ai échangé un sourire avec Sam. Quelle fille !

— Comment évaluez-vous l'impulsivité d'un singe ? a-t-elle demandé.

— Il prend plus de risques. Ses sauts sont plus longs par exemple, il monte plus haut dans les arbres. Il quitte la famille plus jeune.

— Mâle et femelle ?

— Non, c'est un projet pilote. Les mâles seulement.

— Vous allez sûrement voir l'un de mes mâles au campement, a dit Jane en attachant à sa ceinture une boîte pourvue d'une grande antenne. J-7. Il fait partie du groupe O. Ils se tiennent pas mal dans les parages.

— Le klepto ? a demandé Hank.

— Ouais. Il pique tout ce qui n'est pas bien attaché. Il a encore ramassé un stylo la semaine dernière. Et la montre de Larry. J'ai cru que Larry allait avoir une attaque à force de courir après.

Une fois tout le monde équipé, informé des tâches à remplir et parti sur le terrain, Sam emmena Katy faire le tour de l'île. Les suivant de près, je regardais ma fille se transformer en éthologiste. Sam lui montrait les mangeoires, lui disant laquelle était fréquentée par quel groupe. Il lui expliquait la territorialité, l'organisation hiérarchique des groupes, le système matriarcal, tandis qu'elle scrutait les arbres avec les jumelles. Arrivé devant la mangeoire E, il a jeté des grains de maïs séchés sur le toit de tôle ondulée.

— Ne bouge pas et observe, a-t-il dit.

Très vite, le feuillage a remué et un groupe s'est approché. En quelques minutes, nous étions entourés de singes, certains restant dans les arbres, d'autres descendant à terre et avançant par bonds jusqu'au maïs. Katy était fascinée.

— C'est le groupe F, a dit Sam. C'est un petit groupe mais dirigé par l'une des femelles les plus élevées dans la hiérarchie de l'île. Les mâles, elle leur explose les noix.

Le temps de revenir au campement, Sam avait aidé Katy à élaborer un sujet de recherche simple. Pendant qu'il allait lui chercher un sac de maïs, elle structura ses notes. Puis elle retourna alors au site. Je la regardai disparaître sous l'allée de chênes, les jumelles ballottant sur la hanche.

Sam resta un moment à discuter avec moi sur la véranda entourée d'une moustiquaire, puis il retourna à ses travaux tandis que je me remettais à mes radiographies. Mais je n'arrivais pas à me concentrer. Les profils de sinus avaient du mal à me passionner quand je pouvais lever les yeux, regarder le soleil briller sur la mer et respirer l'air salin parfumé de l'odeur des conifères.

L'équipe revint vers midi avec Katy. Déjeuner de sandwichs et chips de maïs, puis Sam repartit vers ses données, Katy vers sa forêt. Je tentai une nouvelle fois de reprendre mon travail mais sans succès. Je m'endormis à la page trois.

Un son familier me réveilla.

Tonk. Rat a tat a tat a tat a tat. Tonk ! Rat a tat a tat tat tat.

Deux singes se pourchassaient sur le toit de la véranda. J'ai ouvert la porte moustiquaire le plus discrètement possible et me suis avancée sur les marches. Le groupe O avait envahi le campement et s'était installé sur les branches surplombant le centre de recherche. Les deux qui m'avaient réveillée sautaient maintenant sur la roulotte, pour se placer à chaque extrémité du toit.

— C'est lui.

Je n'avais pas entendu Sam arriver derrière moi.

— Regarde.

Il m'a tendu une paire de jumelles.

— J'arrive à déchiffrer les tatouages, ai-je dit en examinant la poitrine des deux singes. J-7 et GN-9. J-7 a un collier émetteur.

J'ai repassé les jumelles à Sam, qui a regardé à son tour.

— Mais quelle merde il a encore ramassée ? Ne me

dis pas que le petit salopard se balade toujours avec la montre de Larry.

Il m'a repassé les jumelles.

— Ça brille. On dirait de l'or quand le soleil tape dessus.

Soudain, GN-9 a plongé en avant et a menacé J-7, la gueule grande ouverte. Qui a poussé un cri strident, a bondi de branche en branche pour disparaître derrière la roulotte. Son trésor avait glissé sur la pente du toit, jusque dans la gouttière.

— Allons voir.

Sam est allé chercher une échelle et l'a dressée contre la roulotte après avoir brossé les toiles d'araignées, il a testé la résistance du premier barreau, avant de monter.

— Mais, nom de Dieu, qu'est-ce que c'est que ce truc ?

— Quoi ?

— L'enfant de salaud.

— Qu'est-ce qu'il y a ?

Il avait quelque chose dans la main qu'il tournait et retournait.

— Je veux bien être damné.

— Qu'est-ce que c'est ?

J'essayais bien de voir ce que le singe avait laissé tomber, mais Sam formait écran de son corps. Il restait immobile en haut de son échelle, tête basse.

— Sam ?

Sans dire un mot, il est descendu et m'a tendu l'objet. J'ai tout de suite su ce que c'était et ce que cela signifiait. D'un seul coup, j'ai senti la lumière du soleil s'évanouir.

Mes yeux ont croisé les siens et nous nous sommes regardés en silence.

16.

Je restais là avec l'objet dans la main, refusant de croire ce que mes yeux voyaient. C'est Sam qui a parlé le premier.

— C'est une mâchoire humaine.

— Oui.

Des dentelles d'ombre glissaient sur son visage.

— Un vieux cimetière indien, probablement.

— Pas avec des prothèses dentaires comme celles-ci.

J'ai retourné la mandibule et le soleil a étincelé sur l'or.

— C'est ça qui a attiré l'attention de J-7, a-t-il dit, le regard fixé sur les couronnes.

— Et là, c'est de la chair, ai-je ajouté en montrant une petite masse ronde et brune au niveau de l'articulation.

— Ce qui signifie quoi ?

J'ai approché la mâchoire de mon nez. C'était bien l'odeur écœurante de la mort.

— Avec ce climat, ça dépend si le corps se trouve sous terre ou en surface, je dirais que la mort remonte à moins d'un an.

— Mais, maudite merde, comment c'est possible ?

Une petite veine palpitait sur son front.

— Ne m'engueule pas. Apparemment, il y en a qui viennent ici sans passer par toi.

J'ai détourné les yeux.

— Mais où a-t-il trouvé cette saloperie ?

— C'est ton singe, Sam. C'est à toi de le savoir.

— T'es mieux de croire que c'est ça que je vais faire.

Il s'est dirigé à grandes enjambées vers le centre de recherche, a escaladé l'escalier quatre à quatre, avant de disparaître à l'intérieur. Par la fenêtre ouverte, je l'ai entendu appeler Jane.

Je ne bougeais pas. Les feuilles de palmier cliquetaient dans la brise. Était-ce un mauvais rêve ? La mort avait-elle vraiment pénétré dans mon havre insulaire ?

Non ! se lamentait une voix en moi. Pas ici !

Le ressort de la porte moustiquaire a gémi dans la brusque poussée que lui a imprimée Sam. Il était accompagné de Jane.

— Ramène-toi, super Quincy. Faisons la tournée des suspects. Jane sait où va le groupe O quand il n'est pas au campement. On doit pouvoir prendre J-7 au collet. La petite crapule va peut-être cracher le morceau.

Je n'ai pas bougé.

— Oh, maudite merde ! Excuse-moi. Simplement je n'aime pas que des morceaux de corps humain apparaissent comme ça sur mon île. Tu sais comment je suis.

Oui, je le savais. Mais ce n'était pas l'éclat de colère de Sam qui me retenait. Je sentais le parfum de résine, la brise tiède qui effleurait ma joue. Je savais ce qu'il y avait là-bas et je n'avais nulle envie d'y aller.

— Allez, viens.

J'ai pris une grande respiration, avec l'enthousiasme d'une femme qui doit se rendre à la convocation d'un oncologue.

— Attendez-moi un instant.

Entrant dans le centre, je suis allée farfouiller dans la cuisine pour prendre un bol en plastique. J'y ai mis la mâchoire et je l'ai caché dans un placard de la pièce au fond. Puis j'ai laissé un mot pour Katy.

Nous avons suivi Jane sur le sentier qui s'enfonçait vers l'intérieur de l'île. Elle nous conduisit à un endroit où les arbres étaient aussi hauts que des derricks, et très touffus à leurs cimes. Le sol, couvert de mousse et d'aiguilles de pin, était moelleux sous les pieds, l'air lourdement chargé d'un parfum de décomposition végétale et de déjections animales. Un balancement de branche trahissait la présence des singes.

— Nous ne sommes pas seuls, a dit Jane en branchant son récepteur.

Sam fouillait les arbres aux jumelles, pour déchiffrer les tatouages.

— C'est le groupe A, a-t-il dit.

— Hun !

Un jeune est venu se percher au-dessus de moi, épaules tombantes, queue dressée, le regard fixé sur mon visage. Son petit aboiement guttural était sa manière de dire « Défense d'entrer ».

Lorsque mes yeux ont rencontré les siens, il s'est assis, a rapidement rentré le cou dans les épaules, puis l'a étiré à la diagonale de son corps. Ayant répété son salut plusieurs fois, il a fait volte-face, avant de sauter dans l'arbre voisin.

Jane réglait son appareil, les yeux fermés pour mieux entendre, le visage tendu de concentration. Au bout d'un instant, elle a secoué la tête et repris le sentier.

Sam observait les cimes quand elle a fait un nouvel arrêt, puis a pivoté dans le sens des aiguilles d'une montre, absorbée par ce que lui transmettaient ses écouteurs.

— Je viens de capter un faible signal.

Elle s'est orientée dans la direction où l'acrobate avait disparu, s'est immobilisée, a pivoté encore d'un cran.

— Je pense qu'il est par là, près d'Alcatraz.

Elle montrait un point vers les dix heures.

La plupart des cages servant à la capture sont désignées par une lettre, mais quelques-unes des plus anciennes portent des noms, tels que OK Corral, Alcatraz. Nous sommes partis dans la direction d'Alcatraz, mais, en arrivant au sud de l'enclos, Jane a quitté le sentier pour s'enfoncer dans le bois. La végétation y était plus dense, le sol plus spongieux. Sam s'est tourné vers moi.

— Fais attention en approchant de l'étang. Alice a eu tout un tas de petits la saison dernière et je crains qu'elle ne soit pas très aimable.

Alice est l'alligator de plus de quatre mètres qui vit sur Murtry depuis aussi longtemps qu'on s'en souvienne. Personne ne se rappelle qui lui a donné ce nom. Mais l'équipe respecte sa présence et la laisse barboter en paix.

J'ai levé mon pouce en signe d'accord. Même si je n'en ai pas une peur folle, les alligators ne constituent pas une compagnie que je recherche particulièrement.

Nous n'étions qu'à cinq ou six mètres du chemin quand l'odeur m'est devenue perceptible. Faible au départ, simple variation dans le parfum organique de la forêt touffue. Je n'en étais pas sûre d'abord, cependant, en avançant, c'est devenu plus net et j'ai senti un étau froid m'enserrer la poitrine.

Jane a coupé au nord en tournant le dos à l'étang, suivie par Sam, qui surveillait toujours les hautes branches aux jumelles. Je me suis arrêtée. L'odeur provenait de droit devant nous.

J'ai contourné le tronc renversé d'un copalme. L'étang était entouré d'un fourré d'arbustes et de palmiers nains. La forêt se faisait plus silencieuse au fur et à mesure que le bruit de pas de Jane et de Sam s'étouffait dans le lointain.

L'odeur de chair putréfiée ne ressemble à aucune autre. Je l'avais reniflée sur la mâchoire et, maintenant, c'était le même relent doucereux et fétide qui montait dans l'air, signe que l'objet de ma quête n'était plus bien loin. Respirant à peine, j'ai tourné sur moi-même les yeux fermés, comme Jane, tout le corps tendu dans ses moindres fibres pour humer. Même mouvement, mais concentration différente. Si Jane traquait avec son ouïe, moi c'était avec mon odorat que je chassais.

L'odeur venait de la direction de l'étang. J'ai avancé

en suivant la piste au flair, les yeux guettant un éventuel mouvement du reptile. Un singe a aboyé au-dessus de moi et un flot d'urine a dégouliné jusqu'au sol. Il y a eu un mouvement dans les branches et des feuilles sont tombées en voltigeant. À chaque pas, la puanteur devenait plus forte.

Arrivée à moins de trois mètres, je me suis arrêtée pour examiner aux jumelles le bouquet de palmiers nains et de houx qui me séparait de l'eau. Juste en bordure se formait et se reformait un nuage iridescent.

Je me suis avancée prudemment, sans bruit. Au bord du bosquet, l'odeur dominait. Pas un bruit. J'ai passé les broussailles au radar. Rien. Mon cœur battait la chamade et la sueur me dégoulinait sur le visage.

Bouge-toi le cul, Brennan. Tu es trop loin de l'étang pour l'alligator.

J'ai sorti un bandana de ma poche que j'ai noué devant ma bouche et mon nez, et je me suis accroupie pour voir ce qui pouvait autant attirer les mouches.

Elles ont aussitôt décollé, m'enveloppant de leur vrombissement. J'avais beau les chasser, elles revenaient immédiatement à la charge. Les écartant d'une main, je me suis entouré l'autre du foulard et j'ai soulevé les branches de houx. Une nuée d'insectes, déchaînée et bourdonnante, a volé vers mes yeux et mes bras.

Ce qui les avait attirés était une tombe, peu profonde, dissimulée sous les feuilles. Un visage humain, tourné dans ma direction, en sortait dont les traits se modifiaient dans la lumière chatoyante. Je me suis penchée, pour m'écarter aussitôt avec horreur.

Ce n'était plus un visage que je voyais, mais un crâne, raclé à nu par les charognards. Ce qui m'était apparu comme des yeux, un nez, une bouche était un amoncellement de minuscules crabes, formant une masse grouillante qui le recouvrait tout entier et qui se nourrissait des restes de chair.

Un coup d'œil sur les alentours m'a fait comprendre qu'il y avait eu d'autres opportunistes. Sur ma droite, un tronçon rongé de cage thoracique. Un bras dépassait de sous un arbuste à un mètre cinquante, les os encore reliés par des vrilles de tendons desséchés.

J'ai laissé retomber les branches et me suis assise sur les talons, figée par une angoisse froide, nauséeuse. À la lisière de mon champ de vision, j'ai vu arriver Sam. Il m'a parlé, mais ses mots n'arrivaient pas jusqu'à ma conscience. Quelque part, à des millions de kilomètres, il y a eu un bruit de moteur, puis plus rien.

Je voulais être ailleurs. Être quelqu'un d'autre. Quelqu'un qui n'aurait pas passé des années dans cette odeur de mort, dans ces images de dégradation ultime. Quelqu'un qui ne travaillerait pas jour après jour à rassembler les restes de carnages dus à des proxénètes machos, à des conjoints pris de folie, des cocaïnomanes déchaînés, des psychopathes. J'étais venue sur cette île pour échapper à la brutalité de ma vie professionnelle. Mais, même ici, la mort me retrouvait. J'étais anéantie. Un autre jour, une autre mort. Le trépassé du jour. Seigneur, devrais-je affronter cela encore longtemps ?

J'ai senti la main de Sam sur mon épaule et j'ai levé les yeux. Il tenait son autre main devant son nez et sa bouche.

— Qu'est-ce que c'est ?

J'ai désigné le bosquet du menton et, du bout de sa botte, il a soulevé les branches.

— Oh, saloperie de merde !

J'ai hoché la tête.

— Depuis combien de temps c'est là ?

Haussement d'épaules.

— Des jours ? Des semaines ? Des années ?

— La tombe a été une manne pour la faune de l'île. Le cadavre dans son ensemble ne semble pas avoir été déplacé. Je ne peux pas me prononcer en ce qui concerne l'intérieur.

— Ce ne sont pas les singes qui ont déterré ça. La viande ne les attire pas du tout. Ce doit être ces maudites buses.

— Des buses ?

— Des vautours mangeurs de tortues. Ils se délectent des carcasses de singes.

— Il a dû y avoir aussi des ratons laveurs.

— Ah bon ? Les ratons adorent le houx, mais j'ignorais qu'ils étaient nécrophages.

Je me suis retournée vers la tombe.

— Le corps est couché sur le côté, l'épaule droite juste en dessous de la surface. Cela ne fait pas de doute que l'odeur a attiré les charognards. Vautours et ratons l'ont sans doute déterré, dévoré, et ont traîné plus loin le bras et la mâchoire, une fois que la décomposition avait affaibli la résistance des attaches musculaires.

J'ai montré le fragment de cage thoracique.

— Ils ont rongé également une partie du thorax, qu'ils ont emporté plus loin aussi. Le reste était sans doute enfoui trop profondément ou tout simplement difficile à atteindre, ils n'y ont pas touché.

Avec un bâton, j'ai rapproché le bras du reste. Le coude était encore attaché ; il manquait l'extrémité des os longs, et la matière interne d'apparence spongieuse apparaissait aux indentations.

— Tu vois comment les bouts ont été mâchouillés ? Ce sont des animaux qui ont fait cela. Et ça... — je montrais un petit trou rond —, c'est une marque de dent. De petite taille. Sans doute un raton laveur.

— Enfant de chienne.

— Et, bien sûr, les crabes et les vers ont fait leur part.

Il s'est redressé, a pivoté sur lui-même et frappé le sol du talon.

— Jésus-Christ ! Et maintenant ?

— Maintenant tu appelles le coroner de ton district local, qu'il ou elle appelle l'anthropologue judiciaire.

Je me suis levée et j'ai brossé mon jean.

— Et que tout le monde parle au shérif.

— Ça, c'est un vrai maudit cauchemar. Je peux pas laisser des gens courir partout sur l'île.

— Ils n'ont pas à courir partout sur l'île, Sam. Ils ont

juste à venir ici, à procéder à l'exhumation et peut-être à faire inspecter les alentours par un chien policier pour voir s'il y a une autre personne enterrée quelque part.

— Mais comment... Merde ! C'est impossible.

Une goutte de sueur perlait à sa tempe. Les muscles de ses mâchoires saillaient à intervalles réguliers. Silence. Les mouches vrombissaient et nous tournaient autour.

C'est finalement lui qui a repris la parole.

— Il faut que tu t'en occupes, toi.

— M'occuper de quoi ?

— T'occuper de tout ce qu'il y a à faire. De déterrer ce truc.

Il a désigné la tombe du bras.

— Pas question. Ce n'est pas dans ma circonscription.

— Je me le fous bien au cul de quelle circonscription il s'agit. Je ne laisserai pas une bande de rigolos courir partout ici, saboter mon île, foutre en l'air le déroulement de nos travaux, et très probablement infecter mes singes. C'est hors de question. Et cela ne se fera pas. C'est moi le maire, maudite merde, et c'est mon île. Tu me verras installé sur ce foutu ponton avec un revolver avant que je laisse faire ça.

De nouveau, la veine saillait sur son front, les tendons de son cou étaient tendus comme des cordes de piano. Il ponctuait ses mots d'un martèlement d'index dans l'air.

— Ce travail réclame un diplômé de l'Académie, Sam, mais il reste que ce n'est pas moi qui vais m'en charger. Dan Jaffer travaille à l'USC de Columbia. Il s'occupe des dossiers d'anthropologie pour la Caroline du Sud, c'est probablement lui que ton coroner va appeler. Dan est membre du bureau et il est excellent.

— Ton foutu Dan Jaffer de merde peut très bien être tuberculeux jusqu'à l'os, saloperie de merde !

Il n'y avait rien à opposer à cela, je me suis donc tue.

— Tu fais cela tout le temps. Tu n'as qu'à déterrer ce type et renvoyer le paquet à ton Jaffer.

Là non plus, il n'y avait pas grand-chose à opposer.

— C'est quoi, le maudit problème, Tempe ?

Il me fusillait du regard.

— Tu sais que je suis à Beaufort pour une autre affaire. J'ai promis mon aide, et je dois être de retour à Charlotte mercredi.

Je ne lui donnais pas la vraie raison. En fait, je refusais absolument de me mêler de cela. Je n'étais pas mentalement prête à mettre en correspondance mon sanctuaire insulaire et l'horreur de la mort. Depuis que j'avais aperçu la mâchoire, des bribes d'images me flottaient dans la tête, des fragments d'affaires anciennes. Femmes étranglées, bébés découpés en morceaux, jeunes gens avec la gorge tranchée et les yeux fixes, aveugles. Si cette violence-là était arrivée jusqu'ici, je ne voulais pas m'y trouver impliquée.

— On va en reparler au campement, a dit Sam. Ne mentionne le cadavre à personne.

Sans relever ses manières dictatoriales, j'ai dénoué mon foulard pour l'attacher au buisson de houx, et nous avons fait demi-tour.

En arrivant près du sentier, j'ai vu un vieux camion arrêté près de l'endroit où nous avions bifurqué pour couper à travers bois. Il était chargé de sacs de nourriture et derrière était attaché un réservoir d'eau de mille litres, que Joey était en train d'examiner. Sam l'a interpellé.

— Attends une minute.

Joey s'est essuyé la bouche d'un revers de main et a croisé les bras. Il portait un jean et un gilet de coton coupé aux épaules et au cou. Ses cheveux blonds et graisseux lui pendouillaient comme des *linguini* autour du visage.

Il nous a regardés approcher, les yeux cachés derrière ses lunettes de soleil, la bouche réduite à une ligne. Il semblait physiquement tendu, sur le qui-vive.

— Je ne veux voir personne près de l'étang.

— Alice a eu un autre singe ?

— Non, a répondu Sam, sans entrer dans les détails. C'est pour où, la nourriture ?

— La mangeoire sept.

— Vas-y et reviens tout de suite.

— Et l'eau ?

— Remplis les réservoirs et reviens au campement. Si tu rencontres Jane, dis-lui de venir me voir.

Les lunettes fumées de Joey se sont tournées vers moi et m'ont fixée pendant ce qui m'a paru un long moment. Puis il est remonté dans son camion et est reparti, le réservoir brinquebalant à l'arrière.

Nous avons continué à marcher en silence. J'appréhendais la scène qui ne pouvait manquer de se produire. Je ne le laisserais pas me tyranniser. Je repensais à ce qu'il avait dit, à l'air qu'il avait eu lorsqu'il avait découvert la tombe. Et puis autre chose. Juste avant qu'il me rejoigne, j'avais cru entendre un bruit de moteur. Était-ce le camion ? Depuis combien de temps Joey avait-il bien pu rester ainsi garé sur le sentier. Et pourquoi justement ici ?

— Depuis quand Joey travaille pour toi ? ai-je demandé.

— Joey ?... — Il a réfléchi. — Presque deux ans.

— Il est fiable ?

— Disons simplement que sa compassion déborde son bon sens. C'est un de ces types au cœur tendre, toujours à parler du droit des animaux et à se soucier du dérangement qu'on pourrait leur occasionner. Il n'y connaît foutrement rien, mais il travaille bien.

En arrivant au camp, j'ai trouvé un mot de Katy. Elle avait fini ses observations et était partie lire sur le ponton. Laissant Sam téléphoner, je suis descendue au bord de l'eau. Ma fille s'était installée sur l'un des bateaux, pieds nus, jambes allongées, manches et bas de pantalon relevés le plus haut possible. Je lui ai adressé un signe, auquel elle a répondu, puis elle a pointé le bateau du doigt. J'ai secoué la tête et levé mes deux mains pour indiquer qu'il n'était pas encore temps de partir. Elle a souri, puis s'est replongée dans sa lecture.

J'ai retrouvé Sam assis à la table de cuisine du centre, en conversation sur son téléphone cellulaire. Je me suis glissée sur le banc d'en face.

— Il sera de retour quand ? demandait-il.

Je ne l'avais jamais vu si énervé.

Silence. Il tapotait la table avec un crayon, une fois sur le bout une fois sur la pointe, le bout la pointe, en le faisant glisser entre ses doigts.

— Ivy Lee, j'ai besoin de lui parler maintenant. Tu ne peux vraiment pas le trouver ?

Silence. Toc, toc, toc.

— Non, son adjoint ne fera pas l'affaire. Il me faut le shérif.

Long silence. Toc, to... La mine a cassé et il a jeté le crayon dans la poubelle à l'autre bout de la pièce.

— Je me moque de ce qu'il a dit, essaie encore. Qu'il m'appelle sur l'île, je l'attends.

Il a violemment rabattu le combiné.

— Comment le coroner et le shérif peuvent-ils être injoignables en même temps ?

Il s'est passé les mains dans les cheveux.

Je me suis tournée de côté, le dos appuyé au mur et les pieds sur le banc. Avec les années, j'avais appris que la meilleure manière d'affronter les colères de Sam était de ne pas en tenir compte. Elles s'allumaient et s'éteignaient comme un feu de brindilles sèches. Il s'est levé et a commencé à faire les cent pas en se martelant la paume du poing.

— Il fout quoi, Harley ?

Il a regardé sa montre.

— Quatre heures dix. Magnifique. Dans dix minutes, tout le monde va se retrouver ici, pour repartir en ville. Nom de Dieu, ils ne sont même pas supposés être ici un samedi. C'est une journée qui remplace celle perdue à cause du mauvais temps.

Il a projeté un morceau de craie contre le mur.

— Je ne peux pas les garder ici. Quoique... Je peux peut-être leur parler du cadavre, décréter que personne ne quitte l'île, puis prendre les suspects un à un dans la pièce du fond et les passer au gril comme ce foutu Hercule Poirot de merde !

Il parcourait toute la cuisine dans un sens. Regardait sa montre. Refaisait le parcours en sens inverse. Finalement, il s'est laissé tomber sur le banc en face de moi, le front posé sur les poings, et n'a plus bougé.

— Ça y est, ta crise est terminée ?

Pas de réponse.

— Est-ce que je peux me permettre une suggestion ?

Il n'a pas relevé la tête.

— Eh bien, je vais la faire quand même. Le corps est sur l'île parce que quelqu'un ne voulait pas qu'on le trouve. À l'évidence, il n'avait pas pensé à J-7.

Je m'adressais au sommet de son crâne.

— Je vois diverses possibilités. Un, c'est un de tes employés qui l'a apporté. Deux, une personne extérieure a fait un saut ici en bateau, probablement un type du coin qui connaît vos habitudes. L'île n'est pas gardée après le départ de l'équipe, n'est-ce pas ?

Il a fait signe que non, sans lever la tête.

— Trois, ce peut être un trafiquant de drogue, comme il en circule dans les parages.

Pas de réponse.

— Tu es garde forestier, non ?

Il a levé les yeux. Son front était couvert de sueur.

— Si tu n'arrives à joindre ni le coroner ni le shérif, et si tu ne fais pas confiance à l'adjoint, appelle tes amis haut placés de l'environnement. Les îles sont sous leur juridiction, non ? Que tu les contactes n'éveillera pas de soupçon et ils pourront envoyer quelqu'un pour fermer le site le temps que tu parles au shérif.

Il a tapé sur la table.

— Kim.

— Peu importe qui. Demande-leur simplement de garder ça secret jusqu'à ce que tu aies parlé à Baker. Je t'ai déjà dit ce qu'il allait faire.

— Kim Waggoner travaille pour le ministère des

Ressources naturelles de la Caroline du Sud. Elle m'a sorti d'affaire la dernière fois, quand j'avais eu des problèmes pour faire respecter la loi par ici. J'ai confiance en elle.

— Et elle pourra rester toute la nuit ici ?

Je n'avais jamais été peureuse, mais tenir tête à des meurtriers ou à des dealers n'était pas le genre de travail que j'aurais voulu faire.

— Aucun problème.

Il était déjà en train de composer le numéro.

— C'est une ancienne marine.

— Elle saura retenir d'éventuels intrus ?

— Elle bouffe des clous au petit déjeuner.

On lui a répondu et il a demandé à parler à l'agent Waggoner.

— Attends de la voir, a-t-il dit en couvrant le récepteur de la main.

Le temps que l'équipe soit revenue au centre, tout avait été organisé. Katy est repartie avec eux, pendant que je restais avec Sam. Kim est arrivée peu après cinq heures. La description de Sam était on ne peut plus juste. Pantalon militaire, rangers, chapeau de brousse australien, et elle avait sur elle assez de munitions pour aller chasser le rhinocéros. L'île ne courait aucun danger.

En revenant à la marina, Sam m'a demandé une nouvelle fois de me charger de l'exhumation. Je lui ai fait la même réponse que plus tôt. Le shérif. Le coroner. Jaffer.

— Je te vois demain, lui ai-je dit lorsqu'il m'a déposée sur la passerelle. Merci de nous avoir emmenées là-bas aujourd'hui. Je sais que Katy a adoré.

— *No problema.*

Un pélican planait au-dessus de l'eau. Repliant ses ailes, il a plongé tête la première dans un creux de vague, pour réapparaître avec un poisson dans le bec, dont les écailles luisantes ont renvoyé le reflet métallique du soleil de l'après-midi. Puis le pélican a changé d'idée et le poisson est retombé, comme un missile argenté, dans la mer.

— Jésus-Christ, pourquoi fallait-il qu'ils s'attaquent à mon île ?

Il paraissait fatigué et découragé.

J'ai ouvert la portière.

— Tiens-moi au courant de ce que le shérif Baker va dire.

— Promis.

— Tu comprends pourquoi je ne peux pas procéder à l'exhumation du cadavre, n'est-ce pas ?

— Le cadavre, chris.

Au moment où je claquais la portière et me penchais par la vitre ouverte, il est revenu à la charge avec un nouvel argument.

— Tempe, penses-y. L'île aux singes. Un cadavre enterré. Le maire de la ville. S'il y a une fuite, les journalistes vont partir en fous là-dessus. Et tu sais combien tout ce qui touche aux droits des animaux est un domaine sensible. Je n'ai vraiment pas besoin que la presse s'intéresse à Murtry.

— Cela peut arriver, quel que soit celui qui s'en occupe.

— Je sais. C'est...

— Laisse tomber, Sam.

En suivant sa voiture des yeux, j'ai aperçu le pélican qui faisait demi-tour et descendait en piqué juste au-dessus du bateau. Un autre poisson brillait dans son bec.

Sam avait la même ténacité. J'avais des doutes quant au fait qu'il puisse laisser tomber et je ne me trompais pas.

17.

Après avoir dîné au Steamers Oyster Bar, je suis allée visiter une exposition à Saint Helena avec Katy. Les créations des artistes créoles de la région étaient exposées le long des salles de la vieille auberge, dont les planchers craquaient sous nos pas, nous faisant découvrir sous un nouvel éclairage un endroit que je pensais parfaitement connaître. Mais, tout en discutant de collages, de peintures et de photos, je pensais au squelette, aux crabes, aux ballets des mouches.

Katy s'acheta un héron miniature bleu pervenche gravé dans l'écorce. Sur le chemin du retour, nous avons pris en passant une glace au café, que nous sommes allées manger en bavardant sur le pont avant du *Melanie Tess*, l'oreille tendue vers le cliquetis des drisses et des cordages qui s'agitaient sous la brise. La lune projetait vers le marais un triangle frémissant de lumière. Tout en discutant, je regardais la pâle lueur jaune se rider sur la noirceur de l'onde.

Katy me confia qu'elle avait décidé de s'orienter vers l'établissement des profils psychologiques de criminels et qu'elle s'inquiétait d'atteindre son but. Elle était émerveillée par la beauté de Murtry et me décrivit les drôleries qu'elle avait pu observer chez les singes. À un moment, j'eus envie de lui raconter notre découverte. Mais je me retins. Je ne voulais pas ternir le souvenir de cette première visite.

À onze heures, j'étais au lit. Je restai longtemps éveillée, à écouter le couinement des amarres et à appeler le sommeil. Je perdis finalement conscience, entraînant avec moi les événements de la journée que j'intégrai à la trame de ces dernières semaines. Je me trouvais en bateau avec Mathias et Malachy, et j'essayais désespérément de les empêcher de passer par-dessus bord. J'écartais les crabes qui grouillaient sur un cadavre, mais les voyais se regrouper aussi vite. Le crâne prenait les traits de Ryan, puis ceux du visage carbonisé de Patricia Simonnet. Sam et Harry me criaient quelque chose d'incompréhensible, le visage tendu, furieux.

C'est la sonnerie du téléphone qui m'a réveillée et, pendant un moment, je me suis sentie totalement désorientée, ne sachant ni où j'étais ni pourquoi. J'ai titubé vers la cuisine.

— Bonjour.

C'était Sam, la voix cassante.

— Quelle heure est-il ?

— Presque sept heures.

— Où es-tu ?

— Dans le bureau du shérif. Ça ne marche pas, ton plan.

— Mon plan ?

Je tentais désespérément de retrouver le fil.

— Ton type est en Bosnie.

J'ai jeté un coup d'œil au travers des lamelles des stores. Au fond du bassin, un vieil homme grisonnant était assis sur le pont d'un voilier. Au moment où je laissais retomber les lamelles, je l'ai vu renverser la tête en arrière et vider sa canette de bière.

— En Bosnie ?

— Jaffer. L'anthropologue de l'UNC. Il est parti en Bosnie exhumer des charniers pour le compte des Nations unies. Personne ne sait quand il va revenir.

— Qui le remplace ?

— Aucune importance. Baxter veut que tu t'occupes de l'exhumation.

— Qui est Baxter ?

— Baxter Colker est le coroner du comté de Beaufort. Il demande que ça soit toi qui t'en charges.

— Et pourquoi ?

— Parce que moi je le veux.

C'était on ne peut plus clair.

— Quand ?

— Le plus tôt possible. Harley a trouvé un enquêteur et un adjoint disponibles. Baxter nous retrouve ici à neuf heures. Il a une brigade de garde qui effectuera le transport. Dès que nous serons prêts à quitter Murtry, il leur passera un coup de fil et ils nous retrouveront sur le quai de Lady's Island, pour rapatrier le corps à l'hôpital de Beaufort. Mais il veut que ce soit toi qui t'occupes de l'exhumation. Dis-nous juste de quel équipement tu as besoin et on te le trouve.

— C'est un médecin légiste, Colker ?

— Baxter est un élu du comté et il n'a aucune formation médicale. Il dirige un magasin de pompes funèbres. Mais c'est un type foutrement minutieux et il veut que les choses soient faites selon les règles.

J'ai réfléchi une minute.

— Le shérif a-t-il une quelconque idée de qui est enterré là-bas ?

— Il y a pas mal de problèmes de drogue dans le coin. Il va en parler aux types des douanes et aux services locaux de la DEA. Ainsi qu'à ceux de l'environnement. Harley me dit qu'ils ont surveillé les marais à la hauteur de la rivière Coosaw le mois dernier. Selon lui, on a intérêt à chercher du côté des gangs. C'est aussi mon avis. La vie humaine, pour ces types, ça a autant de valeur qu'un coton-tige. On peut compter sur toi, non ?

J'ai accepté à contrecœur. Je lui ai donné la liste de l'équipement indispensable et il m'a dit qu'il allait s'en occuper tout de suite. Que je sois prête pour dix heures.

Je suis restée indécise à côté du téléphone. Que devais-je faire vis-à-vis de Katy ? Lui expliquer ce qui se passait et la laisser choisir ? Après tout, il n'y avait pas de raison qu'elle ne vienne pas avec nous. Ou me borner à lui expliquer qu'il s'était passé quelque chose et que Sam avait besoin de mon aide ? Elle pouvait passer la journée ici, ou partir pour Hilton Head plus tôt que prévu. La seconde solution était certainement la meilleure, mais j'ai quand même décidé de tout lui dire.

J'ai avalé mes céréales, lavé mon bol, la cuillère. Impossible de rester assise à ne rien faire. Ayant passé un short et un tee-shirt, je suis sortie vérifier les bouts d'amarrage et le réservoir d'eau. Une fois dehors, j'ai réaligné les sièges sur le pont. Puis je suis retournée faire mon lit, j'ai replacé les serviettes dans la salle de bains, arrangé les coussins du canapé au salon et ramassé les peluches du tapis, remonté l'horloge et vérifié l'heure. Sept heures et quart. Seulement. Katy ne serait pas levée avant des heures. J'ai enfilé mes chaussures de jogging et suis sortie sur la pointe des pieds.

J'ai pris la voiture direction Harbor Island, par la route 21 qui traversait Saint Helena. À la hauteur de Hunting Island, j'ai pénétré dans le parc naturel régional. L'étroite bande d'asphalte ouvrait une brèche à travers l'étendue marécageuse, tranquille et sombre comme un lac souterrain. Des palmiers et des chênes de Virginie poussaient dans la mousse. Çà et là, un rayon de soleil perçait le rideau végétal et répandait sur l'eau des teintes de miel et d'or.

J'ai garé la voiture près du phare et emprunté l'escalier de bois qui descendait à la plage. C'était marée basse et le sable mouillé brillait comme un miroir. Un bécasseau sautillait de flaque en flaque, ses longues pattes frêles disparaissaient dans son image inversée. Il faisait frais et, malgré mes excercices d'échauffement, j'avais la chair de poule.

Je me suis dirigée vers l'est, en longeant l'Atlantique, mes pieds marquant à peine le sable tassé. Il n'y avait pas un souffle de vent. Une bande de pélicans plongeait dans les faibles rouleaux. Les touffes d'ajoncs et les tiges de folle avoine se tenaient immobiles sur les dunes.

Tout en courant à petites foulées, j'observais ce que la mer avait laissé en offrande. Bois flotté, poli, strié de rides et couvert d'anatifes. Algues enchevêtrées. Une carapace de crabe, des mollusques d'un brun brillant. Un mulet, dont les yeux et les entrailles avaient été grignotés par les crabes et les goélands.

J'ai couru jusqu'à en avoir les poumons en feu. Continué encore. Lorsque je suis revenue à l'escalier, c'est à peine si mes jambes flageolantes ont réussi à me hisser en haut des marches. Mais mon esprit se sentait régénéré. Peut-être était-ce le poisson mort, ou la carapace de crabe. Peut-être avais-je simplement fait grimper mon taux d'endorphine. Toujours est-il que je n'appréhendais plus la journée à venir. À chaque minute, la mort frappait, chaque jour, dans chaque partie du globe. Cela faisait partie du cycle de vie, et Murtry Island n'en était pas exclue. J'allais exhumer ce corps et d'autres s'en occuperaient ensuite. C'était mon travail.

Katy dormait toujours. J'ai préparé du café, me suis douchée, en espérant que le bruit de la pompe ne la réveillerait pas. Une fois habillée, je me suis fait griller deux muffins anglais, avec du beurre et de la confiture de mûres, que j'ai emportés au salon. J'ai des amis qui pensent que l'exercice physique réduit l'appétit. Pas pour moi. Le sport me donne envie de dévorer mon poids en nourriture.

J'ai allumé la télé, zappé, pour m'arrêter sur l'un des cinq ou six évangélistes offrant leur prêche du dimanche. Le révérend Eugène Hightower était en train de décrire « la manne éternelle qui récompense le juste » quand Katy est entrée, titubante, pour venir s'effondrer sur le canapé. Elle avait le visage encore tout plissé et gonflé de sommeil, les cheveux comme les paquets d'algues sur la plage tout à l'heure. Un tee-shirt des Hornets lui descendait aux genoux.

— Bonjour. Tu es resplendissante ce matin.

Pas de réponse.

— Un café ?

Elle a acquiescé, sans ouvrir les yeux.

Je suis allée à la cuisine lui remplir une tasse. Elle s'est vaguement redressée, a tenté de soulever une paupière et tendu la main pour prendre son café.

— J'ai lu jusqu'à deux heures.

Elle a bu une gorgée, puis, écartant la tasse à bout de bras, elle s'est relevée pour se rasseoir à l'indienne, jambes croisées sous les fesses. Ses yeux à peine ouverts sont tombés sur le révérend Highwater.

— Pourquoi écoutes-tu ce débile ?

— J'essaie de comprendre comment on peut ramasser son truc de manne éternelle...

— Fais-lui un chèque et il t'enverra l'intégrale de ses œuvres.

Le matin de bonne heure, la charité ne figurait pas sur la liste des qualités de ma fille.

— Quel est le con qui a appelé ce matin à l'aurore ?

Pas plus que la délicatesse.

— Sam.

— Ah... Qu'est-ce qu'il voulait ?

— Katy, il est arrivé quelque chose hier dont je ne t'ai pas parlé.

Ses yeux d'un seul coup se sont attachés à moi, totalement attentifs. J'ai hésité, puis me suis lancée dans un bref résumé de notre découverte de la veille. Sans entrer dans les détails, j'ai décrit le cadavre, la manière dont J-7 nous y avait conduits, puis ma conversation téléphonique avec Sam.

— Ce qui fait que tu y retournes aujourd'hui.

— Oui. Avec le coroner et une équipe du bureau du shérif. Sam passe me chercher à dix heures. Je suis désolée pour cette journée que nous devions passer ensemble. Tu es la bienvenue si tu veux venir, bien sûr, mais je comprendrais que tu préfères t'abstenir.

Pendant un bon moment, elle n'a rien dit. Le révérend clamait des Jéééé-sus à n'en plus finir.

— Ils ont une idée de qui il peut s'agir ?

— Le shérif pense que c'est une affaire de drogue. Il y a des trafiquants dans le coin qui se servent des rivières et des bras de mer pour faire passer leur stock. Selon lui, il est possible qu'un *deal* ait mal tourné et que quelqu'un se soit retrouvé avec un cadavre sur les bras.

— Et tu vas faire quoi là-bas ?

— On va exhumer le corps, ramasser des échantillons, prendre beaucoup de photos.

— Non, non. Je veux dire, décris-moi ce que tu vas faire exactement. Ça pourrait me servir pour un devoir, ou quelque chose.

— Étape par étape ?

Elle a hoché la tête et s'est calée contre les coussins.

— Ça devrait être la routine. On va débroussailler un peu, installer une grille de quadrillage pour les croquis et les mesures.

Le souvenir de Saint-Jovite m'est revenu en un éclair.

— Quand on en aura terminé avec les prélèvements de surface, j'effectuerai l'exhumation proprement dite. Il y a des équipes qui procèdent par niveaux, pour voir ce qui est stratifié et ce qui ne l'est pas. Pour des cas de ce genre, je ne pense pas que ce soit vraiment la peine. Si quelqu'un creuse un trou, y jette un corps et le recouvre, il y a peu de chances qu'il y ait des strates. Mais je laisserai dégagé un côté de la tranchée, afin d'avoir une vue en coupe lorsque je descendrai plus profondément dans la fosse. Ça me permettra de voir s'il y a des traces d'outils dans le sol.

— Des traces d'outils ?

— De pelle, de bêche ou de pioche par exemple, qui auraient laissé une empreinte dans la terre. Je n'en ai jamais trouvé, mais certains de mes collègues jurent qu'ils en ont vu. Ils prétendent que tu peux les relever, en faire des moulages, que tu compares ensuite aux outils supposés avoir servi au crime. Ce que j'ai vu, en revanche, ce sont des traces de pas au fond d'une tombe, notamment si le sol était glaiseux ou argileux. Ça, je vais le vérifier, c'est certain.

— Du type qui a creusé ?

— Tout à fait. Quand le trou a atteint une certaine profondeur, la personne qui creuse est parfois obligée d'y descendre pour continuer. Dans ce cas, elle peut laisser des empreintes de semelles. Je prélève également ment des échantillons de sol. Cela peut permettre de comparer avec la terre trouvée sur un suspect.

— Ou dans son placard.

— Exactement. Et je vais ramasser les insectes.

— Pourquoi les insectes ?

— La tombe va être pleine d'insectes. D'abord, elle est peu profonde, et les vautours et les ratons laveurs ont en partie déterré le corps. Les mouches s'en sont donné à cœur joie. Elles vont être très utiles pour déterminer le temps écoulé depuis le décès.

— Mais comment ?

— Les entomologistes ont fait des études sur les insectes nécrophages, notamment les mouches et les coléoptères. Ils ont remarqué que les diverses espèces arrivent sur un cadavre selon un ordre séquentiel et qu'ensuite chacune a un cycle de vie qui lui est propre et dont l'évolution est très exactement prévisible. Certaines mouches arrivent en quelques minutes. D'autres apparaissent plus tard. Les adultes pondent, les œufs se transforment en larves. Les asticots, par exemple, sont des larves de mouches.

Katy a fait la grimace.

— Au bout d'une certaine période, les larves abandonnent le corps et s'enferment dans une coquille extérieure rigide qu'on appelle cocon. Elles parviennent finalement au stade adulte, s'envolent, et tout recommence.

— Et pourquoi tous les insectes n'arrivent pas en même temps ?

— Chaque espèce a son plan de jeu. Les unes se nourrissent du cadavre. D'autres préfèrent pour leur dîner les œufs et les larves de leurs prédécesseurs.

— Dégueu.

— Il y a une niche pour chacun.

— Et tu vas en faire quoi, des insectes ?

— Je vais prélever des échantillons de larves et de pupes, et essayer de capturer quelques adultes. En fonction de l'état de conservation, je ferai peut-être également des mesures de la température du cadavre à l'aide d'une sonde. Un rassemblement d'asticots peut élever de manière appréciable la température interne d'un corps. Cela aussi peut servir à fixer l'heure de la mort.

— Et puis ?

— Je conserve tous les adultes et la moitié des larves dans une solution alcoolique. Les autres, je vais les placer dans des récipients avec du foie et de la vermiculite. L'entomologiste en fera l'élevage jusqu'à éclosion, afin de pouvoir les identifier par la suite.

Comment Sam allait-il pouvoir trouver, un dimanche matin, des filets à papillons, des boîtes de crème glacée, de la vermiculite et une sonde thermique ? Sans parler des tamis, des pelles et de tout le matériel d'excavation que j'avais réclamés. C'était son problème.

— Et le corps ?

— Cela va dépendre de l'état dans lequel il est. S'il est à peu près entier, je vais le sortir et le mettre dans un sac. Un squelette va me prendre plus de temps, car je dois faire l'inventaire des os pour être sûre que j'ai tout.

— Dans le meilleur des cas, quel est le scénario ? a-t-elle dit après un moment de réflexion.

— Toute la journée.

— Et dans le pire des cas ?

— Plus longtemps.

Les sourcils froncés, elle a passé les mains dans ses cheveux et a fait un nœud lâche dans la nuque.

— Va à Murtry. Je pense que je vais traîner un peu ici, puis trouver quelqu'un pour m'emmener à Hilton Head.

— Ça ne gênera pas tes amis de venir te chercher plus tôt ?

— Non. C'est sur le chemin.

— Tu as raison de faire comme ça.

Et je le pensais réellement.

Les choses se déroulèrent comme je les lui avais décrites, sauf sur un point majeur. Il y avait stratification. Sous le corps au visage mangé par les crabes, j'eus le choc de trouver un second cadavre décomposé. Il était couché au fond d'une fosse profonde d'un mètre vingt, face contre terre, bras ramassés sous le ventre, orienté selon un angle de vingt degrés par rapport à l'autre corps.

La profondeur avait ses avantages. S'il ne restait du premier cadavre que les os et les tissus conjonctifs, celui du dessous avait gardé une bonne partie des chairs et des viscères en bouillie. Je travaillai jusqu'à la nuit, passant méticuleusement toute la terre au tamis, prélevant des échantillons de sol, de flore et d'insectes, avant de transférer les corps dans les sacs de transport. L'enquêteur du shérif filma à la vidéo et prit des instantanés.

Sam, Baxter Colker et Harley Baker observaient à distance, lâchant un commentaire de temps à autre ou s'approchant pour mieux voir. L'adjoint procéda à la fouille des bois environnants avec un chien policier dressé à reconnaître les odeurs de décomposition. Kim chercha des pièces à conviction.

Tout cela sans succès. À part les deux corps, on ne découvrit rien d'autre. Les victimes avaient été dévêtues et balancées dans la fosse, dépouillées de toute marque d'identité. Et malgré un examen rigoureux des cadavres, du pourtour de la fosse et de la tombe elle-même, rien ne me permettait de déterminer si les victimes avaient été enterrées en même temps ou si le corps du dessus l'avait été ultérieurement.

Il était presque huit heures quand Baxter Colker a claqué la porte de la camionnette et l'a fermée à clé. Sam, le coroner et moi nous tenions près du chemin bitumé, au-dessus du quai.

Colker ressemblait à un dessin d'enfant. Nœud papillon, costume tiré à quatre épingles, pantalon montant haut sur le ventre. Sam m'avait prévenue que le coroner du comté de Beaufort était méticuleux, mais je ne m'étais pas attendue à tant d'élégance pour une exhumation. Comment s'habillait-il lors des dîners en ville ?

— Eh bien, voilà qui est fait, a-t-il dit en s'essuyant les mains avec son mouchoir de lin.

Des centaines de veinules avaient éclaté sur ses joues, donnant à son visage un reflet bleuâtre. Il s'est tourné vers moi.

— Je suppose que je vous revois demain à l'hôpital ?

C'était plus une constatation qu'une question.

— Hé !... Attendez une minute. Je pensais que cela revenait au médecin légiste de Charleston.

— Eh bien, je pourrais les envoyer à la faculté de médecine, m'dame, mais je sais ce que ce monsieur va me dire.

Il m'avait appelée « m'dame » toute la journée.

— C'est Axel Hardaway ?

— Oui, m'dame. Et le docteur Hardaway va me dire qu'il me faut un anthropologue car il ne touche pas une bille pour ce qui est des os. C'est ça qu'il va me dire.

246

Et d'après ce que je comprends, le docteur Jaffer, leur anthropologue, n'est pas disponible. Du coup, que fait-on de ces pauvres gens ?

Il a agité sa main osseuse en direction de la camionnette.

— Qu'importe qui va se charger de l'examen de squelette, il vous faudra quand même une autopsie complète pour le second corps.

Quelque chose a sauté dans la rivière, brisant le reflet de la lune en mille petits fragments. Le vent s'était levé et l'air sentait la pluie.

Colker a donné une tape sur le flanc de la camionnette, un bras a répondu d'un signe par la fenêtre, et le véhicule s'est ébranlé. Colker l'a suivi des yeux un moment.

— Ces deux pauvres âmes vont passer la nuit à l'hôpital de Beaufort, puisque aujourd'hui c'est dimanche. Entre-temps, je vais prendre contact avec le docteur Hardaway et lui demander ce qu'il préfère. Puis-je savoir où vous demeurez, m'dame ?

Au moment où je lui donnais mes coordonnées, le shérif nous a rejoints.

— Je voudrais vous remercier encore une fois, docteur Brennan. Vous avez fait un travail formidable.

Baker dépassait le coroner d'au moins trente centimètres, et Sam et Colker mis ensemble pesaient moins lourd que lui. Sous la chemise d'uniforme, la poitrine et les bras du shérif semblaient forgés dans l'acier. Il avait un visage taillé au couteau, la peau couleur café serré, le physique d'un prétendant au titre de champion poids lourd, et parlait comme un diplômé de Harvard.

— Merci, shérif. Votre enquêteur et votre adjoint m'ont bien aidée.

Nous avons échangé une poignée de main, la mienne parut terriblement pâle et fluette dans la sienne. Sa poigne devait pouvoir broyer du granit.

— Merci encore. Je vous revois demain avec le

lieutenant Ryan. Et je prendrai bien soin de vos asticots.

Nous avions déjà évoqué la question des insectes. Je lui avais donné le nom d'un entomologiste en lui expliquant comment les expédier et entreposer les échantillons de sol et de végétation. Tout cela était maintenant en route vers le centre gouvernemental du comté aux bons soins de l'enquêteur de la gendarmerie.

Il a serré la main de Colker et tapé amicalement sur l'épaule de Sam.

— À coup sûr, je vais bientôt revoir ta sale gueule, a-t-il dit à Sam en partant.

Une minute plus tard, la voiture de police nous dépassait pour prendre la direction de Beaufort.

Sam m'a ramenée au *Melanie Tess*, après un arrêt pour m'acheter de quoi dîner. Nous ne parlions pas beaucoup. Mes vêtements, mes cheveux étaient imprégnés de l'odeur de cadavre, j'avais hâte de me doucher, de manger et de tomber dans le coma pas moins de huit heures. Sam était sans doute pressé que je rentre.

À dix heures moins le quart, j'avais la tête enveloppée d'une serviette, le corps enduit de lotion hydratante parfumée. Je sortais mon sandwich-frites-salade de son sac en papier quand Ryan a appelé.

— Où êtes-vous ? ai-je dit en aspergeant les frites de ketchup.

— Dans un petit endroit charmant répondant au nom de Lord Carteret.

— Quel est le problème ?

— Il n'y a pas de terrain de golf.

— Nous avons rendez-vous avec le shérif à neuf heures demain, ai-je répliqué en respirant l'odeur de friture avec délices.

— Neuf zéro zéro *a.m.*, docteur Brennan. Qu'est-ce que vous mangez ?

— Un « sous-marin » au salami.

— À dix heures du soir ?

— La journée a été longue.

— La mienne n'a pas non plus été une promenade d'agrément.

Le bruit d'une allumette qui s'enflamme, une longue inspiration.

— Trois vols coup sur coup, puis la route de Savannah vers Tara, et je n'ai même pas réussi à foutre la main sur ce bouseux de shérif. Il était sorti toute la journée pour je ne sais quelle maudite affaire, et personne n'a pu me dire où il était ni ce qu'il faisait. Ultra-top secret. Lui et sa chienne Lassie, ils doivent manigancer de grosses affaires sous le manteau pour le compte de la CIA.

— Le shérif Baker est un homme de confiance.

J'ai englouti une cuillerée de salade de chou.

— Vous le connaissez ?

— J'ai passé la journée avec lui.

Une bouchée de beignet de maïs.

— Ça ne fait pas le même bruit. Vous mangez quoi ?

— Beignet de maïs.

— Qu'est-ce que c'est que ce truc ?

— Si vous y mettez du vôtre, je vous en offrirai un demain.

— Super. Et vous avez fait quoi, toute la journée, avec Baker ?

Je lui ai brièvement résumé l'exhumation de l'après-midi.

— Et Baker pense que c'est une histoire de dope ?

— Oui. Mais je ne le crois pas.

— Pourquoi ?

— Ryan, je suis épuisée et Baker nous attend de bonne heure. Je vous dirai ça demain. Pouvez-vous me retrouver à la marina de Lady's Island ?

— Ma première pensée du jour sera pour Lady's Island.

Je lui ai indiqué la route et nous avons raccroché. J'ai fini de dîner et me suis écroulée dans mon lit, sans même passer un pyjama. J'ai dormi nue et comme une souche, huit heures d'affilée, d'un sommeil sans rêve.

18.

Lundi matin, huit heures, circulation dense sur le pont Woods Memorial. Le ciel couvert, la mer vert ardoise, agitée de petites vagues. À la radio, ils annonçaient un peu de pluie et un maximum de vingt-trois degrés pour la journée. Ryan paraissait déplacé avec son pantalon en lainage et sa veste en tweed, on aurait dit une créature arctique propulsée au tropique. Il transpirait déjà.

Tandis que nous traversions Beaufort, je lui ai expliqué les répartitions de juridiction dans le comté. Les attributions de la police de Beaufort s'arrêtaient aux limites de la ville, et les trois autres municipalités, Port Royal, Bluffton et Hilton Head, avaient leurs propres forces de police.

— Le reste du comté, n'étant pas incorporé, relève de l'autorité du shérif, ai-je dit pour résumer. Il apporte également son soutien à Hilton Head Island. En envoyant des enquêteurs par exemple.

— Cela ressemble au système québécois, a fait remarquer Ryan.

— Absolument. La seule chose à savoir, c'est sur quelle plate-bande vous posez les pieds.

— Les coups de téléphone de Simonnet étaient pour Saint Helena. C'est donc Baker.

— Oui.

— Vous m'avez dit que c'était un type solide.

— Je vous laisse vous faire votre propre opinion.

— Racontez-moi vos histoires de cadavres.

Ce que j'ai fait.

— Seigneur, Brennan, comment faites-vous pour vous foutre dans des trucs pareils ?

— Je fais simplement mon travail, Ryan.

Sa remarque m'a agacée. Tout ce qui tournait autour de Ryan m'agaçait ces derniers temps.

— Mais vous étiez ici en vacances.

Oui. Sur l'île Murtry. Avec ma fille.

— C'est sûrement lié à la richesse de ma vie fantasmatique, ai-je dit d'un ton sec. Je rêve de cadavres et pouf ! les voilà. C'est ma raison de vivre.

J'ai serré les dents et fixé les fines gouttelettes qui se rassemblaient sur le pare-brise. Si Ryan avait besoin de conversation, il n'avait qu'à se parler à lui-même.

— Je vais avoir besoin qu'on me guide, a-t-il dit alors que nous dépassions le campus de USC Beaufort.

— La rue Carteret démarre à gauche et tombe sur Boundary. Suivez-la.

Nous avons pris vers l'ouest, dépassé les immeubles résidentiels de Pigeon Point, avant d'emprunter la route bordée de part et d'autre des murs de brique qui clôturaient le cimetière. Arrivés à Ribaut, je lui ai dit de tourner à gauche.

Il a mis son clignotant, pour bifurquer vers le sud. Nous avons dépassé un Maryland Fried Chicken, la caserne de pompiers et une église baptiste. À droite s'étendait le centre gouvernemental du comté. Les bâtiments en stuc couleur vanille regroupaient les locaux administratifs, le tribunal, le bureau du conseil juridique, les divers services de police et la prison. Les imitations de colonnades et d'arches, supposées s'inspirer du style des plaines du Sud, donnaient à l'ensemble des allures Art déco de centre médical géant.

À l'angle de Ribaut et de Duke, je lui ai indiqué une plage de sable à l'ombre de chênes de Virginie. Il s'y est engagé, pour se garer entre une voiture de police municipale et une remorque marquée « Produits dangereux ». Baker venait d'arriver et cherchait quelque chose dans son coffre. Me reconnaissant, il a rabattu le hayon et nous a attendus.

J'ai fait les présentations et les deux hommes se sont serré la main. La pluie s'était transformée en une fine bruine.

— Désolé de venir balancer des pierres dans votre jardin, a dit Ryan. Je suis sûr que vous êtes largement assez occupé sans avoir en plus des étrangers qui débarquent.

— Il n'y a pas de problème, a répondu Baker. J'espère que nous allons pouvoir faire quelque chose pour vous.

— Beaux buildings, a dit Ryan en montrant du menton les bâtiments de la gendarmerie.

Tandis que nous traversions la rue Duke, le shérif nous a fait un bref historique du complexe.

— Au début des années quatre-vingt-dix, le comté a décidé qu'il voulait rassembler tous ses services sous le même toit. La construction a coûté environ trente millions de dollars. Chacun a ses propres locaux, dont la municipalité de Beaufort, mais nous partageons tous les services comme le standard, le courrier, les archives.

Deux agents nous ont dépassés, en route vers leur bureau. Ils ont salué Baker, qui a répondu d'un hochement de tête avant de nous faire entrer.

Les bureaux de la gendarmerie du comté se trouvaient sur la droite, après un placard vitré rempli d'uniformes et d'insignes de police. Sur la gauche, c'étaient les services de la police municipale, au-delà de la porte marquée « Personnel autorisé seulement ». Juste à côté, sur une autre armoire vitrée, les portraits-robots des dix criminels les plus recherchés par le FBI, les photos de personnes portées disparues et une affiche de l'Association des enfants disparus et exploités s'étalaient. En face, un couloir s'enfonçait vers l'intérieur du bâtiment, en contournant l'ascenseur.

À l'entrée du couloir menant au bureau du shérif, une femme était en train d'accrocher son parapluie au portemanteau. Bien qu'ayant une bonne cinquantaine d'années, elle semblait sortie tout droit d'un clip de Madonna. Elle avait des cheveux longs et d'un noir de jais, une combinaison en dentelle sur une minijupe bariolée, avec par-dessus un petit boléro violet. Des chaussures à semelles compensées lui faisaient gagner bien sept centimètres. Elle s'est adressée au shérif.

— M. Colker vient de téléphoner. Et un enquêteur a appelé au moins six fois hier, il avait l'air d'avoir le feu au cul. C'est sur votre bureau.

— Merci, Ivy Lee. Voici le lieutenant Ryan. Et le docteur Brennan. Nous allons leur apporter notre aide sur un dossier.

Ivy Lee nous a regardés des pieds à la tête.

— Café, monsieur ?

— Oui. Merci.

— Trois, alors ?

— Oui.

— Lait ?

Nous avons acquiescé, Ryan et moi. Le shérif nous a fait entrer et a jeté sa casquette au-dessus des placards derrière son fauteuil.

— Ivy Lee est assez haute en couleur, a-t-il dit en souriant. Elle a été vingt ans dans les marines, avant de revenir ici et de se joindre à l'équipe... — Il a réfléchi. — Cela doit faire dix-neuf ans maintenant. Elle tient la maison avec l'efficacité d'une bombe à hydrogène. À l'heure actuelle, elle est dans une période de... — il a hésité sur l'expression à employer —, d'expérimentation vestimentaire.

Il s'est carré dans son siège, mains croisées sur la nuque. Le fauteuil de cuir a gémi comme un biniou.

— Eh bien, monsieur Ryan, en quoi puis-je vous être utile ?

Ryan a raconté l'histoire des morts de Saint-Jovite et des coups de téléphone à Saint Helena. Il venait juste de résumer les conversations qu'il avait eues avec l'obstétricienne de la clinique de Beaufort-Jasper et les parents de Heidi, quand Ivy Lee a frappé. Elle a déposé une tasse devant Baker, deux autres sur la petite table entre Ryan et moi, et est ressortie sans un mot.

J'ai avalé une gorgée. Puis une seconde.

— C'est elle qui le fait ? ai-je demandé.

Si ce n'était pas le meilleur café que j'aie bu de toute ma carrière, il se situait en haut de la liste.

Baker a hoché la tête.

J'essayais d'isoler les diverses saveurs. Un téléphone a sonné dans l'autre bureau, puis on a entendu la voix d'Ivy Lee.

— Quelle est sa recette ?

— Ici, c'est motus et bouche cousue en ce qui concerne le café d'Ivy Lee. Je lui donne une somme chaque mois et c'est elle qui l'achète. Elle affirme que personne ne connaît le tour de main sauf sa maman et sa sœur.

— Peut-on les soudoyer ?

Baker a éclaté de rire et s'est appuyé de tout son poids sur ses avant-bras posés sur la table. Il avait la carrure d'une bétonnière.

— Je ne voudrais pas manquer de respect à Ivy Lee, a-t-il dit. Et encore moins à sa mère.

— Bonne politique, a approuvé Ryan. Il ne faut jamais manquer de respect aux mamans.

Il a fait claquer l'élastique d'une chemise brune cartonnée et en a tiré une feuille.

— Le numéro de téléphone composé depuis Saint-Jovite correspond au 435, rue Adler-Lyons.

— C'est bien à Saint Helena, a dit Baker.

Il a pivoté vers les armoires métalliques et sorti un dossier d'un tiroir. L'ouvrant sur le bureau, il en a parcouru des yeux l'unique feuillet.

— On a fait une recherche, l'adresse n'apparaît dans aucun fichier de police. Pas un seul appel en cinq ans.

— C'est une maison particulière ? a demandé Ryan.

— Probablement. Dans cette partie de l'île, vous

avez surtout des roulottes et des petits pavillons. J'ai toujours habité par là et il m'a fallu chercher sur un plan pour trouver la rue. Un certain nombre de petites routes de terre sur l'île sont à peine plus que des allées entre les maisons. Je les connais sûrement pour les avoir vues, mais j'en ignore parfois le nom. Ou même si elles en ont un.

— À qui appartient la maison ?

— Je n'ai pas encore l'information, mais nous allons l'obtenir. Entre-temps, pourquoi n'irions-nous pas y rendre une petite visite de courtoisie ?

— Ça me va parfaitement, a dit Ryan en replaçant son document dans la chemise dont il a rabattu l'élastique.

— Et on pourrait faire un détour par la clinique si vous pensez que cela peut vous être utile.

— Je ne veux pas vous bloquer avec ça. Vous êtes certainement très occupé.

Ryan s'est levé.

— Si vous aimez mieux nous indiquer comment y aller, je suis sûr que nous pouvons nous débrouiller.

— Non, non. J'ai une dette envers le docteur Brennan pour hier. Et je suis sûr que Baxter Colker n'en a pas encore fini avec elle. À propos, est-ce que cela ne vous ennuie pas d'attendre un peu, le temps que je vérifie quelque chose ?

Il a disparu dans un bureau voisin, pour revenir aussitôt avec une fiche.

— Comme je m'y attendais, Colker a rappelé. Il a envoyé les corps à Charleston. Il veut parler au docteur Brennan.

Il m'a souri. Il avait les pommettes et les arcades sourcilières si proéminentes, la peau d'un noir si brillant, que sous la lumière des néons son visage semblait en céramique.

J'ai regardé Ryan. Il a haussé les épaules, s'est enfoncé dans son fauteuil. Baker a composé un numéro, demandé Colker, et m'a tendu le combiné. J'ai eu un mauvais pressentiment.

Colker a dit exactement ce que je craignais. Axel Hardaway se montrait prêt à se charger de l'autopsie mais refusait de faire l'examen du squelette. Dan Jaffer était injoignable. Hardaway procéderait à l'examen dans les locaux de la faculté de médecine, selon le protocole que je lui indiquerais, puis Colker ferait transporter les ossements à mon labo de Charlotte si j'acceptais de m'en occuper.

J'ai accepté à contrecœur et promis d'appeler directement Hardaway. Colker m'a donné le numéro et nous avons raccroché.

— *Let's go*, ai-je dit aux autres.

— *Let's go*, a répondu le shérif en récupérant sa casquette.

Nous avons pris la nationale 21 de Beaufort vers Lady's Island, traversé la rivière Cowan vers Saint Helena et continué encore pendant quelques kilomètres. Arrivés à Eddings Point, nous avons bifurqué sur la droite. La route longeait pendant plusieurs kilomètres des maisons en bois, bien abîmées, et des roulottes qui reposaient sur des plots. Des feuilles de plastique obturaient les fenêtres, et les vérandas croulaient sous le poids de rocking-chairs mangés aux mites et de vieux mobilier. Des carcasses de voitures, des cabanons de fortune et des fosses septiques rouillées s'éparpillaient dans les champs environnants. Ici et là, des pancartes écrites à la main proposaient chou frisé, haricots beurre et chèvres.

Très vite, la route asphaltée a tourné brusquement sur la gauche, des allées sablonneuses continuant tout droit et sur la droite. Baker l'a suivie et s'est engagé sous un long tunnel ombragé. Des chênes de Virginie au tronc moussu s'alignaient de chaque côté et leurs branches formaient comme le dôme d'une verte cathédrale. De part et d'autre couraient d'étroits canaux recouverts d'algues.

Les pneus crissant sur le sable, nous avons dépassé

d'autres roulottes, des pavillons délabrés, les uns décorés de petits moulins à vent en plastique ou en bois, des poules picoraient dans la cour des suivants. Si ce n'étaient les modèles de vieilles voitures ou de camionnettes, on aurait pu se croire dans les années trente. Ou quarante. Ou cinquante.

À moins de quatre cents mètres, la rue Adler-Lyons coupait sur la gauche. Baker l'a prise et est allé presque au bout. Tout du long, on apercevait des pierres tombales verdies de mousse, sous l'ombre des chênes et des magnolias. Ici et là, une croix blanche formait une tache claire dans l'ombre épaisse.

À notre droite se trouvaient deux constructions, une ferme à deux étages pour la plus grande, au revêtement extérieur vert, et un bungalow, jadis blanc, mais dont la peinture maintenant grise s'écaillait. Derrière, on apercevait des remorques et une balançoire.

Un muret séparait le terrain de la route. Les parpaings grossièrement empilés laissaient de multiples jours envahis de plantes grimpantes, et une glycine mauve courait sur toute sa longueur. À l'entrée, un panneau rouillé annonçait PROPRIÉTÉ PRIVÉE en lettres d'un orange vif.

La route continuait encore sur une trentaine de mètres après le mur, pour déboucher sur une étendue d'herbes aquatiques ; l'eau avait la couleur terne de l'étain.

— Il doit s'agir du 435, a dit Baker en se mettant au point mort et en désignant la plus grande maison. C'était un camp de pêche autrefois. Là-bas, c'est la rivière d'Eddings Point. Elle se jette dans un bras de mer un peu plus loin. Je ne me souvenais plus de cette propriété. Elle est à l'abandon depuis des années.

On voyait bien que les lieux avaient connu des temps meilleurs. Le crépi de la ferme, replâtré par endroits, était couvert de plaques de moisissure. Les finitions extérieures, autrefois blanches, étaient cloquées et laissaient deviner la peinture bleu pâle en dessous. Une véranda entourée d'une moustiquaire courait sur toute la largeur du rez-de-chaussée et les lucarnes du deuxième étage débordaient de la façade, les corniches supérieures reprenant en miniature l'avancée du toit.

Sortant de la voiture, nous avons contourné le muret pour nous engager dans l'allée. La bruine restait en suspens dans l'air comme un brouillard. Cela sentait la terre humide, les feuilles pourrissantes et, au loin, un vague parfum de feu de bois.

Le shérif a grimpé les escaliers de la véranda tandis qu'avec Ryan nous attendions en bas. La porte intérieure était ouverte, mais il faisait trop sombre pour qu'on puisse voir à travers la moustiquaire. Baker s'est décalé sur le côté et a toqué sur le chambranle, ce qui a fait vaciller la porte dans son cadre. Au-dessus de nos têtes, le chant des oiseaux se mêlait au cliquètement des feuilles de palmier. Dans la maison, un bébé s'est mis à pleurer.

Baker a frappé une seconde fois.

Au bout d'un moment, on a entendu des bruits de pas, puis un jeune homme est apparu à la porte. Il avait des cheveux roux et bouclés, des taches de rousseur, et portait une salopette en jean, avec une chemise à carreaux. C'était tout à fait Howdy Doody. Mais nous avions passé l'âge des émissions pour enfants.

— Ouais ? a-t-il marmonné à travers la moustiquaire, ses yeux nous scrutant l'un après l'autre.

— Comment allez-vous ? a demandé Baker, ainsi qu'on dit bonjour dans le Sud.

— Bien.

— Parfait. Je suis Harley Baker.

Son uniforme disait clairement qu'il ne s'agissait pas d'une visite de courtoisie.

— Peut-on entrer ?

— C'est à quel sujet ?

— Nous aurions quelques questions à vous poser.

— Des questions ?

— Vous habitez ici ?

Howdy Doody a hoché la tête.

— Peut-on entrer ? a répété Baker.

— Vous n'avez pas un mandat ou un truc du genre ?

— Non.

J'ai entendu une voix, Howdy Doody s'est tourné vers l'intérieur et a dit quelque chose par-dessus son épaule. Un instant plus tard une femme d'âge moyen avec un visage large et des cheveux permanentés le rejoignit. Elle tenait un enfant contre son épaule, lui tapotait et lui frottait le dos alternativement. La chair sous son bras tremblotait à chaque mouvement.

— C'est un flic, lui a-t-il dit en reculant d'un pas.

— Oui ?

Ryan et moi nous tenions cois en écoutant Baker et la femme dans leur dialogue digne d'une série B.

— Il n'y a personne ici, a-t-elle répliqué. Revenez une autre fois.

— Vous êtes là, m'dame, a dit Baker.

— Nous sommes occupés avec les bébés.

— Nous ne bougerons pas d'ici, m'dame.

La femme a fait la grimace, relevé le bébé sur son épaule et poussé la porte moustiquaire. Ses tongs faisaient un doux bruit de claquettes tandis qu'elle nous montrait le chemin jusqu'à un petit vestibule.

La maison était sombre et il y régnait une odeur légèrement surette, comme si on avait laissé traîner un verre de lait toute la nuit. Devant nous, un escalier conduisait au premier étage et, à droite et à gauche, des ouvertures en arcade donnaient sur de plus grandes pièces, meublées de canapés et de chaises.

La femme nous a conduits dans celle de gauche et nous a désigné un divan en rotin. Elle a dit quelque chose à Howdy Doody, qui a disparu dans l'escalier. Puis elle est venue nous rejoindre.

— Oui ? a-t-elle dit calmement, son regard glissant de Baker à Ryan.

— Je m'appelle Harley Baker.

Il a posé sa casquette sur la table basse et s'est penché en avant, mains sur les cuisses, bras largement écartés.

— Et vous êtes madame... ?

Elle a plaqué contre son épaule la tête du bébé, a posé la main sur sa tête.

— Je ne veux pas être impolie, shérif, mais je dois d'abord savoir ce que vous voulez.

— Vous vivez ici, m'dame ?

Elle a hésité, puis hoché la tête. Un rideau s'est agité à une fenêtre derrière moi et j'ai senti un souffle d'air humide dans mon cou.

— Nous avons des questions à poser concernant des appels téléphoniques qui ont été reçus ici, a poursuivi Baker.

— Des appels téléphoniques ?

— Oui, m'dame. L'automne dernier. Étiez-vous déjà là ?

— Il n'y a pas de téléphone ici.

— Pas de téléphone ?

— Non, juste un poste dans le bureau. Il n'est pas à usage personnel.

— Je vois.

Il a attendu.

— Nous ne recevons pas d'appels.

— Nous ?

— Nous sommes neuf ici, quatre dans la maison voisine. Sans compter les roulottes. Mais nous n'utilisons jamais le téléphone. C'est interdit.

Un autre bébé s'est mis à crier à l'étage.

— Interdit ?

— Nous sommes une commune rurale. Nous vivons en paix, sans faire d'histoires. Pas de drogue, rien de tout ça. Nous restons entre nous et vivons selon nos croyances. Aucune loi n'interdit cela, si ?

— Non, m'dame, rien n'interdit cela. Vous êtes combien dans ce groupe ?

Elle a réfléchi :

— Nous sommes vingt-six.

260

— Où sont les autres ?

— Certains travaillent. Ceux qui restent intégrés. Les autres sont à la réunion du matin à côté. Je garde les bébés avec Jerry.

— C'est une communauté religieuse ? a demandé Ryan.

Elle l'a regardé, puis ses yeux sont revenus sur Baker.

— C'est qui, eux ? a-t-elle dit en nous désignant du menton.

— Ce sont des enquêteurs de la Brigade criminelle.

Le shérif l'a fixée dans les yeux, les traits durcis et sans sourire.

— C'est quoi, votre groupe, m'dame ?

Elle tripotait du bout des doigts la couverture du bébé. Un chien a aboyé au loin.

— Nous ne voulons pas de problèmes avec la justice, a-t-elle dit. Vous avez ma parole là-dessus.

— Vous avez quelque chose à craindre ? demanda Ryan.

Elle l'a regardé d'un drôle d'air, puis a jeté un coup d'œil sur sa montre.

— Nous sommes simplement des gens qui recherchons paix et santé. Nous en avons assez de toutes ces drogues, de ces crimes, alors nous avons choisi de vivre à l'écart, entre nous. Nous ne faisons de mal à personne. Je n'ai rien d'autre à dire. Adressez-vous à Dom. Il sera là bientôt.

— Dom ?

— Il saura vous répondre.

— Parfait.

Baker la transperçait de nouveau de ses yeux noirs.

— Ce serait dommage que vous soyez obligés de faire tout le chemin pour vous rendre en ville.

Juste à ce moment-là, on a entendu des voix, et la femme s'est tournée vers la fenêtre. Nous avons tous suivi son regard.

À travers la moustiquaire, on distinguait des gens

261

s'activer près de l'autre maison. Cinq femmes se tenaient sur la véranda, deux d'entre elles aidaient des bébés à marcher, une troisième venait de poser un petit sur le sol, il s'est redressé sur des jambes hésitantes, et la femme l'a suivi dans la cour. Un à un, une dizaine d'adultes sont sortis de la maison et ont disparu à l'arrière de celle-ci. Quelques secondes plus tard, un homme est sorti à son tour et est venu dans notre direction.

Notre hôtesse s'est excusée et est repartie dans le vestibule. Très vite, on a entendu grincer la porte moustiquaire et des bruits étouffés de conversation.

J'ai vu la femme grimper l'escalier et l'homme est apparu. Il devait avoir dans les quarante-cinq ans, des cheveux blonds grisonnants, le visage et les bras très bronzés. Il portait un pantalon militaire, un gilet de golf jaune pâle et des chaussures basses en cuir, sans chaussettes. Il ressemblait à un baba cool vieillissant.

— Je suis désolé, a-t-il dit. Je ne m'étais pas rendu compte que nous avions de la visite.

Ryan et Baker ont fait mine de se lever.

— Non, non, je vous en prie, restez assis.

Il s'est avancé vers nous, main tendue.

— Je m'appelle Dom.

Nous avons échangé des poignées de main et il est venu s'asseoir à côté de nous, sur l'un des divans.

— Voulez-vous un jus de fruits, une boisson gazeuse ?

Nous avons refusé d'une seule voix.

— Vous avez donc discuté avec Hélène. Elle me dit que vous aviez quelques questions au sujet de notre groupe ?

Baker a acquiescé sèchement.

— Je suppose que nous sommes ce que vous appelleriez une communauté... — Il a ri. — Mais ce n'est pas ce que le terme évoque d'ordinaire. Nous sommes à mille lieues de la contre-culture hippie des années soixante. Nous rejetons les drogues, les produits chimiques polluants, et recherchons pureté, créativité et conscience de soi. Nous vivons et travaillons ici dans l'harmonie. Par exemple, notre réunion du matin vient juste de se terminer. C'est là que nous débattons de l'emploi du temps du jour et décidons ensemble de ce qui doit être fait et de qui va s'en charger. La préparation des repas, les corvées de nettoyage, les travaux ménagers surtout... — Il a souri. — Les réunions du lundi peuvent durer plus longtemps parce que c'est ce jour-là que nous discutons de nos désaccords... — Nouveau sourire. — Bien que les désaccords soient rares.

Il s'est appuyé au dossier du divan et a croisé les bras.

— Hélène me dit que vous vous intéressez à des appels téléphoniques.

Le shérif s'est présenté. Puis :

— Et vous êtes Dom... ?

— Dom tout court. Nous n'utilisons pas de noms de famille.

— Nous, si, a dit Baker d'un ton qui ne plaisantait pas.

Dom a marqué un temps de silence. Puis, finalement :

— Owens. Mais cet homme-là est mort depuis longtemps. J'ai été Dominick Owens il y a bien des années.

— Merci, monsieur Owens.

Baker a inscrit cela dans un petit carnet à spirale.

— Le policier Ryan ici présent mène une enquête sur un homicide qui s'est produit au Québec et il a de bonnes raisons de croire que la victime connaissait quelqu'un ici.

— Québec ? (Dom a écarquillé les yeux, ce qui a révélé de fines pattes-d'oie, blanches dans sa peau bronzée.) Au Canada ?

— Les appels venaient d'une maison de Saint-Jovite, a dit Ryan. C'est un village des Laurentides, au nord de Montréal.

Dom écoutait, la surprise se lisait sur son visage.

— Le nom de Patricia Simonnet vous dit-il quelque chose ?

Il a secoué la tête.

— Heidi Schneider ?

Nouvelle dénégation.

— Je suis désolé... — Il a souri, avec un petit haussement d'épaules. — Je viens de vous le dire. Nous n'utilisons pas de noms de famille. Et nos membres se choisissent souvent un autre prénom. Dans le groupe, chacun est libre de se nommer comme il souhaite.

— Comment s'appelle votre groupe ?

— Noms. Titres. Étiquettes. *L'*Église du Christ. *Le* Temple du Peuple. *Le* Sentier lumineux. Que d'ego ! Nous avons décidé de ne pas nous nommer.

— Depuis combien de temps votre groupe est-il installé ici, monsieur Owens ? a demandé Ryan.

— Je vous en prie, appelez-moi Dom.

Ryan n'a pas répliqué.

— Presque huit ans.

— Où étiez-vous l'été et l'automne derniers ?

— Ici et là. J'ai pas mal voyagé.

Ryan a sorti une photo de sa poche et l'a posée sur la table.

— Nous cherchons à reconstituer les allées et venues de cette jeune femme.

Dom s'est penché pour examiner la photo, dont il effleurait la bordure du bout des doigts. Des doigts longs et minces, avec des touffes de poils blonds aux jointures.

— C'est elle qui a été assassinée ?

— Oui.

— Qui est l'homme ?

— Brian Gilbert.

Dom a observé les visages pendant un long moment. Lorsqu'il a relevé les yeux, je n'ai pas réussi à en déchiffrer l'expression.

— J'aimerais pouvoir vous aider. Vraiment. Peut-être puis-je poser la question ce soir à notre session de vécu. C'est là que nous travaillons sur la recherche intérieure, la prise de conscience de notre intériorité. Ce serait le moment idéal pour cela.

Le visage de Ryan était complètement fermé tandis qu'il fixait Dom dans les yeux.

— Je ne suis pas d'humeur à écouter vos prêches, monsieur Owens ; et je ne me sens pas particulièrement concerné par ce que vous appelez « le moment idéal ». Mes références sont celles-ci : il y a eu des coups de fil entre la maison où Heidi Schneider a été assassinée et ici. Je sais que la victime était à Beaufort l'été dernier. Je suis là pour trouver la corrélation.

— Oui, je comprends bien. Quelle histoire terrible ! C'est cette violence qui justement nous amène à vivre de cette façon.

Il a fermé les yeux, comme pour se mettre à l'écoute de son guide, puis les a rouverts et nous a regardés intensément l'un après l'autre.

— Laissez-moi vous expliquer. Nous cultivons nos légumes, élevons des poules pondeuses, pêchons et ramassons des coquillages. Certains de nos membres travaillent en ville, pour contribuer aux frais généraux. Ce à quoi nous croyons nous pousse à rejeter la société, cependant nous ne voulons de mal à personne. Nous vivons dans la simplicité et la tranquillité.

Il a pris une grande inspiration.

— Il y a ici un noyau de membres de longue date, mais beaucoup vont et viennent. Notre manière de vivre ne convient pas à tout le monde. Il est possible que cette jeune femme soit venue nous rendre visite, peut-être lors de l'une de mes absences. Je vais questionner les autres. Vous avez ma parole.

— Oui, a fait Ryan. Et moi aussi.

— Bien sûr. Et n'hésitez pas à me faire savoir si je peux vous être utile.

Au même moment, une jeune femme a fait irruption sur la véranda, un bébé sur la hanche. Elle riait et le chatouillait. Il gigotait et la tapait de ses menottes potelées. Sont passées dans mon esprit les petites mains pâles de Malachy.

Nous apercevant, la jeune femme a levé les épaules et fait la grimace.

— Oups, désolée, a-t-elle dit en riant. Je ne savais pas qu'il y avait quelqu'un.

Le bébé l'a frappée sur la tête et elle lui a gratté l'estomac du doigt. Il a couiné et agité les jambes.

— Entre, Catherine, a dit Dom, je pense que nous avons fini.

Il a interrogé Baker et Ryan du regard. Le shérif a ramassé sa casquette et nous nous sommes tous levés.

Le petit s'est retourné en entendant la voix de Dom, l'a regardé et s'est mis à se tortiller. Quand Catherine l'a posé par terre, il a fait quelques pas vacillants vers lui, bras ouverts, et Dom s'est penché pour le prendre. Les petits bras paraissaient tout blancs autour du cou hâlé de l'homme.

— Quel âge a-t-il ? ai-je demandé à Catherine qui s'était approchée.

— Quatorze mois. Hein, Carlie ?

Carlie a agrippé le doigt de sa mère, puis il a tendu les bras vers elle. Dom le lui a rendu.

— Excusez-nous, il faut que je le change.

— Avant que vous partiez, est-ce que je peux vous poser une question ? a demandé Ryan en sortant la photo. Connaissez-vous l'une ou l'autre de ces personnes?

Catherine a examiné le cliché en le tenant hors d'atteinte de Carlie. J'ai observé le visage de Dom. Il est resté totalement impassible.

Elle a secoué la tête, puis rendu la photo.

— Non, désolée.

Elle s'est éventée de la main, le nez froncé.

— Il faut vraiment que j'y aille.

— La jeune femme était enceinte.

— Désolée.

— Vous avez un beau bébé, ai-je dit.

— Merci.

Et elle a disparu vers le fond de la maison.

Dom a regardé sa montre.

— Nous restons en liaison, a dit Baker.

— Oui. Très bien. Et bonne chance.

Assis dans la voiture, nous avons observé la propriété. J'ai descendu ma vitre, et la bruine a soufflé vers moi son haleine humide. Le souvenir de Malachy m'avait déprimée et ce temps pluvieux et gris s'accordait parfaitement à mon état d'esprit.

J'ai examiné la route dans les deux sens, les maisons... Des gens travaillaient dans un jardin derrière le bungalow. Des piquets où l'on avait accroché des sacs de semis se dressaient à l'entrée de chaque rangée. En dehors de cela, il n'y avait aucun signe de vie.

— Qu'en pensez-vous ? ai-je demandé à la cantonade.

— Si cela fait huit ans qu'ils sont là, ils ont vraiment gardé un profil bas, a dit Baker. Je n'ai jamais rien entendu à leur sujet.

Nous avons vu Hélène quitter la maison verte et se diriger vers l'une des roulottes.

— Il faut croire qu'ils viennent de faire surface, a-t-il poursuivi en tournant la clé de contact.

Nous avons roulé en silence. Ce n'est qu'en traversant le pont de Beaufort que Ryan a repris la parole.

— Il doit y avoir une connexion. Ce ne peut pas être une coïncidence.

— Cela arrive, les coïncidences, a dit Baker.

— Oui.

— Pourtant, il y a une chose qui m'embête, ai-je répondu.

— Quoi ?

— Heidi a cessé de se présenter à la clinique d'ici à partir de son sixième mois. Ses parents ont dit qu'elle avait débarqué au Texas fin août. C'est ça ?

— C'est ça.

— Mais les appels se sont poursuivis jusqu'en décembre.

— Oui, a repris Ryan. Ça, c'est un problème.

19.

La bruine s'était changée en pluie le temps que nous arrivions à la clinique médicale générale de Beaufort-Jasper et donnait aux troncs des teintes sombres et luisantes, recouvrant la route d'un vernis. Baissant ma vitre, j'ai respiré un lourd parfum de terre et d'herbes mouillées.

Nous avons fait appeler le médecin avec lequel Ryan avait parlé et il lui a montré la photo. Selon elle, il s'agissait probablement de la patiente qu'elle avait suivie l'été précédent, mais elle n'en était pas certaine. La grossesse était normale. Étaient inscrites au dossier les recommandations prénatales classiques. À part ça, elle ne pouvait rien dire d'autre. Elle n'avait aucun souvenir de Brian.

Sur le coup de midi, le shérif Baker a été rappelé sur Lady's Island pour un problème de querelle conjugale et nous nous sommes entendus pour nous retrouver tous à six heures dans son bureau. D'ici là, il espérait glaner des informations sur la propriété d'Adler-Lyons.

Après une grillade au White's Diner, nous avons passé notre après-midi avec Ryan à faire le tour de la ville munis de la photo et à poser des questions sur la communauté d'Owens.

À quatre heures, nous savions deux choses. Personne n'avait jamais entendu parler de Dom Owens ni de ses disciples. Et personne ne se souvenait de Heidi Schneider ni de Brian Gilbert.

Assis dans la voiture de location de Ryan, nous contemplions Bay Street. Sur le trottoir de droite, des gens entraient et sortaient de la banque fédérale Palmetto. De l'autre côté s'alignaient les magasins où nous venions d'enquêter. Le Monde du Chat. Pierres et bois. Benetton. On pouvait le dire, Beaufort s'était ouvert au tourisme.

La pluie avait cessé, mais le ciel était encore lourd de nuages noirs. Fatigue et découragement m'envahissaient, et je n'étais plus si sûre du lien entre Beaufort et Saint-Jovite.

Devant le grand magasin Lipsitz, un homme aux cheveux graisseux et au visage de pain mal cuit agitait une bible et vociférait au nom de Jésus. Mars était la saison creuse pour les prêcheurs de rue, aussi s'admonestait-il lui-même.

Sam m'avait parlé de sa guerre contre ces prédicateurs. Depuis vingt ans, ils descendaient sur Beaufort comme des croyants vers La Mecque. En 1993, il avait fait arrêter le pasteur Isaac Abernathy pour avoir harcelé des femmes en short après les avoir traitées de putains et menacées de damnation éternelle. Des plaintes furent portées contre le maire et la ville, et l'ACLU avait volé au secours des évangélistes, au nom de l'une des clauses du premier amendement à la Constitution. Le procès était toujours en appel à la quatrième cour de la circonscription judiciaire de Richmond, et les prédicateurs continuaient à affluer.

Je l'écoutais délirer sur Satan, les païens, les juifs, et j'en avais la chair de poule. Je n'aime pas les gens qui se prennent pour des intimes de Dieu et se permettent de parler en Son nom. Et il me déplaît qu'on interprète l'Évangile au profit d'ambitions politiques.

— Que pensez-vous de la culture sudiste ? ai-je demandé à Ryan, sans quitter le prédicateur des yeux.

— L'idée en semble intéressante.

— Vous puisez dans Gandhi, maintenant... ! ai-je dit en me retournant, surprise.

C'était l'une de mes citations préférées.

— Il arrive qu'un enquêteur criminel lise.

Il y avait une pointe d'agacement dans sa voix.

Au temps pour toi, Brennan. Visiblement, les stéréotypes culturels ne sont pas que l'apanage du pasteur.

Regardant une vieille dame qui faisait un grand détour pour éviter le prédicateur, je me suis demandé quel type de salut Dom Owens promettait à ses disciples. Puis j'ai regardé ma montre.

— Nous allons tourner jusqu'à l'heure du dîner.

— Ce pourrait être le bon moment pour faire le tour des Tofu Burger King, a répliqué Ryan.

— Il nous reste encore une heure et demie avant de retrouver Baker.

— Partante pour une petite visite-surprise, chef ?

— Ce serait toujours mieux que de rester assis ici.

Ryan allait tourner la clé de contact quand sa main est restée en suspens. J'ai suivi son regard, pour voir Catherine qui remontait le trottoir d'en face, Carlie sur le dos. Une vieille femme aux longues nattes noires marchait à côté d'elle. La brise moite gonflait leurs jupes dans le dos et plaquait le tissu contre leurs genoux. La vieille s'est arrêtée pour parler au prédicateur, puis elles ont continué dans notre direction.

Nous avons échangé un regard avec Ryan, puis, sortant de la voiture, nous avons traversé. Elles ont cessé de parler en nous apercevant et Catherine m'a souri.

— Ça va ? a-t-elle dit en rejetant en arrière ses cheveux bouclés.

— Pas vraiment, ai-je répondu.

— Vous n'avez pas réussi à retrouver la trace de la fille ?

— Personne ne se souvient d'elle. Ça me paraît bizarre, car elle a quand même passé trois mois ici.

J'ai guetté sa réaction, mais son expression n'a pas changé.

— Vous avez cherché où ?

Carlie a gigoté et Catherine a remis en place le porte-bébé.

— Magasins, épiceries, pharmacies, stations-service, restaurants, sans compter la bibliothèque. On a même essayé Bombears.

— Ouais. L'idée est sympa. Si elle était enceinte, elle aurait pu effectivement aller dans un magasin de jouets.

Le petit a couiné, puis, bras levés et arc-bouté en arrière, il a poussé des pieds contre le dos de sa mère.

— Qui est là... ? a-t-elle dit en tendant la main vers lui au-dessus de son épaule pour le calmer. Et personne ne l'a reconnue d'après la photo ?

— Personne.

Les pleurs de Carlie devenaient de plus en plus stridents et la vieille femme est passée derrière Catherine pour le sortir du porte-bébé.

— Oh, excusez-moi ! Voici El, a dit Catherine en désignant sa compagne.

Nous nous sommes présentés. El a incliné la tête mais n'a pas dit un mot, tout en tentant de calmer Carlie.

— On peut vous offrir quelque chose, un Coke, un café ? a demandé Ryan.

— Nan. Vous allez bousiller votre potentiel génétique avec des trucs comme ça, a-t-elle répondu en fronçant le nez, puis elle a souri. Mais je ne dirais pas non pour un jus de fruits. Et Carlie non plus.

Elle a levé les yeux au ciel et pris la main de son bébé.

— Il est fatigant quand il est fâché. Dom ne passe pas nous chercher avant trois quarts d'heure, hein, El ?

— Nous devrions attendre Dom.

La vieille femme avait parlé si doucement que je l'avais à peine entendue.

— Oh, El, tu sais bien qu'il va être en retard. Prenons un jus de fruits dehors. Cela ne me tente pas de me taper la route avec Carlie s'il râle comme ça tout du long.

El a ouvert la bouche, mais, au même moment, Carlie s'est remis à gigoter et a poussé un hurlement.

— Jus de fruits, a dit Catherine en reprenant son bébé pour l'asseoir sur sa hanche. Ils en ont plein de sortes chez Blackstone. J'ai vu leur carte dans la vitrine.

Nous sommes entrés dans le magasin, et j'ai commandé un Coke. Les autres ont tous pris un jus de fruits et nous sommes ressortis pour aller nous installer sur un banc. Catherine a sorti de son sac une petite couverture qu'elle a étendue à ses pieds, pour y déposer Carlie. Puis elle a pris une bouteille d'eau et une petite tasse jaune pourvue d'un couvercle à bec amovible. Elle l'a remplie moitié-moitié de son jus de baies rouges et d'eau, avant de la tendre à Carlie qui l'a attrapée des deux mains, pour porter immédiatement le bec à sa bouche. Cela m'a rappelé tant de souvenirs et, de nouveau, la sensation que j'avais ressentie dans l'île m'a submergée.

J'étais déboussolée. Les cadavres sur Murtry. Les souvenirs de Katy enfant. Ryan à Beaufort, avec son insigne, son revolver et son accent de Nouvelle-Écosse. Le monde autour de moi me semblait étrange, l'espace dans lequel j'évoluais paraissait parachuté d'ailleurs, et en même temps, d'une certaine manière, actuel et d'une réalité dérangeante.

— Parlez-moi de la communauté, ai-je dit, histoire de revenir au moment présent.

El a levé les yeux vers moi, mais est restée silencieuse.

— Que voulez-vous savoir ? a demandé Catherine.

— À quoi croyez-vous ?

— Au fait de connaître notre propre esprit, notre corps. De garder pures nos énergies cosmiques et moléculaires.

— Et que faites-vous pour cela ?

— Ce qu'on fait ?

La question semblait la prendre de court.

— Nous cultivons ce que nous mangeons et refusons toute nourriture polluante...

Elle a eu un petit haussement d'épaules. J'ai pensé à Harry. La purification par le régime alimentaire.

— Nous étudions. Nous travaillons. Nous chantons et nous participons à des jeux. Il y a aussi des conférences parfois. Dom est d'une intelligence incroyable. Son énergie est complètement...

El lui a tapé sur l'épaule et a désigné du doigt la tasse de Carlie. Catherine l'a ramassée, en a essuyé le bec sur sa chemise et l'a tendue à son fils. Il l'a attrapée et a frappé le pied de sa mère avec.

— Depuis combien de temps vivez-vous dans la communauté ?

— Neuf ans.

— Vous avez quel âge ?

Malgré moi, l'étonnement avait percé dans ma voix.

— Dix-sept ans. Mes parents ont rejoint le groupe quand j'avais huit ans.

— Et avant ?

Elle s'est penchée et a rapproché la tasse de la bouche de Carlie.

— Je me souviens que je pleurais beaucoup. J'étais souvent seule, tout le temps malade. Mes parents n'arrêtaient pas de se disputer.

— Et ?

— Lorsque nous avons rejoint le groupe, une transformation s'est opérée. Par la purification.

— Vous êtes heureuse ?

— Le but de la vie, ce n'est pas le bonheur.

C'était la première fois qu'El ouvrait la bouche. Sa voix était grave, un chuchotement, avec une petite pointe d'accent que je n'arrivais pas à définir.

— Et c'est quoi, alors ?

— La paix, la santé et l'harmonie.

— Et on ne peut pas les atteindre sans se retirer de la société ?

— Nous pensons que non.

Son visage était hâlé et très ridé, ses yeux couleur d'acajou.

— Dans la société, trop de choses viennent nous étourdir. Les drogues. La télévision. Le désir de posséder. La jalousie. Nos propres croyances en sont imprégnées.

— El exprime les choses bien mieux que moi, a dit Catherine.

— Mais pourquoi la communauté ? a demandé Ryan. Pourquoi ne pas tout envoyer promener et rejoindre un monastère ?

Catherine a fait signe à El de continuer.

— L'univers est un grand tout organique, composé de multiples éléments en relation d'interdépendance. Chaque partie en est inséparable et interagit avec les autres. En vivant ainsi en retrait, notre groupe est un microcosme de cette réalité.

— Pourriez-vous expliquer cela ?

— En vivant à l'écart du monde, nous rejetons les abattoirs, les industries chimiques, les raffineries de pétrole, les canettes de bière, les dépotoirs de pneus et d'ordures. En vivant ensemble, en communauté, nous nous soutenons les uns les autres, et nous nous nourrissons les uns les autres aussi bien spirituellement que physiquement.

— Tous pour un.

El lui a adressé un petit sourire.

— Tous les vieux mythes doivent être éliminés avant que la vraie conscience puisse émerger.

— Tous ?

— Oui.

— Même les siens ? a dit Ryan en désignant le prédicateur du menton.

— Tous.

J'ai replacé la conversation à son point de départ.

— Catherine, si vous vouliez vous informer sur quelqu'un, où vous adresseriez-vous ?

— Écoutez, a-t-elle répondu avec un sourire, vous perdez votre temps.

Elle a de nouveau ramassé la tasse de Carlie.

— Elle est probablement en ce moment même sur la Riviera, en train de mettre de la crème solaire aux enfants.

Je l'ai regardée longuement. Elle n'était pas au courant. Dom ne lui avait rien dit. Elle n'avait pas entendu les préambules et n'avait aucune idée de ce pour quoi nous posions des questions sur Heidi et Brian. J'ai pris une grande inspiration.

— Heidi Schneider est morte, Catherine. Ainsi que Brian Gilbert.

Elle m'a regardée comme si j'étais folle.

— Morte ? Elle ne peut pas être morte.

— Catherine ! a dit El d'un ton sec.

Mais Catherine n'y a pas pris garde.

— Je veux dire, elle est tellement jeune. Et elle est enceinte. Enfin, elle était...

Elle parlait d'une voix plaintive, comme une petite fille.

— Ils ont été assassinés il y a trois semaines.

— Vous n'êtes pas là pour la ramener à la maison ?

Son regard passait de moi à Ryan. Ses yeux verts étaient constellés de petites paillettes dorées.

— Vous n'êtes pas ses parents ?

— Non.

— Ils sont morts ?

— Oui.

— Et les bébés ?

J'ai fait signe que oui.

Elle a porté la main à sa bouche, puis à son ventre, comme un papillon qui ne saurait vers quelle lumière aller. Carlie a tiré sur sa jupe, et la main est retombée pour caresser la petite tête.

— Comment peut-on faire une chose pareille ? Je

veux dire, je ne les connaissais pas, mais comment peut-on tuer toute une famille ? Tuer des bébés ?

— Nous sommes tous mortels, a dit El en prenant la jeune fille par les épaules. La mort n'est qu'un passage dans notre processus de croissance.

— Un passage vers quoi ? a demandé Ryan.

La question est restée sans réponse. Au même moment, une camionnette blanche a tourné le coin de la Banque populaire, de l'autre côté de la rue. El a serré les épaules de Catherine et désigné la voiture du menton. Puis, prenant Carlie dans ses bras, elle s'est levée et a tendu la main. Catherine s'y est accrochée pour se relever.

— Je vous souhaite la meilleure des chances, a dit El, et les deux femmes se sont dirigées vers la camionnette.

Je les ai suivies un moment des yeux, puis j'ai fini mon Coke. En cherchant une poubelle, mon regard a aperçu quelque chose sous le banc. Le couvercle de la tasse de Carlie.

J'ai tiré une carte de mon sac, y ai griffonné un numéro, et j'ai ramassé le couvercle. Ryan m'a regardée bondir d'un air amusé.

Elle était en train de monter dans le véhicule.

— Catherine ! ai-je crié de l'autre côté de la rue.

Elle a levé les yeux, et j'ai agité le couvercle à bout de bras. Derrière elle, l'horloge de la banque indiquait cinq heures et quart.

Elle a dit quelque chose à quelqu'un à l'intérieur, puis s'est dirigée vers moi. Quand elle est arrivée à ma hauteur, je lui ai rendu le couvercle avec la carte glissée dedans.

Ses yeux ont croisé les miens.

— Appelez-moi si vous avez envie de parler.

Elle s'est détournée sans un mot, est repartie à la voiture où elle est montée. Au moment où ils disparaissaient vers le haut de la rue, j'ai entraperçu derrière le volant la tête blonde de Dom.

Nous avons encore montré la photo dans une pharmacie et dans plusieurs fast-foods, avant de prendre le chemin du bureau de Baker. Là, Ivy Lee nous a dit que la querelle conjugale avait mal tourné. L'éboueur municipal au chômage s'était barricadé dans la maison avec sa femme et sa fille de trois ans, et menaçait de tirer sur tout le monde. Baker ne pourrait pas nous retrouver ce soir.

— Et maintenant, que fait-on ? ai-je demandé à Ryan.

Nous nous trouvions sur le parking de la rue Duke.

— Heidi ne devait pas être un oiseau de nuit, cela ne me semble donc pas utile que nous fassions le tour des bars et des night-clubs.

— Non.

— Et si nous disions que la journée était finie ? Je vous ramène au Bateau d'Amour.

— C'est le *Melanie Tess*.

— Tess ? Et ça mange quoi en hiver, du pain de maïs et des épinards ?

— Du jarret de porc et des patates douces.

— Vous voulez que je vous raccompagne ou pas ?

— Absolument.

Une grande partie du chemin s'est déroulée sans un mot. Ryan m'avait agacée toute la journée et j'avais hâte d'en être débarrassée. Nous étions sur le pont quand il a rompu le silence.

— Je doute qu'elle ait fréquenté les esthéticiennes ou les cabines de bronzage.

— C'est sidérant. Je comprends pourquoi vous êtes devenu enquêteur.

— Nous devrions peut-être nous concentrer sur Brian. Il a sans doute avancé.

— Vous avez déjà fait une recherche sur lui. Il n'a pas de dossier fiscal, si ?

— Rien.

— Il peut avoir été payé de la main à la main.

— Ce qui limite les possibilités.

Nous avons tourné devant Ollie.

— Alors, qu'est-ce qu'on fait ?

— Je n'ai pas eu mon beignet de maïs.

— Je parle de l'enquête. Je vous abandonne pour le dîner. Je vais rentrer, prendre une douche et m'ouvrir une délicieuse boîte de spaghettis à la tomate. Dans cet ordre.

— Seigneur, Brennan, il y a plus de produits de conservation dans ce truc que dans le cadavre de Lénine.

— J'ai déjà lu l'étiquette.

— Autant avaler directement des déchets industriels. Vous allez bousiller... — il a mimé Catherine — votre potentiel génétique.

Une pensée à demi consciente commençait à émerger dans mon esprit, informe, comme la bruine de ce matin. J'essayais de la cerner, mais plus je me concentrais, plus elle m'échappait.

— ... Owens a intérêt à tenir ses culottes à deux mains. Parce qu'il va m'avoir au cul, comme une mouche sur un vieux bonbon.

— À votre avis, c'est quoi son évangile ?

— On dirait un mélange d'apocalypse écologique et de croissance intérieure, nourri aux céréales complètes.

Lorsqu'il s'est arrêté devant le ponton, le ciel commençait à s'éclaircir au-dessus du marais. Des bandes jaunes striaient l'horizon.

— Catherine sait quelque chose, ai-je dit.

— Ce qui n'est pas notre cas.

— Vous pouvez vraiment être un chieur, Ryan.

— Je vous remercie de l'avoir remarqué. Et qu'est-ce qui vous fait penser qu'elle garde quelque chose pour elle ?

— Elle a dit : les bébés.

— Et alors ?

— *Les* bébés.

278

J'ai vu dans ses yeux que l'idée faisait son chemin. Puis :

— Oh, fils de pute...

— On ne lui a jamais dit que Heidi attendait des jumeaux.

Trois quarts d'heure plus tard, j'ai entendu cogner à la porte, côté port. J'avais simplement enfilé le tee-shirt des Hornets que Katy avait laissé, sans culotte, et m'étais élégamment drapé la tête d'une serviette de toilette. J'ai glissé un œil entre les lamelles du store.

C'était Ryan, avec deux sacs en carton et une pizza aussi grande qu'une plaque d'égout. Il avait laissé tomber veste et cravate, et roulé ses manches au-dessus des coudes.

Merde.

J'ai relâché le store et reculé d'un pas. Je pouvais éteindre la lumière et refuser de répondre. L'ignorer. Lui dire de ficher le camp.

J'ai de nouveau glissé un œil, pour croiser le sien, juste en face du mien.

— Je sais que vous êtes là, Brennan. Je suis enquêteur, ne l'oubliez pas.

Il a agité un des sacs devant moi.

— Coke.

Merde.

Ce n'est pas que je n'aimais pas Ryan. En fait, sa compagnie m'était plus agréable que celle de la plupart des gens. Plus que je ne voulais bien l'admettre. J'aimais sa manière de s'impliquer et la compassion qu'il montrait envers les victimes, leur famille. J'aimais son intelligence, son humour. Et j'aimais son histoire, le petit collégien qui avait dérapé, s'était retrouvé attaqué par un motard shooté à la coke, et qui passait dans l'autre camp. Le rebelle qui devenait un flic pur et dur. Il y avait là une sorte de symétrie poétique.

Et il était évident que j'appréciais son apparence

physique, mais un instinct supérieur me conseillait de garder mes distances.

Oh, et puis zut. Cela valait bien des pâtes collantes et de la sauce pleine de colorants.

J'ai bondi dans ma cabine pour passer un bermuda et me donner un coup de brosse. Puis j'ai levé le store, fait glisser la moustiquaire pour le laisser entrer. Il m'a tendu les boissons et la pizza, avant de faire le tour par l'arrière pour monter sur le bateau.

— J'en avais, du Coke, ai-je dit en refermant la moustiquaire.

— On n'en a jamais trop.

Je lui ai montré la cuisine, il a posé la pizza sur la table, a sorti une bière pour lui et un Coke pour moi, et a placé les autres canettes au réfrigérateur. J'ai pris les assiettes, les serviettes en papier et un grand couteau, pendant qu'il ouvrait le carton.

— Vous croyez que c'est plus nourrissant que les pâtes ?

— C'est une super-végétarienne.

— Et ça, c'est quoi ? ai-je dit en désignant un petit bout brun.

— Supplément bacon. Je voulais une représentation de tous les groupes alimentaires.

— Allons au salon.

On a tout posé sur la table à café et on s'est installés sur le canapé. L'odeur de marais et de bois humide flottait jusqu'à nous et se mêlait au parfum de la tomate et du basilic. Tout en mangeant, nous discutions des meurtres et de la probabilité que les victimes de Saint-Jovite aient un rapport avec Dom Owens.

Finalement, la conversation se fit plus personnelle. Je décrivis le Beaufort de mon enfance, racontai mes souvenirs d'étés sur la plage. Parlai de Katy, du fait que je m'éloignais de Pete. Il me parla de sa jeunesse en Nouvelle-Écosse, me fit des confidences sur la manière dont il vivait une séparation récente.

Les mots venaient facilement, naturellement. Je me

dévoilai bien plus que je n'aurais pu l'imaginer. Pendant les silences, nous écoutions le bruit de l'eau, le froissement des herbes sur le marais. J'oubliai la violence, la mort, et je m'abandonnai à une sensation que je n'avais pas éprouvée depuis bien longtemps. Celle de me détendre.

— Qu'est-ce que je suis bavarde, je n'en reviens pas, ai-je dit en ramassant les assiettes et les serviettes.

Ryan s'est penché pour prendre les canettes vides.

— Laisse-moi t'aider.

Nos bras se sont touchés et cela m'a fait comme un choc électrique. Sans un mot, nous avons rassemblé les reliefs du repas pour les rapporter à la cuisine.

En revenant au canapé, Ryan est resté debout devant moi un moment, puis, s'asseyant tout près, il a placé ses deux mains sur mes épaules et m'a fait pivoter. Au moment où j'allais répliquer, il a commencé à me masser la base du cou, les muscles des épaules, des bras. Ses mains glissaient le long de mon dos, remontaient lentement, les pouces imprimant un petit massage circulaire de chaque côté de ma colonne vertébrale. À la racine des cheveux, ses doigts ont poursuivi leur mouvement jusqu'à la base du crâne. J'ai fermé les yeux.

— Mmmm...

— Tu es très tendue.

C'était trop bon pour tout gâcher avec des paroles.

Ses mains sont redescendues sur ma taille, ses pouces travaillant les muscles de la colonne vertébrale, remontant centimètre par centimètre. Ma respiration s'est ralentie, je me sentais fondre.

Puis j'ai repensé à Harry. Et au fait que je n'avais pas de soutien-gorge.

Je me suis retournée brusquement, pour rompre le charme, et nos yeux se sont croisés. Il a eu un moment d'hésitation, puis, prenant mon visage en coupe, il a pressé ses lèvres contre les miennes. Ses doigts ont caressé mes joues, mes cheveux, puis il m'a pris dans ses bras, m'a serrée fort contre lui. J'ai voulu le repousser mais me suis arrêtée, les mains à plat contre sa poitrine. Elle était ferme, tout en muscles.

Je sentais la chaleur de son corps, son parfum. Le bout de mes seins pointait sous mon tee-shirt en coton. M'abandonnant contre lui, j'ai fermé les yeux et lui ai rendu son baiser.

Il me serrait fort, et nous nous sommes embrassés longuement. Lorsque j'ai mis mes bras autour de son cou, ses mains sont passées sous mon tee-shirt et ses doigts ont couru sur ma peau. L'effleurement avait la légèreté de la soie et des frissons me sont montés du bas du dos jusqu'en haut du crâne. J'ai creusé les reins pour me presser contre lui davantage, l'embrassant plus fort, ouvrant et fermant la bouche au rythme de sa respiration.

Sa main est redescendue sur ma taille, sur mon ventre, mes seins, d'une caresse circulaire de la même légèreté de plume. Il a introduit sa langue dans ma bouche et mes lèvres se sont refermées autour. La main sur mon sein, il lui imprimait un doux mouvement de haut en bas. Prenant le mamelon entre le pouce et l'index, il le pinçait et le relâchait au rythme de nos bouches qui s'aspiraient l'une l'autre.

J'ai remonté mes mains le long de son dos, et sa main est redescendue sur ma taille. Il me caressait le ventre, dessinant de petits cercles autour du nombril. Puis il a glissé ses doigts dans la ceinture de mon short. J'ai senti des décharges électriques monter vers mon plexus.

Nos bouches se sont finalement séparées. Il a couvert mon visage de baisers, a introduit sa langue dans mon oreille. Puis, m'étendant sur le divan, il s'est allongé contre moi, l'extraordinaire bleu de ses yeux planté dans les miens. Se tournant de côté, il m'a pris par la hanche pour m'attirer vers lui. Je sentais son sexe durci contre moi, et nous nous sommes embrassés encore et encore.

Au bout d'un long moment, il s'est écarté et, pliant

le genou, a pressé sa cuisse entre mes jambes. J'ai senti une explosion dans mes reins, le souffle m'a manqué. Sa main était de nouveau sous mon tee-shirt, caressant ma poitrine. Massant mon sein de la paume par des petits mouvements circulaires, il frottait son pouce contre mon mamelon. Je me suis cambrée avec un gémissement, le monde extérieur s'est évanoui. J'ai perdu toute notion du temps.

Des instants ou des heures plus tard, il a descendu sa main et j'ai senti qu'il baissait ma fermeture Éclair. J'ai enfoui mon nez dans son cou, sachant une chose avec certitude. Harry ou pas, je ne dirais pas non.

Quand le téléphone s'est mis à sonner.

Les mains de Ryan se sont posées sur mes oreilles et il m'a plaqué un baiser sur la bouche. J'y ai répondu, ma main agrippant ses cheveux dans sa nuque, vouant la compagnie de téléphone au diable. Il y a eu quatre sonneries, sans que nous bougions, puis le répondeur s'est enclenché. La voix était faible et difficile à entendre, comme si l'interlocuteur parlait à l'autre bout d'un long tunnel. Nous avons bondi tous les deux, mais il était trop tard.

Catherine avait raccroché.

20.

Après le coup de fil de Catherine, nous ne pouvions plus rattraper la situation. Ryan aurait été d'accord pour nous redonner une seconde chance, mais les pensées rationnelles avaient repris le dessus et je n'étais pas vraiment réceptive. J'avais manqué l'opportunité de parler avec Catherine, et, surtout, je savais qu'il me faudrait vivre désormais avec cette nouvelle donne sexuelle vue par Superflic-tête-de-nœud. J'avais beau avoir quelques orgasmes de retard et me sentir tout à fait prête à rattraper le temps perdu, j'avais l'intuition que le prix en serait trop élevé.

J'ai mis Ryan dehors et me suis glissée sous la couette, négligeant brossage de dents et routine du soir. Ma dernière image avant de sombrer remontait à mes petites classes : sœur Luke nous faisant une leçon sur le passif de nos péchés. Mes ébats avec Ryan devaient lui avoir infligé un sacré mouvement à la hausse.

Je me suis réveillée aux cris des goélands et à la lumière du soleil. Avec un immédiat flash-back de ma séance sur le canapé. De honte, je me suis couvert le visage des deux mains, me sentant comme une collégienne qui s'est laissé embrasser dans une Pontiac.

Brennan ! Mais à quoi pensais-tu ?

La question n'était pas là. Le problème était justement *ce* qui me permettait de penser. Edna Saint

Vincent Millay avait écrit un poème à ce sujet. Comment s'intitulait-il déjà : *Je suis née femme et éplorée.*

Sam appela à huit heures pour me dire que l'enquête Murtry ne débouchait sur rien. Personne n'avait rien vu d'anormal. Aucun bateau bizarre n'avait été aperçu approchant ou quittant l'île dans les dernières semaines. Il voulait savoir si j'avais eu des nouvelles de Hardaway.

Je lui dis que je n'en avais pas. Il partait à Raleigh pour quelques jours et voulait s'assurer qu'on s'occupait de moi.

Oh, que oui...

Il m'expliqua comment fermer le bateau, où laisser la clé, et nous nous dîmes au revoir.

J'étais en train de déchirer le carton de la pizza pour le mettre dans la poubelle, quand j'ai entendu frapper. J'ai su d'instinct qui c'était et je n'ai pas bougé. Mais le toc-toc s'entêtait, insistant comme un appel de fonds sur une radio publique. Au bout d'un moment, j'ai craqué. J'ai soulevé le store, pour retrouver Ryan exactement là où il s'était tenu la veille.

— Bonjour.

Il a levé vers moi un sac de beignets.

— Tu te recycles dans la livraison à domicile ? ai-je dit en ouvrant la moustiquaire.

Une seule allusion et je lui tranchais la gorge.

Il est monté sur le pont, a grimacé un sourire et m'a tendu gracieusement cette nourriture hautement calorique et nutritivement nulle.

— Cela accompagne bien le café.

Je suis retournée dans la cuisine, j'ai rempli deux tasses de café, ajoutant une goutte de lait dans la mienne.

— Il fait un temps magnifique.

Il a étendu le bras pour prendre le lait.

— Mmm...

J'ai choisi un double chocolat et me suis adossée à l'évier. Pas question de me rasseoir sur le canapé.

— J'ai déjà parlé à Baker...

Silence.

— Il nous retrouve à trois heures.

— Je serai sur la route à trois heures.

J'ai pris un autre beignet.

— Je pense que nous devrions tenter une autre petite visite de courtoisie, a dit Ryan.

— Oui.

— On pourra peut-être coincer Catherine seule.

— C'est ta spécialité apparemment.

— Tu vas tirer cette gueule toute la journée ?

— Je chanterai probablement à tue-tête quand je serai sur la route.

— Je ne suis pas venu ici dans l'idée de te séduire.

Ce qui m'a froissée encore plus.

— Laisses-tu entendre que, ma sœur et moi, nous ne sommes pas dans la même catégorie ?

— Comment ?

Nous avons bu notre café en silence. Je me suis versé une seconde tasse et j'ai reposé ostensiblement la cafetière. Il a observé mon manège, est allé la reprendre et s'est resservi aussi.

— Tu penses que Catherine a vraiment quelque chose à nous dire ?

— Elle m'a sans doute téléphoné pour m'inviter à une soirée spaghettis.

— Alors là, c'est qui la chieuse ?

— Merci de l'avoir remarqué.

J'ai rincé ma tasse et l'ai reposée, renversée, sur la table.

— Écoute, si tu es gênée par l'histoire d'hier soir...

— Je devrais l'être ?

— Bien sûr que non.

— Tu me délivres d'un poids.

— Brennan, je ne vais pas te sauter dessus dans la salle d'autopsie ni te tripoter entre deux cellules. Ce qu'il peut y avoir entre nous n'influencera en rien notre relation professionnelle.

— Les chances sont faibles. Aujourd'hui, j'ai un soutien-gorge.

— Je vois.

Il a grimacé un sourire.

Je suis allée à l'arrière prendre mes affaires.

Une demi-heure plus tard, nous étions garés devant la ferme. Dom Owens était assis sur la véranda et discutait avec des gens. À travers la moustiquaire, il était impossible de les décrire, si ce n'était le sexe. Des hommes, tous les quatre.

Une équipe était au travail dans le jardin, derrière le bungalow blanc, et deux femmes poussaient des enfants sur les balançoires à côté des roulottes. D'autres étendaient du linge. Une camionnette bleue était garée dans l'allée. Je ne voyais la blanche nulle part.

J'ai bien observé le visage des femmes près de la balançoire. Catherine n'y était pas, et pourtant un des enfants me paraissait ressembler à Carlie. Une femme en jupe fleurie le poussait d'un lent mouvement de métronome.

Nous nous sommes avancés vers la porte et j'ai frappé. Les hommes ont interrompu leur conversation et se sont tournés vers nous.

— Puis-je vous aider ? a demandé une voix aiguë.

— C'est bon, Jason, a dit Owens en levant la main.

Il a traversé la véranda pour venir ouvrir la porte moustiquaire.

— Excusez-moi... je pense que je ne sais même pas vos noms.

— Je suis le lieutenant Ryan. Et voici le docteur Brennan.

Owens a souri et s'est engagé dans l'escalier. Je lui ai adressé un signe de tête et ai échangé à mon tour une poignée de main. Les autres, dans la véranda, ne bougeaient plus un cil.

— En quoi puis-je vous aider aujourd'hui ?

— Nous essayons toujours de savoir où Heidi Schneider et Brian Gilbert ont passé l'été dernier. Vous deviez évoquer la question durant votre réunion de famille ?

La voix de Ryan était totalement dénuée de chaleur.

Owens a encore souri.

— Notre session de vécu. Oui, nous en avons discuté. Malheureusement, cela ne disait rien à personne. Je suis vraiment désolé. J'aurais aimé que nous puissions vous aider.

— Je désirerais parler avec les membres de votre groupe, si c'était possible.

— Je suis désolé, je ne peux pas vous appuyer dans cette démarche.

— Et pourquoi ?

— Nos membres vivent ici afin de trouver paix et refuge. Nombreux sont ceux qui refusent tout contact avec la pourriture et la violence de la société moderne. Vous, monsieur Ryan, représentez le monde qu'ils ont rejeté. Il m'est impossible de violer leur sanctuaire en leur demandant de venir vous parler.

— Certains de vos adeptes travaillent en ville.

Owens a hoché la tête et regardé vers le ciel comme pour s'armer de patience. Puis il a accordé à Ryan un nouveau sourire.

— L'une des capacités que nous cherchons à développer est de pouvoir se construire une bulle protectrice. Tous ne sont pas également doués dans ce domaine, mais certains de nos membres apprennent à évoluer dans le monde séculier tout en se préservant aussi bien de la pollution morale que physique... — Nouveau sourire patient. — Nous rejetons le caractère profane de votre culture, monsieur Ryan, mais nous ne sommes pas fous. Nous savons qu'un homme ne vit pas que d'esprit. Nous avons aussi besoin de pain.

Pendant qu'il parlait, j'examinais attentivement le groupe de femmes dans le potager. Pas de Catherine.

— Chacun ici est libre d'aller et de venir ? ai-je demandé en me tournant vers Owens.

— Bien sûr, a-t-il dit en riant. Comment pourrais-je les en empêcher ?

— Que se passe-t-il quand quelqu'un veut s'en aller pour de bon ?

— Il s'en va.

Il a haussé les épaules et écarté les mains.

Silence. Le couinement des cordes nous parvenait du dehors.

— Je pensais que votre jeune couple était peut-être resté ici brièvement, pendant une de mes absences par exemple, a avancé Owens. Ce qui est peu fréquent, mais cela s'est déjà produit. Cependant, j'ai bien peur que ce ne soit pas le cas. Personne ici ne se souvient ni de l'un ni de l'autre.

Juste à ce moment, Howdy Doody est sorti de derrière la maison voisine. Quand il nous a vus, il a eu un moment d'hésitation, puis, faisant demi-tour, il s'est empressé de repartir dans la direction d'où il était venu.

— J'aimerais quand même parler à certains d'entre eux, a dit Ryan. Quelqu'un pourrait savoir quelque chose, auquel il n'accorde pas d'importance. Ce qui est très fréquent.

— Monsieur Ryan, je ne permettrai pas qu'on harcèle mes frères. J'ai posé la question et personne ne connaît votre jeune couple. Qu'y a-t-il d'autre à dire ? Je crains de ne vraiment pas pouvoir vous autoriser à venir déranger notre quotidien.

Ryan a redressé la tête et a eu un petit claquement de langue.

— Je crains que vous n'ayez pas le choix, Dom.

— Et pourquoi ?

— Parce que je ne lâcherai pas. J'ai un ami qui s'appelle Baker. Vous vous souvenez de lui ? Et il a, lui, des amis qui lui donnent ce qu'on appelle des mandats de perquisition.

Leurs regards étaient soudés et il y eut un moment de silence total. J'ai entendu les hommes sur la véranda se lever et un chien aboyer au loin. Puis Owens a souri et s'est éclairci la gorge.

— Jason, peux-tu demander à tout le monde de se rassembler dans le salon ?

Sa voix était basse et éteinte.

Il a reculé d'un pas et un grand type, vêtu d'une tenue de jogging rouge, est passé devant lui pour se diriger vers la maison voisine. Il donnait une impression de mollesse et son embonpoint le faisait ressembler à Oliver Hardy. Il s'est baissé pour caresser un chat, puis a continué son chemin vers le jardin.

— Entrez, je vous prie, a dit Owens en ouvrant la porte moustiquaire.

Nous l'avons suivi dans la petite pièce où nous étions la veille, pour nous asseoir sur le même canapé de rotin. La maison était très silencieuse.

— Si vous voulez bien m'excuser, je reviens tout de suite. Avez-vous besoin de quelque chose ?

Nous lui avons répondu que non et il a quitté la pièce. Au-dessus de nos têtes, un ventilateur ronronnait légèrement. Bientôt, des voix et des rires se sont fait entendre, puis la porte moustiquaire a grincé. Au fur et à mesure que les ouailles d'Owens entraient, je les passais en revue. Je sentais que Ryan s'y appliquait aussi.

En quelques minutes, la pièce était bondée, et je ne pouvais conclure qu'une chose : l'assemblée ne présentait rien de remarquable. Cela aurait aussi bien pu être un groupe de baptistes à leur pique-nique annuel d'été. Ils plaisantaient, riaient et semblaient tout sauf angoissés.

Il y avait des bébés, des adultes et même un septuagénaire, mais ni adolescent ni enfant. J'ai fait un rapide décompte : sept hommes, treize femmes, trois petits.

Hélène avait dit qu'ils étaient vingt-six à vivre dans la commune rurale.

J'ai reconnu Howdy Doody et Hélène. Jason était adossé contre le mur. El se tenait près de l'arcade, avec Carlie sur la hanche. Elle me fixait intensément. Je lui ai souri en pensant à notre rencontre de l'après-midi précédent. Son expression est restée impassible.

J'ai examiné les autres. Il n'y avait pas de Catherine.

Owens est revenu et tout le monde s'est tu. Il a fait les présentations, a expliqué pourquoi nous étions là. Les adultes ont écouté attentivement, avant de se tourner vers nous. Ryan a tendu la photo à un homme d'une quarantaine d'années sur sa gauche, a raconté ce qui s'était passé, sans entrer dans des détails inutiles. L'homme a examiné la photo, l'a passée à son voisin. Tandis qu'elle circulait, j'observais chaque visage, guettant le moindre changement d'expression pouvant indiquer une reconnaissance. Mais je n'ai vu qu'étonnement et compassion.

Quand Ryan en a eu terminé, Owens a repris la parole, pour demander si quelqu'un avait quelque chose à dire sur le couple ou sur les coups de téléphone. Silence.

— M. Ryan et le docteur Brennan ont demandé la permission de vous interroger individuellement.

Owens les a regardés l'un après l'autre.

— Sentez-vous libres de parler avec eux. Si une pensée vous agite, faites-leur-en part avec honnêteté et compassion. Nous ne sommes pas responsables de cette tragédie, mais nous appartenons au grand tout cosmique et devons faire ce qui est en notre pouvoir pour rétablir l'ordre dans ce bouleversement. Faites-le au nom de l'harmonie.

Tous les yeux étaient fixés sur lui, et je sentais beaucoup d'intensité dans la pièce.

— Que ceux d'entre vous qui ne peuvent rien dire ne ressentent ni culpabilité ni honte... — Il a frappé dans ses mains. — Bien. Travaillez et allez en paix !

Que la puissance holistique s'exprime au travers de la responsabilité collective.

Pitié, me suis-je dit en mon for intérieur. Quand ils furent tous partis, Ryan l'a remercié.

— Vous n'êtes pas à Waco ici, monsieur Ryan. Nous n'avons rien à cacher.

— Nous espérions parler avec la jeune femme que nous avons vue hier, ai-je dit.

Il m'a regardée, puis, après un moment de silence :

— Une jeune femme ?

— Oui. Elle est entrée ici avec un bébé. Carlie, si je ne m'abuse ?

Il m'a fixée si longtemps que j'ai pensé que peut-être il avait oublié. Puis j'ai eu droit à son sourire owénien.

— Il doit s'agir de Catherine. Elle avait un rendez-vous aujourd'hui.

— Un rendez-vous ?

— Et pourquoi vouliez-vous la voir ?

— Elle semble avoir à peu près l'âge de Heidi. Imaginons qu'elles ont pu s'être rencontrées.

Quelque chose me disait de ne pas parler de la pause-jus de fruits de la veille.

— Catherine n'était pas là l'été dernier. Elle était partie chez ses parents.

— Je vois. Et quand sera-t-elle de retour ?

— Je ne sais pas exactement.

La porte moustiquaire s'est ouverte, et un homme de grande taille est apparu dans le couloir. Il était maigre comme un épouvantail, et une barre décolorée barrait ses sourcils droits et ses cils, lui donnant un bizarre air de guingois. Pendant la réunion, il s'était tenu près de l'entrée et avait joué avec un des petits.

Owens a levé un doigt. Épouvantail a hoché la tête et montré l'arrière de la maison. Il portait une grosse bague qui paraissait incongrue sur son long doigt osseux.

— Je suis désolé, j'ai des choses à faire, a dit

Owens. Parlez à qui vous voulez, mais respectez, je vous prie, notre désir d'harmonie.

Il nous a poussés vers la porte et a tendu la main. En tout cas, Dom avait une poignée de main exceptionnelle. Il a dit qu'il était heureux que nous soyons venus et nous a souhaité bonne chance. Puis il est parti.

Nous avons passé le reste de la matinée à parler aux adeptes. Ils étaient ouverts, coopérants et dans une harmonie parfaite. Et pour ce qu'ils savaient, c'était un gros zéro. Y compris en ce qui concernait le rendez-vous de Catherine.

À onze heures et demie, nous n'en savions pas plus qu'en arrivant.

— Allons remercier le révérend, a dit Ryan en sortant un trousseau de clés de sa poche.

Elles étaient accrochées à un grand disque en plastique, et ce n'étaient pas celles de la voiture.

— Et en quel honneur ?

J'avais faim, chaud et hâte de m'en aller d'ici.

— Simple question d'éducation.

J'ai levé les yeux au ciel, mais Ryan était déjà au milieu du jardin. Je l'ai vu frapper à la porte moustiquaire, parler à l'homme avec les sourcils blancs. Un moment plus tard, Owens est sorti. Ryan lui a dit quelque chose, a tendu la main, puis, comme des marionnettes, les trois hommes se sont accroupis, puis redressés brusquement. Ryan a encore dit quelque chose, puis, faisant demi-tour, est revenu vers la voiture.

Après le déjeuner, nous avons encore tenté notre chance dans des pharmacies, avant de regagner le centre gouvernemental. J'ai montré à Ryan le bureau des archives, puis nous avons traversé le terrain jusqu'au bâtiment de la police. Un Noir, en débardeur et chapeau, sillonnait la pelouse sur son petit tracteur, les genoux osseux pointés vers l'extérieur comme des jambes de sauterelle.

— Comment ça va ? a-t-il dit en touchant le rebord de son chapeau.

— Bien.

En répondant cela, j'ai humé l'odeur d'herbe coupée et espéré que c'était vrai.

Baker était au téléphone quand nous avons pénétré dans son bureau. Il nous a fait signe de prendre une chaise et, après quelques mots, il a raccroché.

— Alors, comment ça va ? a-t-il demandé.

— Ça va nulle part, a dit Ryan. Personne ne sait rien.

— On peut faire quelque chose ?

Ryan a soulevé sa veste, en a sorti une pochette transparente qu'il a posée sur le bureau. S'y trouvait le disque en plastique.

— Une recherche d'empreinte là-dessus.

Baker l'a regardé.

— Je l'ai fait tomber accidentellement. Owens a été assez aimable pour le ramasser.

Baker a hésité, puis a souri en hochant la tête.

— Vous savez que ce n'est pas une preuve dont on pourrait se servir.

— Je sais. Mais cela peut nous dire qui est cette enflure.

Baker a mis le sac de côté.

— À part ça ?

— Écoutes téléphoniques ?

— Impossible. Il n'y a pas assez d'éléments.

— Mandat de perquisition ?

— Pour quel motif ?

— Les appels téléphoniques...

— Pas suffisant.

— C'est ce que je pensais.

Ryan a poussé un soupir et étendu les jambes.

— Alors, je vais utiliser les grands moyens. Commencer par les actes notariés et les déclarations fiscales, savoir à qui appartient la gentilhommière d'Adler-Lyons. Vérifier auprès des compagnies d'électricité et de téléphone qui paie les factures. Parler avec les gars de la poste, savoir s'il y en a un qui reçoit des *Playboy* ou le Catalogue printemps-été de J. Crew. Faire une recherche avec le numéro d'assurances sociales d'Owens, voir s'il a été marié, ce genre de chose. Je suppose qu'il a un permis de conduire, ce qui peut me donner une piste. Si notre pasteur a un jour pissé de travers, je le coince. Je vais peut-être surveiller un peu, voir les voitures qui entrent et sortent de la propriété, contrôler les plaques. J'espère que vous ne voyez pas d'inconvénient à ce que je m'attarde dans le coin.

— Vous êtes le bienvenu à Beaufort, aussi longtemps que vous le désirez, monsieur Ryan. Je vais vous donner un agent pour vous assister dans vos démarches. Et vous, docteur Brennan, quels sont vos plans ?

— Je me prépare à partir. J'ai des cours à préparer, et les cas Murtry de M. Colker m'attendent.

— Baxter sera ravi d'entendre cela. Il a appelé pour dire que le docteur Hardaway souhaitait vous parler le plus tôt possible. En fait, cela fait trois messages qu'il laisse aujourd'hui. Vous pouvez utiliser mon téléphone pour le rappeler si vous voulez.

Il ne serait pas dit que je ne saisissais pas les allusions.

— Oui, merci.

Baker a demandé à Ivy Lee de joindre Hardaway. Très vite, le téléphone a sonné et j'ai pris la ligne.

Le médecin légiste avait terminé ce qui lui semblait relever de son expertise. Pour le corps du dessous, il avait été en mesure de déterminer le sexe, et la forte probabilité qu'il s'agisse d'une personne de race blanche. Selon lui, la cause de la mort était liée à de multiples entailles, mais la décomposition était trop avancée pour en spécifier la nature exacte.

La faible profondeur de la tombe avait favorisé la pénétration des insectes, qui s'étaient probablement servis du corps du dessus comme conduit. Les plaies ouvertes avaient également facilité la colonisation. Le crâne et la cage thoracique contenaient la plus grande concentration d'asticots qu'il ait jamais vue. Le visage était méconnaissable et il n'était pas en mesure de faire une estimation d'âge. Il pensait avoir relevé quelques empreintes pertinentes.

Derrière, Ryan et Baker discutaient d'Owens.

Hardaway a continué. Le corps du dessus en était largement au stade du squelette, malgré la persistance de quelques tissus conjonctifs. Il ne pouvait pas faire grand-chose et me demandait de procéder à une analyse complète.

Je lui ai dit de m'envoyer le crâne, les os du bassin, les clavicules et l'extrémité côté sternum de la troisième à la cinquième côte pour le corps du fond. Quant à l'autre, j'avais besoin du squelette complet. Je lui ai également demandé des radios de chacune des victimes, une copie de son rapport et un jeu complet des photos d'autopsie.

Je lui ai ensuite expliqué comment je souhaitais qu'il conditionne les os pour le transport. Hardaway connaissait la procédure et a déclaré que tout, corps et documents, me parviendrait à mon laboratoire de Charlotte vendredi.

J'ai raccroché et regardé ma montre. Si je conservais le moindre espoir de tout boucler avant mon départ pour le congrès d'Oakland, j'avais intérêt à me bouger.

Ryan m'a raccompagnée jusqu'au parking où j'avais laissé la voiture le matin. Le soleil était chaud et cela faisait du bien de se mettre à l'ombre. J'ai ouvert ma portière et y ai appuyé mon bras.

— Si nous allions manger quelque part ? a dit Ryan.

— Bien sûr. Puis je passerai un string et on prendra des photos pour le *New York Times*.

— Brennan, ça fait maintenant deux jours que tu me traites comme si j'étais un chewing-gum sur le trottoir. À vrai dire, à bien y réfléchir, cela fait au moins quinze jours qu'on dirait que tu en as plein le cul. D'accord, j'en prends mon parti.

Il m'a pris le menton et m'a regardée droit dans les yeux.

— Mais je veux que tu saches une chose. Hier soir, ce n'était pas une histoire d'hormones. J'ai beaucoup d'affection pour toi et j'étais heureux en chris qu'on se retrouve proches comme ça. Je ne suis pas désolé de ce qui s'est passé. Et je ne peux pas promettre que je n'essaierai pas encore. Mais n'oublie pas, si je suis le vent, c'est toi qui tiens le cerf-volant. Sois prudente.

Sur ces mots, il a lâché mon menton et s'est dirigé vers sa voiture. Il a déverrouillé sa portière, a jeté sa veste sur le siège du passager. Puis il s'est retourné vers moi.

— À propos, tu ne m'as jamais dit pourquoi, à ton avis, les victimes de Murtry ne seraient pas des dealers.

Cela m'a pris un moment avant d'être capable de réagir. J'avais envie de rester et, en même temps, j'aurais voulu mettre des continents entre nous. Puis j'ai repris mes esprits.

— Pardon ?

— Les cadavres sur l'île. Pourquoi tu ne crois pas à la piste de la drogue ?

— Parce que ce sont deux femmes.

21.

Une fois dans la voiture, j'ai allumé la radio, mais les nouvelles du lac Wobegon ne retenaient pas mon attention. J'avais un million de questions et très peu de réponses. Anna Goyette était-elle revenue chez elle ? Qui étaient les filles enterrées sur Murtry ? Que m'apprendrait l'analyse de leurs ossements ? Qui avait tué Heidi et ses bébés ? Y avait-il un lien entre Saint-Jovite et la communauté de Saint Helena ? Qui était ce Dom Owens ? Où était Katy ? Où diable était passée Harry ?

Je tournais et retournais dans ma tête tout ce que j'avais à faire. Et ce que je voulais faire. Je n'avais pas lu une ligne sur Élisabeth Nicolet depuis mon départ de Montréal.

À huit heures et demie, j'étais à Charlotte. Durant mon absence, le parc de Sharon Hall avait revêtu ses plus beaux atours printaniers. Les azalées et les cornouillers étaient en pleine floraison, il restait encore quelques fleurs sur les poiriers de Bradford et sur les pommiers sauvages. Le parfum d'aiguilles de pin et de débris d'écorce remplissait l'air. Quant à mon entrée dans l'Annexe, ce fut une répétition de la semaine précédente. Le tic-tac de l'horloge. Le clignotant du répondeur. Le réfrigérateur vide.

Les écuelles de Birdie étaient à leur place habituelle, devant la porte-fenêtre. Bizarre que Pete ne les ait pas nettoyées. Autant il était désordonné pour tout le reste, autant mon étrange mari était méticuleux pour tout ce qui touchait à la nourriture. Je fis une rapide tournée d'inspection, histoire de voir si le chat n'était pas caché sous une chaise ou dans un placard. Pas de Bird.

J'appelai Pete, mais, comme la dernière fois, il n'était pas là. Pas plus que Harry chez moi, à Montréal. Pensant qu'elle était peut-être rentrée, j'essayai chez elle au Texas. Pas de réponse.

Mes affaires rangées, je m'installai devant un match des Hornets, avec un sandwich au thon accompagné de chips et de pickles. À dix heures, j'éteignis la télé et rappelai Pete. Toujours pas de réponse. L'idée me traversa l'esprit de reprendre la voiture pour aller chercher Birdie, mais, après réflexion, je reportai cela au lendemain.

Une bonne douche, puis je me suis mise au lit avec les photocopies de Bélanger, pour un moment d'évasion dans l'univers montréalais du XIXe siècle. Le texte de Louis-Philippe ne s'était pas amélioré entre-temps, et cela a pris à peine une heure avant que mes paupières se ferment. La lumière éteinte, je me suis roulée en chien de fusil, avec l'espoir qu'une bonne nuit de sommeil me remettrait les idées en place.

Deux heures plus tard, j'étais assise droite sur mon lit, le cœur battant la chamade, l'esprit aux cent coups cherchant désespérément à comprendre la raison d'une telle panique. La couverture serrée contre moi, la respiration retenue, j'essayais d'identifier la menace qui m'avait ainsi mise sur le qui-vive.

Silence. La seule lumière de la pièce provenait du réveil sur ma table de chevet.

Puis un bruit de vitre brisée. Mes cheveux se sont dressés sur ma tête. Mon taux d'adrénaline était à marée haute. Flash-back d'une autre effraction : les yeux de reptile, le couteau qui luisait dans la clarté lunaire. Une pensée, qui jaillit de mon cerveau : *Non. Pas ça.*

Crash ! Bang !

Si !

Le bruit ne venait pas du dehors. Mais du rez-de-chaussée ! Dans la maison ! Diverses possibilités ont fusé dans mon esprit.

Barricade-toi. Va voir. Appelle la police.

Puis j'ai senti une odeur de fumée.

Merde !

J'ai rejeté la couverture et tâtonné dans la chambre, en essayant de trouver quelques bribes de pensées raisonnables en deçà de la terreur. Une arme. Il me fallait une arme. Qu'est-ce que je pouvais prendre ? Pourquoi est-ce que je me refusais toujours à garder un revolver ?

Dans l'armoire, j'ai déniché une conque marine que j'avais ramassée sur la côte. Cela ne me permettrait pas de tuer qui que ce soit, mais les piquants pouvaient pénétrer dans les chairs et causer quelques dégâts. Je l'ai empoignée, la partie acérée vers l'avant, les doigts glissés dans la fente, le pouce serrant le rebord extérieur.

Retenant ma respiration, je me suis approchée de la porte sur la pointe des pieds, mes mains palpant les surfaces familières comme si je lisais du braille. L'armoire. Le rebord de la porte. Le couloir.

Arrivée en haut des escaliers, j'ai fait une halte, plongeant du regard dans l'obscurité. Le sang me martelait les tympans. Main crispée sur le coquillage, j'ai tendu l'oreille. Aucun bruit en provenance du rez-de-chaussée. S'il y avait quelqu'un en bas, il fallait qu'il reste en haut. Que je téléphone. S'il y avait le feu en bas, il fallait que je sorte.

J'ai pris ma respiration et placé le pied sur la première marche. Puis sur la deuxième. La troisième. Genoux fléchis, coquillage levé à hauteur des épaules, je me glissai le long de l'escalier. L'odeur âcre devenait plus étouffante. Fumée. Essence. Et autre chose. Qui m'était familier.

Au pied de l'escalier, je me suis arrêtée, sentant remonter en moi le souvenir de ce qui s'était passé à Montréal un an plus tôt. Cette fois-là, c'était un assassin qui avait pénétré chez moi et qui se tenait caché, prêt à bondir.

Non, ça ne peut pas recommencer. Appelle la police, fais le 911 ! Fous le camp !

J'ai contourné la rampe, jeté un œil dans la salle à manger. Noir total. Volte-face vers le salon. Obscurité là aussi, mais bizarrement altérée.

L'extrémité de la pièce se teintait de bronze dans une lueur diffuse. Cheminée, fauteuil XVIIIe, meubles et tableaux luisaient faiblement, comme à travers un mirage. Par la porte de la cuisine, j'ai aperçu une lumière orange danser devant le réfrigérateur.

Iiiiiiiiiiiiiiiiiiiiiiiiii... !

Le hurlement aigu qui a fendu le silence a broyé ma poitrine. J'ai fait un saut et le coquillage est venu frapper contre le mur. Je m'y suis adossée, jambes tremblantes. La sirène du détecteur de fumée...

J'ai guetté un mouvement, mais rien ne bougeait en dehors de cette lueur vacillante dans le noir.

La maison brûle. Remue-toi !

Le cœur me tambourinait contre les côtes. Respirant par hoquets, j'ai bondi dans la cuisine. Un feu crépitait, reflété par toutes les surfaces brillantes. La pièce était complètement enfumée.

D'une main tremblante, j'ai trouvé l'interrupteur et allumé. Mes yeux ont volé vers la droite, vers la gauche. Le paquet enflammé était posé en plein milieu de la pièce. Les flammes n'avaient pas eu le temps de se propager.

J'ai posé le coquillage et, plaquant le bord de ma chemise de nuit contre ma bouche, courbée en deux, j'ai fait le tour jusqu'au placard. Le petit extincteur se trouvait en haut des étagères. La fumée m'emplissait les poumons, les larmes me brouillaient la vue, mais j'ai quand même réussi à presser la poignée. Ce qui n'a produit qu'un sifflement.

Merde !

En toussant, à moitié asphyxiée, j'ai appuyé encore. Nouveau sifflement, puis un jet de neige carbonique a jailli du bec.

Oui !

J'ai dirigé le jet sur les flammes et, en moins d'une minute, le feu était éteint. L'alarme hurlait toujours, me vrillant les tympans comme des pointes d'acier qui auraient transpercé mon cerveau.

Ayant ouvert la porte de la cuisine et la fenêtre au-dessus de l'évier, je suis revenue vers la table. Mais pour cette fenêtre-là, c'était inutile. On avait défoncé la vitre, le cadre et le sol étaient jonchés de débris de verre et de bois. Des petites sautes de vent jouaient dans les rideaux, les gonflant ou les aspirant dans le trou béant.

Une fois le ventilateur branché, j'ai chassé la fumée vers l'extérieur en agitant une serviette. L'air s'est peu à peu éclairci.

Je me suis essuyé les yeux et j'ai tenté de contrôler ma respiration.

Continue à éventer !

L'alarme hurlait toujours.

Mon bras s'est immobilisé et mes yeux ont fait le tour de la pièce. Il y avait un parpaing sous la table, un autre contre le placard de l'évier. Les restes calcinés du paquet se trouvaient entre les deux. L'odeur de fumée et d'essence emplissait la pièce. Ainsi qu'une autre, qui m'était connue.

Les jambes flageolantes, je me suis avancée vers le tas qui fumait encore. Je le regardais sans comprendre, quand l'alarme s'est interrompue. Ce brutal silence était surnaturel.

Appelle le 911.

Ce n'était pas nécessaire. Au moment où je posai la

main sur le téléphone, une sirène s'est fait entendre au loin. Qui s'est rapprochée, de plus en plus, s'est tue. Un instant plus tard, il y avait un pompier à la porte.

— Ça va, m'dame ?

J'ai hoché la tête et croisé les bras sur ma poitrine, gênée de ma tenue.

— Votre voisine a appelé.

Sa jugulaire se balançait sous son menton.

— Oh.

J'en oubliais ma chemise de nuit. J'étais de retour à Saint-Jovite.

— Tout va vraiment bien ?

Nouveau hochement de tête. Saint-Jovite. Un déclic était sur le point de se faire.

— Cela vous ennuie que je vérifie ?

J'ai reculé d'un pas. D'un regard, il a pris la mesure des dégâts.

— Un maudit tour de cochon. V' savez qui a pu lancer ça par votre fenêtre ?

J'ai fait signe que non.

— Ils ont dû casser la vitre avec les briques, puis expédier ce truc à l'intérieur.

Il s'est approché du paquet.

— Ils ont dû le tremper dans l'essence, y foutre le feu et le balancer.

J'entendais ce qu'il me disait mais j'étais dans l'incapacité de répondre. Mon corps était verrouillé, et mon esprit essayait d'extirper du fin fond de mon cerveau la pensée informe qui s'y trouvait.

Le pompier a pris la petite pelle qu'il portait glissée sous sa ceinture, a déplié la lame et a tapoté le tas qui continuait à fumer sur le sol de ma cuisine. Des particules noires ont voleté, avant de se déposer autour. Il a pris le paquet par en dessous et l'a basculé.

— On dirait un sac de jute. Du genre sac de graines. Qu'est-ce qu'il peut bien y avoir là-dedans ?

Il l'a raclé du bout de la pelle, et d'autres particules

de suie ont voltigé. Il a continué à gratter, plus fort, en virant le sac d'un bord et de l'autre.

L'odeur s'est confirmée. Saint-Jovite. Salle d'autopsie n° 3. La mémoire m'est revenue d'un coup et une onde glacée m'a parcourue de la tête aux pieds.

Ouvrant mon tiroir de cuisine d'une main tremblante, j'en ai sorti une paire de ciseaux. Sans plus tenir compte de ma tenue, je me suis accroupie pour couper la toile du sac.

C'était un corps de petite dimension, dos arqué, pattes contractées par la chaleur. Un œil racorni, un petit bout de mâchoire avec des dents toutes noires. Le pressentiment horrible me mettait au bord de l'évanouissement.

NON ! Pitié, non !

De plus près, l'odeur de chair et de poils brûlés a rouvert les portes de ma mémoire. Une queue recourbée et noircie serrée entre les pattes arrière, les vertèbres saillant telles des épines sur un pied de rosier.

Les larmes me coulaient le long des joues tandis que je continuais à couper. Près du nœud, il y avait des touffes de poils encore blancs.

Les deux écuelles, à moitié remplies.

— Nooooooooooooon !

La voix a résonné à mes oreilles, mais cela ne semblait pas la mienne.

— Non ! Non ! Non ! Je vous en supplie, mon Dieu, non !

Des mains sur mes épaules, puis sur mes mains. Puis me prenant les ciseaux, me relevant gentiment. Des voix.

J'étais maintenant dans le salon, enveloppée d'une couverture. Les sanglots, la souffrance me secouaient de spasmes.

Je ne sais pas combien de temps cela a duré, mais quand j'ai levé les yeux, ma voisine était devant moi. Elle me montrait une tasse du doigt.

— C'est quoi ?

Ma poitrine se soulevait par saccades.

— De la menthe.

— Merci.

J'ai bu, c'était tiède.

— Quelle heure est-il ?

— Un peu passé deux heures.

Elle était en chaussons et son manteau ne couvrait pas totalement sa chemise de nuit en flanelle. Bien que nous nous fassions régulièrement signe de part et d'autre de la haie et échangions des salutations en nous croisant dans la rue, c'était à peine si je la connaissais.

— Je suis réellement désolée de vous avoir fait lever au milieu de la...

— Je vous en prie, docteur Brennan. Nous sommes voisines. Vous auriez fait la même chose pour moi.

J'ai repris une gorgée. Mes mains étaient glacées mais tremblaient déjà moins.

— Les pompiers sont encore là ?

— Non, ils sont partis. Ils disent que vous pourrez remplir une déclaration quand vous vous sentirez mieux.

— Est-ce qu'ils ont emmené... ?

Ma voix s'est cassée et j'ai senti les larmes au bord de mes paupières.

— Oui. Est-ce que je peux vous apporter autre chose ?

— Non, merci. Ça va aller. Vous avez été très gentille.

— Je suis désolée pour les dégâts chez vous. On a mis une planche sur la fenêtre. Ce n'est pas élégant, mais cela arrêtera le vent.

— Vraiment, merci beaucoup. Je...

— Ce n'est rien, je vous assure. Vous feriez bien d'aller dormir un peu. Peut-être cela vous semblera-t-il moins terrible demain matin.

La pensée de Birdie m'a fait appréhender le lendemain. Avec un dernier espoir, j'ai pris le téléphone pour appeler Pete. Pas de réponse.

— Ça va aller ? Vous voulez que je vous aide à monter ?

— Non. Merci. Je vais y arriver.

Après son départ, je me suis traînée jusqu'à mon lit où je me suis endormie après avoir déversé toutes les larmes de mon corps dans de violents et profonds sanglots.

Je me suis réveillée avec la sensation que quelque chose n'allait pas. Que quelque chose avait changé. Était perdu. Puis ma pleine conscience m'est revenue, et la mémoire.

C'était une douce matinée de printemps. Derrière les vitres, le ciel était bleu, le soleil brillait, l'air était imprégné de l'odeur des fleurs. Mais la beauté de la journée ne pouvait alléger ma détresse.

Le pompier à la caserne qui répondit à mon appel me dit que la pièce à conviction avait été envoyée au labo de criminologie. Avec le sentiment d'être en plomb, je procédai aux gestes routiniers du matin. M'habiller, me maquiller, me brosser les cheveux, puis prendre la route du centre-ville.

Le sac ne contenait que le chat. Pas de collier ni d'étiquettes. Une note, écrite à la main, avait été glissée à l'intérieur d'un des parpaings. Je la déchiffrai à travers le plastique du sac.

« La prochaine fois, ça ne sera pas un chat. »

— Et puis ? ai-je demandé à Ron Gillman, le directeur du laboratoire.

Grand, bien découplé, il avait des cheveux argentés et, malheureusement, deux incisives largement écartées.

— On a déjà vérifié pour les empreintes. Néant sur le message et les briques. Une équipe va aller chez toi tout à l'heure, mais tu sais aussi bien que moi qu'ils ne vont pas trouver grand-chose. La fenêtre de ta cuisine est tellement proche de la rue que les types se sont probablement arrêtés devant, ont mis le feu à leur truc, puis ont tout balancé depuis le trottoir. On va chercher des traces de pas et faire notre petite enquête dans le voisinage, bien sûr, mais, à une heure et demie, les chances sont minces qu'il y ait encore beaucoup de monde réveillé dans ce quartier.

— Désolée, je n'habite pas Wilkinson Boulevard.

— Tu as déjà suffisamment de problèmes comme ça, où que tu sois.

Cela faisait des années que nous travaillions ensemble, Ron et moi. Il était au courant pour le tueur en série qui avait pénétré dans mon appartement de Montréal.

— On va envoyer une équipe de l'Identité pour ta cuisine, mais, comme les types ne sont pas entrés, il n'y aura pas d'empreintes. Tu n'as touché à rien, je suppose.

— Non.

Je ne m'étais pas approchée de la cuisine depuis la veille. La seule vue des plats de Birdie m'était insupportable.

— Tu travailles sur quelque chose qui pourrait avoir foutu quelqu'un en rogne ?

Je lui ai parlé des meurtres au Québec et des cadavres de Murtry.

— D'après toi, comment ils ont pu avoir ton chat ?

— Il peut s'être échappé quand Pete est passé pour lui donner à manger. Cela lui arrive de temps en temps... — Une crispation de souffrance. — Cela lui arrivait...

Ne pleure pas. Ne te mets surtout pas à pleurer.

— Ou...

— Oui ?

— Eh bien, je ne suis pas sûre. La semaine dernière, j'ai cru que quelqu'un avait peut-être forcé la porte de mon bureau à l'université. Enfin, pas vraiment forcé. J'ai pu oublier de fermer à clé.

— Un étudiant ?

— Je ne sais pas.

Je lui ai raconté ce qui s'était passé.

— Mes clés de maison étaient toujours dans mon sac, mais elle a pu en faire un double.

— Tu as l'air un peu secouée.

— Un peu. Ça va aller.

Il a laissé passer un silence. Puis il a repris :

— Tempe, quand j'ai entendu l'histoire, j'ai d'abord pensé qu'il s'agissait d'une mauvaise plaisanterie d'un étudiant mécontent... — Il s'est gratté le nez. — Ça peut être plus que ça, fais attention à toi. Tu devrais peut-être en parler à Pete.

— Je n'en ai pas envie. Il va se sentir obligé de jouer la baby-sitter, et il n'a pas le temps. Il ne l'a jamais eu.

Avant de partir, je lui ai laissé une clé de l'Annexe et j'ai signé ma déclaration.

La circulation était fluide, mais le trajet jusqu'à l'UNCC me parut plus long que d'habitude. Une main glacée me serrait le ventre et refusait de lâcher prise.

Cette sensation ne me quitta pas de la journée. Quoi que je fasse, les images de mon chat venaient me troubler. Birdie chaton, dressé sur son arrière-train, les pattes avant battant l'air comme un bébé moineau. Birdie, aplati, le ventre en l'air, sous le canapé. Faisant des huit en se frottant contre mes chevilles. Les yeux fixés sur moi, en attendant mes restes de céréales. La tristesse que je ressentais depuis plusieurs semaines se transformait en une déprime impossible à surmonter.

Après mes heures de bureau, je me rendis au centre sportif de l'autre côté du campus et enfilai mes chaussures de sport. J'allai au bout de mes forces, avec l'espoir que l'exercice me libérerait du chagrin et de la tension physique.

Tandis que j'enchaînais les tours de piste, mon esprit changeait de vitesse. Les mots de Ron Gillman remettaient à leur place les images du cadavre de mon chat. Assassiner un animal est cruel, mais c'est du travail d'amateur. Était-ce possible que ce ne soit que le fait d'un étudiant mécontent ? Ou la mort de Birdie pouvait-elle constituer un sérieux avertissement ? Y avait-il un lien avec mon agression à Montréal ? Avec l'enquête de Murtry ? Est-ce que je me trouvais impliquée dans quelque chose de beaucoup plus important que je ne le pensais ?

Je forçai encore. À chaque tour, la tension se relâchait un peu plus. Au bout de six kilomètres, je me suis effondrée dans l'herbe. La respiration sifflante, j'ai observé un tout petit arc-en-ciel qui brillait dans la gerbe décrite par le système d'arrosage au-dessus d'une pelouse. Mission accomplie. J'avais l'esprit vide.

Une fois mon pouls et ma respiration revenus à leur rythme normal, je suis retournée aux vestiaires, où je me suis douchée et changée. Un peu rassérénée, j'ai remonté la route de la colline vers l'édifice Colvard.

Sensation qui fit long feu.

Mon téléphone clignotait. J'ai composé mon code...

Merde !

J'avais encore manqué un appel de Catherine. Comme l'autre fois, elle ne laissait pas de coordonnées, simplement son message disait qu'elle avait appelé. J'ai rembobiné la bande et réécouté. Elle semblait parler le souffle court, par mots hachés.

J'ai repassé et repassé le message, mais sans parvenir à déterminer les bruits en arrière-fond. La voix était étouffée, comme si elle se trouvait dans un petit espace. Je l'imaginais, la main étreignant le combiné, chuchotant et lançant autour d'elle des regards furtifs.

Était-ce de la paranoïa ? L'incident de la nuit passée amenait-il mon imagination à tourner en surrégime ? Ou se trouvait-elle vraiment en danger ?

Le soleil, filtrant à travers les stores vénitiens, dessinait sur mon bureau de minces rais de lumière. Une porte a claqué dans le couloir. Lentement, l'idée a pris forme.

J'ai décroché le téléphone.

22.

— Merci de m'accorder du temps, et il est si tard !
Je m'étonne de te trouver encore sur le campus.

— Laisses-tu entendre que les anthropologues travaillent plus que les sociologues ?

— Jamais de la vie...

J'ai ri en m'installant dans le fauteuil de plastique
noir qu'il m'avait désigné.

— Red, je suis venue faire appel à tes lumières.
Qu'est-ce que tu peux me dire sur les sectes qui se
développent ici ?

— Tu entends quoi par sectes ?

« Red » Skyler était affalé de guingois derrière son
bureau. Si ses cheveux étaient maintenant gris, la barbe
couleur feuille morte expliquait l'origine du surnom. Il
me regardait du coin de l'œil, à travers ses lunettes à
monture d'acier.

— Les groupes occultes. Les sectes d'apocalypse.
Les confréries sataniques.

Il a souri et m'a fait signe de poursuivre.

— Les adeptes de Manson. Hare Krishna. Move. Le
Temple du Peuple. Synanon. Tu sais bien. Les sectes.

— Tu utilises un terme très connoté. Ce que tu
appelles secte est pour d'autres un mouvement religieux. Ou familial. Ou un parti politique.

L'image de Daisy Jeannotte m'est revenue. Elle

aussi avait tiqué sur le terme, mais la similitude s'arrêtait là. Dans le premier cas, j'avais en face de moi une toute petite femme, dans un immense bureau. À présent, mon vis-à-vis était un homme d'un volume imposant, et l'espace était si petit, si surchargé, que je me sentais devenir claustrophobe.

— D'accord. Comment définis-tu une secte ?

— Les sectes ne sont pas uniquement des regroupements de cinglés qui suivent d'étranges leaders. Pour moi en tout cas, le terme désigne des organismes ayant un certain nombre de caractéristiques en commun.

— Oui.

Je me suis installée confortablement.

— Une secte se regroupe autour d'une personnalité charismatique, qui promet quelque chose. Qui proclame détenir une connaissance particulière. Parfois, c'est l'accès à un savoir ancien. Parfois, c'est une découverte entièrement nouvelle, dont il ou elle se trouve être l'unique dépositaire. Parfois, c'est une combinaison des deux. Les leaders offrent de partager leur connaissance avec ceux qui les suivent. Certains vendent de l'utopie. Ou une échappatoire : Viens, suis-moi et je prendrai les décisions à ta place. Tout ira bien.

— En quoi cela diffère-t-il d'un prêtre ou d'un rabbin ?

— Dans une secte, c'est ce leader charismatique qui au bout du compte devient l'objet de la dévotion. Dans certains cas, il est carrément considéré comme un dieu. Et, à ce moment-là, le leader prend un pouvoir considérable sur la vie de ses disciples.

Il a retiré ses lunettes, a essuyé chaque verre avec un carré de tissu gris qu'il a sorti de sa poche. Puis il les a replacées sur son nez en passant chaque branche derrière ses oreilles.

— Les sectes sont totalitaires, dictatoriales. Le leader est un chef suprême et ne délègue ses pouvoirs qu'à de rares élus. Le système de pensée du leader devient la seule théologie acceptable. Et son comportement le seul acceptable. Et, comme je te l'ai dit, c'est sur lui que se concentre la vénération, non sur des êtres suprêmes ou des principes abstraits.

Je l'ai laissé poursuivre.

— Et souvent il y a une double éthique. D'un côté, on exhorte les membres à se montrer honnêtes, à s'aimer entre eux ; de l'autre, à tromper et à se défier de ceux qui sont étrangers au groupe. Les religions instituées n'établissent a priori qu'une seule règle valable pour tous.

— Comment un leader peut-il en arriver à une telle prise de contrôle ?

— Il y a un autre élément important. La transformation des processus de pensée. Les leaders des sectes usent de diverses méthodes psychologiques pour manipuler leurs disciples. Certains en restent à des stades bénins, mais pas d'autres, qui exploitent réellement l'idéalisme de leurs adeptes. La manière dont je vois les choses, c'est qu'il y a deux catégories de sectes, qui toutes deux utilisent la transformation des processus de pensée. Ceux qu'on trouve sous le terme commercial de « Programmes d'éveil » — il a dessiné les guillemets dans l'air — se servent de techniques de persuasion très intenses. Ces groupes conservent leurs adeptes en les convainquant d'acheter de plus en plus de cours.

« Puis il y a les sectes qui recrutent des disciples à vie. Ces groupes usent de méthodes de persuasion psychologique et sociale, afin de provoquer des modifications comportementales drastiques. Le résultat est qu'ils en arrivent à exercer un contrôle considérable sur la vie de leurs membres. Ils manipulent, abusent et exploitent, à un très haut niveau.

J'ai digéré toutes ces informations.

— Et comment s'opère cette transformation des processus de pensée ?

— Tu commences par déstabiliser quelqu'un dans

la conscience qu'il a de lui-même. Je suis sûr qu'il en a été question dans tes cours d'anthropologie. Diviser. Déconstruire. Reconstruire.

— J'ai fait de l'anthropologie physique.

— C'est vrai. Les sectes coupent les nouveaux adhérents de toute influence extérieure, puis elles les amènent à remettre en question tout ce à quoi ils croyaient jusque-là. Les persuadent de réinterpréter le monde et leur histoire personnelle. Elles fabriquent à la personne une réalité toute neuve et, en faisant cela, elles créent une dépendance vis-à-vis du groupe et de son idéologie.

J'ai repensé à mes cours de licence en anthropologie culturelle.

— Mais tu ne parles pas de rites de passage. Je sais que, dans certaines cultures, les jeunes sont isolés pendant une période de leur vie et mis à l'épreuve. Il s'agit alors de renforcer le système de pensée dans lequel ils ont grandi. Là, tu me parles d'amener les gens à rejeter les valeurs de leur éducation, à renier toutes leurs précédentes croyances. Comment fait-on cela ?

— La secte contrôle l'emploi du temps et l'environnement de la nouvelle recrue. Son régime alimentaire. Son sommeil. Son travail. Ses divertissements. Son argent. Tout. Cela crée une dépendance chez l'adepte et un sentiment d'extrême fragilité dès qu'il se trouve à l'extérieur du groupe. En même temps, on lui instille la nouvelle morale, le système de pensée qui sont ceux de la secte. Le monde tel qu'il est vu par le leader. Et c'est un système absolument clos. Toute réaction est interdite. Toute critique. Toute plainte. Le groupe élimine les anciens comportements, les vieilles attitudes, et, petit à petit, les remplace par ceux qui lui sont propres.

— Et comment les gens peuvent-ils vivre comme cela ?

— Le processus est tellement graduel que la personne ne se rend pas compte de ce qui se passe. Elle est entraînée pas à pas. Et chacun de ces pas semble anodin. Les autres membres se laissent pousser les cheveux. Tu te laisses pousser les cheveux. Les autres parlent à voix basse, tu te mets à parler à voix basse. Tous écoutent docilement le leader, ne posent pas de questions, alors tu fais pareil. Se joue là le sentiment de l'approbation du groupe et de l'appartenance. Le nouvel adepte est totalement inconscient du double développement qui est en train de s'opérer.

— Ils ne finissent pas par se rendre compte de ce qui se passe ?

— En général, les nouveaux adeptes sont encouragés à rompre toutes relations amicales ou familiales, à se couper de leur précédent milieu de travail. Il arrive qu'on les emmène dans des lieux isolés. Des fermes. Des communes rurales. Des chalets.

« Cet isolement, aussi bien physique que social, les arrache de leurs réseaux habituels d'entraide. Ce qui accroît leur sensation d'être vulnérables, leur besoin d'être acceptés par le groupe. Cela élimine aussi les références que nous avons tous pour évaluer ce qui nous a été dit. La confiance que la personne a en son propre jugement, sa propre perception, se détériore. L'indépendance d'action devient impossible.

J'ai pensé à Dom et à son groupe de Saint Helena.

— Je vois comment une secte peut contrôler la vie de quelqu'un quand il vit vingt-quatre heures sur vingt-quatre sous le même toit. Mais si les adeptes travaillent à l'extérieur ?

— C'est simple. Les adeptes ont pour instruction de chanter ou de méditer dès qu'ils ne sont plus occupés à travailler. À l'heure du déjeuner. À la pause-café. L'esprit reste absorbé par les comportements dictés par la secte. Et, en dehors du travail, tout leur temps est dévoué au groupe.

— Mais qu'est-ce qui les attire là ? Qu'est-ce qui amène quelqu'un à rejeter son passé et à entrer dans une secte ?

Mon esprit n'arrivait pas à englober l'idée dans sa

totalité. Catherine et les autres n'étaient-ils que des automates, dont les moindres mouvements étaient sous contrôle ?

— Il y a tout un système de punitions et de récompenses. Si l'adepte se comporte, s'exprime et pense comme il faut, il est aimé du leader, de ses pairs. Et, bien sûr, il sera sauvé. Connaîtra l'illumination. Passera dans un autre monde. Cela dépend de ce que promet l'idéologie.

— Mais *que* promet-on ?

— Tu as mis le doigt sur la question. Les sectes ne sont pas toutes religieuses. C'est ce que croit le grand public parce que, dans les années soixante, soixante-dix, beaucoup de sectes ont pris le nom d'Églises pour bénéficier d'exonérations fiscales. Il y a toutes sortes de sectes, de toutes sortes de tailles, qui promettent toutes sortes d'avantages. Un corps en bonne santé. Une révolution. Un *trip* dans l'espace. L'immortalité...

— Je ne vois toujours pas comment quelqu'un, sauf s'il a un pois chiche dans la tête, peut se laisser embarquer dans ce genre d'imbécillités.

— Tu te trompes complètement, a-t-il répliqué en secouant la tête. Il n'y a pas que des marginaux qui se retrouvent embringués. Selon certaines études, environ deux tiers des adeptes sont issus de familles normales et avaient fait preuve, avant d'entrer dans la secte, d'un comportement en adéquation avec leur âge.

Mes yeux se sont fixés sur le petit tapis navajo que j'avais sous les pieds. Toujours cette pensée lointaine qui me titillait l'esprit. Mais quoi ? Pourquoi n'arrivais-je pas à l'amener à ma conscience ?

— Et est-ce que tes recherches ont mis en lumière les raisons qui poussent les gens à aller vers de tels mouvements ?

— La plupart du temps, ce ne sont pas eux qui font la démarche de s'adresser à la secte, mais les groupes qui s'adressent à eux. Et, comme je te l'ai dit, un lea-

315

der peut faire preuve d'un charme fou et d'une persuasion incroyable.

Owens correspondait au profil. Qui était-il en fait ? Un idéologue qui imposait ses lubies à des adeptes malléables ? Ou un simple prophète obsédé par la santé et qui s'essayait à la culture de ses propres haricots biologiques ?

J'ai de nouveau pensé à Daisy Jeannotte. Avait-elle raison ? Le grand public avait-il exagéré sa peur des cultes sataniques et des prophètes de l'Apocalypse ?

— Combien y a-t-il de sectes aux États-Unis ?

— Selon la définition qu'on donne à ce mot... — il a eu un large sourire et a écarté les mains —, entre trois mille et cinq mille.

— Tu plaisantes ?

— Une de mes collègues estime qu'au cours des vingt dernières années au moins vingt millions de personnes se sont trouvées impliquées d'une manière ou d'une autre dans une secte. Elle pense qu'à tout instant donné cela représente entre deux et cinq millions de personnes.

— Et cela te semble juste ?

J'étais éberluée.

— C'est affreusement difficile à savoir. Certaines sectes gonflent leurs chiffres en considérant comme adepte toute personne ayant un jour assisté à une réunion ou demandé des informations. D'autres cultivent le secret et gardent le profil le plus bas possible. La police ne découvre certaines sectes qu'indirectement, lors d'un problème, ou si un ancien membre porte plainte. Les petits groupes notamment sont particulièrement difficiles à dépister.

— As-tu déjà entendu parler de Dom Owens ?

Il a secoué la tête.

— Le nom de son groupe ?

— Ils n'en ont pas.

Dans un bureau, une imprimante s'est mise en marche.

— Y a-t-il des associations dans les Carolines qui sont surveillées par la police ?

— Ce n'est pas mon domaine, ça, Tempe. Je suis sociologue. Je peux te dire comment ces groupes fonctionnent, mais pas nécessairement qui tient la batte au moment T. Je peux faire des recherches, si c'est important.

— Je n'arrive vraiment pas à me faire à cette idée, Red. Comment les gens peuvent-ils être aussi crédules ?

— C'est séduisant de se dire qu'on appartient à une élite. Qu'on a été choisi. La plupart des sectes enseignent à leurs adeptes qu'ils sont les seuls à connaître l'illumination, que tous les autres dans le monde entier sont laissés en dehors. Leur sont, d'une certaine manière, inférieurs. C'est très puissant, comme système.

— Red, ces groupes sont-ils violents ?

— Pour la plupart, non, mais il y a des exceptions. Il y a eu Jonestown, Waco, la Porte du Ciel, l'Ordre du Temple solaire. Visiblement cela n'a pas trop bien marché, leur truc. Tu te rappelles la secte Rajneesh ? Ils ont essayé d'empoisonner la réserve d'eau de je ne sais plus quelle ville de l'Oregon et menacé un certain nombre d'élus du comté. Et Synanon ? Ces charmants citoyens ont placé un crotale dans la boîte aux lettres d'un avocat qui les avait menés en justice. Le type a failli y passer.

Je me souvenais vaguement de l'histoire.

— Et les petits groupes, ceux qui gardent un profil bas ?

— La plupart sont inoffensifs, mais certains sont complexes et potentiellement dangereux. Il y en a deux ou trois, si j'ai bonne mémoire, qui ont passé la ligne ces dernières années. Est-ce que cela a un rapport avec une affaire ?

— Mmoui. Non. Je ne suis pas sûre.

317

J'ai mordillé un morceau de peau sur le bord de mon pouce.

— C'est Katy qui est...

— Oh non, du tout. Vraiment pas. C'est lié à une affaire criminelle. Je suis passée dans une communauté à Beaufort et cela m'a donné à réfléchir.

Mon pouce s'est mis à saigner.

— Dom Owens.

J'ai acquiescé.

— Les choses ne sont pas toujours comme elles le paraissent au premier abord.

— Non.

— Je peux passer quelques coups de fil si tu veux.

— J'apprécierais beaucoup.

— Tu veux un pansement ?

Je me suis levée.

— Non, merci. Je ne veux pas te retenir plus long-temps. Je te remercie sincèrement de ton aide.

— Si tu as d'autres questions, tu sais où me joindre.

De retour à mon bureau, je me suis assise et j'ai observé les ombres s'allonger dans la pièce. Toujours cette même sensation de pensée qui rôde... Il régnait dans l'édifice le lourd silence des fins de journée.

Cela concernait-il Daisy Jeannotte ? J'avais oublié de demander à Red s'il la connaissait. Est-ce que c'était ça ?

Non.

Qu'est-ce qui pouvait bien rester ainsi enfoui dans le labyrinthe de mon subconscient ? Pourquoi n'arrivais-je pas à le faire émerger ? Quel rapport mon *ça* avait-il perçu qui m'échappait à mon *moi* ?

Mes yeux sont tombés sur la petite collection de romans noirs que l'on s'échange entre collègues. Comment les auteurs appelaient-ils cela ? Le suspense du « N'ai-je pas tout en main ? ». Une tragédie allait-elle survenir du fait de ce message subliminal que je ne parvenais pas à déchiffrer ?

Quelle sorte de tragédie ? Une autre mort au Québec ? D'autres tueries à Beaufort ? Quelque chose qui allait arriver à Catherine ? Une autre agression, avec des conséquences plus graves ?

La sonnerie d'un téléphone a retenti, plusieurs coups, puis s'est brusquement tue quand la messagerie vocale a pris le relais. Silence.

J'ai de nouveau essayé d'appeler Pete. Pas de réponse. Il devait encore être en déplacement pour une déposition. Cela importait peu. Je savais que Birdie n'était pas chez lui.

Je me suis levée et j'ai commencé à classer des papiers, à trier mes piles de listings. Puis ce fut le tour des livres sur les étagères. Je gagnais du temps, j'en étais bien consciente, mais c'était plus fort que moi. L'idée de revenir à la maison m'était insupportable.

Encore dix minutes d'activité acharnée, à bloquer toute pensée, puis, d'un seul coup :

« Oh, Seigneur, Birdie ! »

J'ai balancé sur le bureau l'exemplaire de l'*Écologie du babouin* et me suis effondrée dans le fauteuil.

Pourquoi fallait-il que tu sois là ? Je suis désolée. Je suis tellement, tellement désolée, Bird.

J'ai reposé mon front sur le sous-main et éclaté en sanglots.

23.

Le jeudi fut agréablement décevant.

Le matin, j'eus deux petites surprises. L'appel à mon courtier d'assurances se présenta bien. Et les deux ouvriers pour les réparations étaient disponibles et prêts à commencer immédiatement.

La journée se passa entre mon cours et la préparation de la communication que je voulais faire à la conférence d'anthropologie physique. En fin d'après-midi, Ron Gillman m'informait que son équipe n'avait rien trouvé d'intéressant dans les débris de ma cuisine. Ce qui n'était pas un scoop. Il avait mis mon domicile sous la surveillance d'une patrouille.

J'eus aussi des nouvelles de Sam. Il n'avait rien de nouveau, mais il était de plus en plus convaincu que c'étaient des dealers qui avaient enterré les cadavres dans son île. Il prenait cela comme une affaire personnelle, avait ressorti son vieux 12 mm, qu'il avait planqué sous un banc au centre de recherche.

En rentrant, je fis un arrêt au supermarché en face du grand centre commercial de Southpark, pour m'acheter ce que je préférais. Entraînement ensuite au YMCA de Harris, et j'étais à la maison sur le coup de six heures et demie. La fenêtre avait été remplacée et un ouvrier finissait de poncer le plancher. Tout dans la cuisine était recouvert d'une fine pellicule de poussière blanche.

Je nettoyai le plan de travail et le four, me préparai une assiette de salade de chèvre, avec des feuilletés au crabe, que je mangeai devant une rediffusion de Murphy Brown. La Murph était vraiment une femme solide. Je me promis de lui ressembler davantage.

Durant la soirée, je repris encore mon communiqué du congrès, regardai un match des Hornets et pensai à mes impôts. Je me promis aussi de m'en occuper. Mais pas cette semaine. À onze heures, je dormais, les photocopies du journal de Louis-Philippe répandues sur le lit.

Vendredi fut une journée écrite par Satan. Ce fut là que j'eus ma première intuition de toute l'horreur qui allait suivre.

Les victimes de Murtry arrivèrent de Charlestown le lendemain matin tôt. À neuf heures et demie, j'étais gantée, lunettée, et les corps étaient placés sur les tables d'autopsie. Sur la première, le crâne et les échantillons osseux que Hardaway avait prélevés lors de son autopsie du second corps. Sur l'autre, le squelette complet de l'autre victime. Les techniciens de la faculté de médecine avaient fait du super-boulot. Les os semblaient parfaitement nettoyés et intacts.

Démarrage avec le cadavre du fond de la fosse. Bien que putréfié, il présentait encore suffisamment de tissus mous pour permettre l'autopsie complète. Sexe et race étant évidents, Hardaway ne sollicitait mon aide que pour l'estimation de l'âge. Dans un premier temps, j'ai mis son rapport et les photos d'autopsie de côté, car je ne voulais pas que cela puisse biaiser mes conclusions.

Les radios placées sur le tableau lumineux ne présentaient rien de remarquable. Sur celles du crâne, les trente-deux dents étaient sorties, les racines totalement formées. Pas de dent manquante ni de trace de soins dentaires. Je l'ai noté dans le dossier.

Pour la tête, la suture à la base du crâne était totalement soudée. Il ne s'agissait pas d'une adolescente.

L'extrémité des côtes présentait des indentations

moyennement accentuées, là où le cartilage les avait rattachées au sternum. Pour la symphyse pubienne, là où les zones pelviennes se rejoignent à l'avant, des rides ondulées en parcouraient les faces pubiennes symphisaires et sur la bordure extérieure de chacune apparaissaient de petits nodules osseux. L'extrémité de chaque clavicule, au niveau du cou, était soudée. Une mince ligne de démarcation était visible au bord supérieur de chaque omoplate.

J'ai vérifié mes croquis et mes histogrammes, et consigné par écrit mon estimation. La femme avait entre vingt et vingt-huit ans.

Hardaway voulait une analyse complète de l'autre corps. Là encore, démarrage avec les radios. Là encore, rien de particulier, si ce n'était une dentition parfaite.

Mon intuition était qu'il s'agissait aussi d'une femme, comme je l'avais dit à Ryan. En étalant les ossements, j'ai pris note des formes arrondies du crâne, des traits délicats du visage. Le pelvis large et court, avec une zone pubienne caractéristique du sexe féminin, est venu confirmer mon impression initiale.

Les indicateurs d'âge correspondaient à ceux de l'autre, à l'exception de la symphyse pubienne qui présentait des rides profondes sur toute sa surface, et du fait qu'il n'y avait pas de nodules osseux.

Selon mon estimation, cette victime-ci était morte un peu plus jeune, probablement à la postadolescence ou au début de la vingtaine.

Pour ce qui était de l'origine raciale, j'ai repris le crâne. La région médiane du visage était de type classique, notamment la forme du nez : large écartement entre les yeux, ouverture nasale étroite, arête et bord inférieur très proéminents.

J'ai pris des mesures pour procéder à une analyse statistique, mais mon opinion était faite : cette femme était de race blanche.

Avec les mensurations des os longs, j'ai lancé à l'ordinateur les analyses de régression. J'inscrivais l'estimation de poids au dossier quand le téléphone a sonné.

— Encore une journée, et je vais avoir besoin d'un cours complet de recyclage linguistique, a dit Ryan.

— Prends l'autobus pour le Nord.

— Je pensais que c'était juste toi, mais maintenant je comprends que ce n'est pas ta faute.

— C'est difficile de renier ses origines.

— Ouais.

— Tu as du nouveau ?

— J'ai vu une voiture avec un super-autocollant ce matin.

— Mmm...

— Jésus t'aime. Tous les autres te prennent pour un trou du cul.

— C'est pour ça que tu m'appelles ?

— C'est ce que disait l'autocollant.

— La religion occupe une grande place dans notre culture.

J'ai levé les yeux sur l'horloge. Deux heures et quart. En fait, j'étais affamée, et j'ai sorti la banane et le gâteau sous cellophane que j'avais apportés de la maison.

— J'ai placé le petit ashram de Dom un moment sous surveillance. Pas grand-chose. Jeudi matin, trois fidèles se sont enfournés dans une camionnette et ont quitté les lieux. À part ça, ni entrée ni sortie.

— Catherine ?

— Pas vue.

— Tu as relevé les plaques ?

— Oui, m'dame. Les deux véhicules sont enregistrés au nom de Dom Owens, à l'adresse d'Adler-Lyons.

— Il a un permis de conduire ?

— Délivré en 1988, par le grand État du Palmier. Le dossier ne mentionne pas d'autre permis. Apparemment, notre révérend s'est pointé un beau jour pour passer l'examen. L'assurance est payée à temps. En liquide. Aucune réclamation. Pas d'arrestation sur la voie publique ni de citation à comparaître.

— Électricité, eau, téléphone ?

J'essayais de ne pas faire trop de bruit avec la cellophane du gâteau.

— Il paie tout en liquide.

— Numéro de Sécurité sociale ?

— Qui remonte à 1987. Il n'y a rien d'inscrit ; il n'a jamais rien payé, n'a jamais réclamé quoi que ce soit.

— 87 ? Où était-il avant ?

— Bonne question, docteur Brennan.

— La poste ?

— Ces gens-là ne sont pas portés sur la correspondance. Ils reçoivent tous les bons vœux habituels « Poste restante », plus les factures bien sûr, mais c'est tout. Owens n'a pas de casier postal, cependant il pouvait toujours avoir une poste restante sous un autre nom. J'ai fait surveiller la poste un petit moment. On n'y a vu aucun des adeptes.

Un étudiant est apparu à la porte et j'ai secoué la tête.

— Il y avait des empreintes sur le porte-clés ?

— Trois belles. Mais ça n'a rien donné. Apparemment, ce Dom Owens est un enfant de chœur.

Un silence s'est étiré sur la ligne.

— Il y a des jeunes qui vivent là. Y aurait-il quelque chose du côté des services sociaux ?

— Tu n'es pas la moitié d'une imbécile, Brennan.

— Je regarde beaucoup la télévision.

— J'ai vérifié. Une voisine a appelé, il y a à peu près un an et demi, parce qu'elle se faisait du souci pour les petits. Mme Joseph Espinoza. Ils ont donc envoyé une assistante sociale pour enquêter. J'ai lu le rapport. Elle a trouvé que la maison était parfaitement tenue, que les petits bouts de chou semblaient bien nourris et souriants, et qu'aucun n'était d'âge scolaire. Elle ne voyait pas de motif d'intervention, mais a recommandé une autre visite après six mois. Qui n'a pas été faite.

— Vous avez parlé à cette voisine ?

— Décédée.

— Et la propriété ?

— Alors là, il y a bien une chose.

Quelques secondes de silence.

— Oui ?

— J'ai passé mon mercredi après-midi à vérifier actes de propriété et comptes de taxes.

Nouveau silence.

— Tu cherches à m'énerver ou quoi ? ai-je lancé.

— Cette terre a une histoire colorée. Savais-tu qu'il y a eu là une école, du début des années 1860 jusqu'au tournant du siècle ? L'une des premières écoles publiques d'Amérique du Nord, spécifiquement réservée aux élèves noirs ?

— Non, je ne le savais pas.

J'ai ouvert une canette de Coke.

— Et Baker avait raison. Il y a eu ensuite un camp de pêche, des années trente jusqu'au milieu des années soixante-dix. Quand le propriétaire est mort, le site est revenu à la famille, en Géorgie. D'après moi, ils ne devaient pas être trop portés sur les fruits de mer. Ou ils en ont eu marre de payer des impôts locaux. En tout cas, ils ont vendu en 1988.

Cette fois-ci, je l'ai laissé venir.

— Le type qui a acheté est un certain J. R. Guillion.

Ça a pris une fraction de seconde avant que je réagisse.

— *Jacques* Guillion ?

— *Yes, m'am.*

— Le même Jacques Guillion ?

J'ai dit ça si fort qu'un étudiant qui passait dans le couloir s'est retourné vers moi.

— Je présume. Les impôts sont payés...

— Avec un chèque certifié de la Citicorp à New York.

— Dans le mille.

— Maudite merde...

— Comme tu le dis.

J'étais sidérée. Le propriétaire d'Adler-Lyons était le même que celui de la maison incendiée de Saint-Jovite.

— Tu lui as parlé, à ce Guillion ?

— Le sieur Guillion est toujours en retraite.

— Comment ?

— On ne sait toujours pas où il est.

— Je veux bien aller au diable. Il y a donc manifestement un lien.

— On dirait.

Sonnerie dans le couloir.

— Autre chose.

La cohue habituelle d'étudiants changeant de salle de cours est passée devant la porte ouverte.

— Par pure perversité, j'ai envoyé les noms au Texas. Rien sur le digne pasteur Owens, mais devine qui a un ranch là-bas ?

— Non !

— Le sieur J. R. Guillion. Un beau terrain dans le comté de Ford Bend. Et les impôts locaux sont payés...

— Avec des chèques certifiés.

— Je vais poursuivre sur cette piste mais, pour le moment, je laisse le shérif local faire sa petite enquête. Et la gendarmerie appréhender Guillion. Je vais rester dans le coin encore quelques jours et augmenter la pression sur Owens.

— Cherche Catherine. Je suis sûre qu'elle sait quelque chose.

— Si elle est là, je vais la trouver.

— Elle peut être en danger.

— Qu'est-ce qui te fait dire ça ?

J'ai failli lui parler de ma récente discussion sur les sectes mais, comme j'allais seulement à la pêche, je n'étais pas sûre que ce que j'avais appris soit en rapport avec l'affaire. Même si Dom Owens était à la tête d'une sorte de secte, ce n'était en tout cas pas Jim Jones ni David Koresh.

— Je ne sais pas. Une intuition. Elle semblait tellement tendue quand elle a appelé.

— Mon impression sur Mlle Catherine est que les lobes de son cerveau ne sont pas parfaitement connectés.

— Elle est différente.

— Et sa copine Ellie n'a pas l'air d'être une future candidate pour les surdoués de la Mensa. Et toi, toujours occupée ?

J'ai hésité, puis je lui ai raconté l'agression dont j'avais été victime.

— Fils de pute ! Je suis navré, Brennan. Il me plaisait, ton chat. Aucune idée de qui a pu faire le coup ?

— Non.

— Ils ont mis ta maison sous surveillance ?

— Ils font des patrouilles. Ça va aller.

— Évite les ruelles sombres.

— Les corps de Murtry sont arrivés ce matin. Je suis pas mal bloquée au labo.

— Si les milieux de la drogue sont impliqués là-dedans, ce que tu fais peut en déranger certains, et des méchants.

— Il y a du nouveau de ce côté, Ryan.

J'ai lancé vers la poubelle ma peau de banane et mon papier de gâteau.

— Les victimes sont jeunes, de race blanche et de sexe féminin, comme je le pensais.

— Pas franchement le profil de trafiquants.

— Non.

— Mais ça n'exclut rien. Certains de ces types usent des femmes comme de préservatifs. Elles ont pu se trouver au mauvais endroit au mauvais moment.

— Oui.

— La cause de la mort ?

— Je n'ai pas encore fini.

— Ne les lâche pas, la lionne. Mais n'oublie pas, on va avoir besoin de toi sur l'affaire de Saint-Jovite, dès que j'aurai coincé ces fils de pute.

— Quels fils de pute ?

— J' sais pas encore, mais je vais le savoir.

Une fois le téléphone raccroché, je suis restée les yeux fixés sur mon rapport. Me suis levée, ai fait les cent pas. Me suis rassise. Me suis relevée...

327

Des images de Saint-Jovite me revenaient brusquement en mémoire. Deux petits bonshommes blêmes aux paupières et aux ongles délicatement bleutés. Un crâne avec un trou causé par une balle. Des gorges tranchées, des mains portant des blessures traduisant une ultime résistance. Des corps roussis, les membres tordus et contorsionnés.

Quel lien y avait-il entre les morts de Québec et ce coin de pays de l'île de Saint Helena ? Pourquoi des bébés et une vieille femme sans défense ? Qui était Guillion ? Qu'est-ce que le Texas venait faire dans le décor ? Dans quelle chausse-trappe Heidi et sa famille avaient-elles trébuché ?

Concentre-toi, Brennan. Les jeunes femmes dans ton labo sont tout aussi mortes. Laisse les meurtres du Québec à Ryan et occupe-toi de tes dossiers. Ils méritent toute ton attention. Trouve quand elles sont mortes. Et comment.

Ayant enfilé une autre paire de gants, j'ai passé tout le squelette de la seconde victime au microscope. Rien qui puisse m'expliquer les causes de la mort. Pas de lésion causée par un objet contondant. Pas d'orifice d'entrée ou de sortie de balle. Pas de trace de couteau. Pas de fracture hyoïde indiquant une strangulation.

Les seuls dégâts constatables étaient dus aux charognards.

En reposant le dernier os du pied, un minuscule scarabée noir s'est carapaté de dessous une vertèbre. Cela m'a fait penser à la fois où Birdie avait trouvé un cafard dans mon appartement à Montréal. Il avait joué avec tout l'après-midi, avant de s'en désintéresser totalement.

Des larmes me sont montées aux yeux, mais je me suis retenue.

J'ai recueilli le scarabée dans une boîte en plastique. Il n'y aurait pas d'autre vie sacrifiée. Je le relâcherais en sortant du bureau.

O.K., scarabée. Depuis combien de temps ces jeunes filles sont-elles mortes ? On va travailler là-dessus.

Coup d'œil à la pendule : quatre heures et demie. C'était assez tard. J'ai feuilleté mon Rolodex, trouvé le numéro que je cherchais et pris le combiné.

Cinq fuseaux horaires plus loin, le téléphone a sonné.

— Docteur West.

— Docteur Lou West ?

— Oui.

— Alias Capitaine Kam ?

Silence.

— Le spécialiste des rillettes ?

— De thon. C'est toi, Tempe ?

Est venue s'inscrire dans mon esprit l'image d'un homme mince, dont le visage encadré d'une barbe et d'épais cheveux gris était constamment bruni par le soleil de Hawaï. Des années avant que je fasse sa connaissance, une agence publicitaire japonaise avait repéré Lou et l'avait engagé comme porte-parole d'une marque de thon en boîte. Sa boucle d'oreille et sa queue de cheval coïncidaient parfaitement avec l'image recherchée de capitaine au long cours. Les Japonais avaient adoré le Capitaine Kam. Nous n'arrêtions pas de le taquiner là-dessus, mais aucun de nos amis communs n'avait jamais vu les publicités.

— Prêt à lâcher les insectes pour te lancer dans le thon à plein temps ?

Lou était docteur en biologie et professeur à l'université de Hawaï. Et, d'après moi, le meilleur entomologiste judiciaire du pays.

— Je ne pense pas que les Japonais soient d'accord.

— Depuis quand ce genre de chose te dérange ?

Avec Lou et quelques autres spécialistes de médecine légale, nous enseignons les techniques d'exhumation à l'Académie du FBI à Quantico, en Virginie. Nous formons un groupe impertinent, tous médecins légistes, entomologistes, anthropologues, botanistes ou experts en analyse de sol, la plupart de niveau universitaire. Une année, un agent conservateur et zélé avait fait une remarque à Lou à propos de sa boucle

d'oreille. Lou l'avait écouté gravement, et, le lendemain, le petit anneau d'or avait été remplacé par une
plume cherokee de vingt centimètres, avec perles,
franges et clochette d'argent.

— J'ai reçu tes insectes.

— Ils ont bien supporté le voyage ?

— Sans une égratignure. Et tu as fait un sacré boulot pour récolter tout ça. Dans les Carolines, on compte
plus de cinq cent vingt espèces d'insectes liés à la
décomposition. D'après moi, tu as dû m'envoyer
presque un exemplaire de chaque.

— Alors, qu'est-ce que tu peux me dire ?

— Tu veux tout depuis le début ?

— Bien sûr.

— Premièrement, je pense que tes victimes ont été
tuées pendant la journée. Ou, du moins, les corps ont
été exposés un moment à la lumière du jour avant
d'être enterrés. J'ai trouvé des larvipositions de
Sarcophaga bullata.

— Dis-moi cela en langage profane.

— C'est une espèce de mouche. Ton échantillonnage contenait des enveloppes pupaires vides de
Sarcophaga bullata et des pupes intactes, prélevées sur
les deux corps.

— Et donc ?

— Les *Sarcophagidae* n'en mènent pas trop large
après le coucher du soleil. Si tu leur balances un
cadavre juste à côté, elles vont larvipositionner, mais
elles ne sont pas très actives la nuit.

— Larvipositionner ?

— Les insectes pratiquent la larviposition ou l'ovipo-
sition. Certains déposent des œufs, d'autres des larves.

— Des insectes déposent des larves ?

— Des larves au stade premier. Les *Sarcophagidae*
sont une espèce qui larvipositionne. Stratégie qui leur
donne une tête d'avance sur les autres asticots et les
protège évidemment des prédateurs qui se nourrissent
d'œufs.

330

— Alors, pourquoi tous les insectes ne larviposi-
tionnent pas ?

— Il y a un inconvénient. Les femelles ne peuvent
pas produire autant de larves qu'elles produisent d'œufs.
Ce qui s'équilibre.

— La vie est faite de compromis.

— Exact. Je pense aussi que les corps ont été exposés à l'air libre, au moins pendant une courte période.
Les *Sarcophagidae* ne vont pas pénétrer aussi facilement dans des lieux fermés que d'autres espèces.
Comme les *Calliphoridae,* par exemple.

— Ça a du sens. Soit les victimes ont été tuées sur
l'île, soit les corps y ont été transportés par bateau.

— Dans tous les cas, mon idée serait qu'elles ont
été tuées le jour, pour ensuite rester un moment dehors,
à découvert, avant d'être enterrées.

— Et les autres espèces ?

— Tu veux l'histoire au complet ?

— Certainement.

— Pour les deux corps, l'inhumation a dû retarder
l'invasion normale des insectes. Une fois le corps du
dessus déterré par les charognards, de toute façon, les
Calliphoridae n'ont pas dû résister au plaisir d'y
pondre leurs œufs.

— *Calliphoridae* ?

— Les mouches dorées. En général, elles arrivent
quelques minutes après la mort, avec leurs copines les
mouches à viande. Les deux peuvent parcourir une
bonne distance de vol.

— Des athlètes.

— Tu as prélevé au moins deux espèces de
mouches dorées, *Cochliomyia*...

— On pourrait en rester aux appellations communes.

— D'accord. Ton prélèvement contient des larves
de première, deuxième et troisième escouade, des pupes
complètes et des enveloppes vides, pour au moins deux
espèces de mouches dorées.

— Ce qui signifie quoi ?

— O.K., cours théorique. Revoyons tout le cycle de vie des mouches. Comme nous, les mouches adultes se préoccupent de trouver des lieux propices pour élever leur progéniture. Un cadavre est parfait pour cela. Environnement protégé. De la nourriture à profusion. Le voisinage idéal pour élever les petits. Les cadavres sont si attirants que les mouches dorées et les mouches à viande peuvent arriver en seulement quelques minutes après la mort. La femelle peut pondre tout de suite, ou se nourrir un moment des fluides suintant du corps, pour ensuite déposer ses œufs.

— Délicieux.

— Hé, c'est riche en protéines, ça. S'il y a une blessure ouverte, elles vont s'y installer ou, sinon, elles vont se fixer au niveau des orifices, des yeux, du nez, de la bouche, de l'anus...

— O.K., je vois.

— Les mouches dorées déposent d'énormes amas d'œufs, qui peuvent remplir totalement les orifices naturels ou les zones de blessures. Tu me dis qu'il faisait frais là-bas, si bien qu'il n'a pas dû y en avoir tant que ça dans ta tombe.

— À l'éclosion, les asticots passent au stade intermédiaire.

— Absolument. Acte II. C'est vraiment très cool, un asticot. À la tête, ils ont une paire de crochets buccaux, dont ils se servent pour se nourrir et se déplacer. Ils respirent par une petite zone plate qui se situe à l'arrière.

— Ils respirent par le cul.

— Dans un sens. En tout cas, tous les œufs sont pondus en même temps, éclosent en même temps, et les asticots se développent au même rythme. Ils se nourrissent également en même temps, ce qui fait que tu peux avoir ces énormes masses d'asticots en déplacement autour d'un corps. Le comportement alimentaire de l'espèce consiste dans la dissémination de bactéries et la production d'enzymes de digestion, permettant aux asticots de consommer la majeure partie des tissus mous d'un cadavre. C'est extrêmement efficace.

« Les asticots se développent rapidement et, quand ils atteignent leur taille maximale, leur comportement mute de façon drastique. Ils arrêtent de se nourrir et cherchent des cavités plus sèches, en général hors du corps.

— Acte III.

— Ouais. Les larves s'enfouissent, leur peau extérieure durcit et forme une carapace protectrice qu'on appelle « enveloppe pupaire ». Elles prennent l'apparence de minuscules ballons ovales. Les asticots demeurent à l'intérieur de ces cocons jusqu'à mutation, pour en ressortir en mouches adultes.

— C'est pour ça que les enveloppes vides veulent dire quelque chose ?

— Oui. Tu te souviens des mouches à viande ?

— Les *Sarcophagidae*. Les larvipositionneuses.

— Très bien. Elles sont généralement les premières à émerger comme adultes. Cela leur prend entre seize et vingt-quatre jours pour arriver à maturité, avec une température avoisinant les vingt-sept degrés. Le processus est ralenti dans les conditions que tu décris.

— Oui, il ne faisait pas si chaud.

— Mais les enveloppes pupaires vides indiquent qu'une partie des mouches à viande a achevé son développement.

— Se sont envolées des pupes, en l'occurrence.

— Cela prend aux mouches dorées entre quatorze et vingt-cinq jours pour achever leur développement, probablement plus dans le milieu humide de ton île.

— Les estimations concordent.

— Ton échantillon comprend aussi, j'en suis quasiment certain, des larves de *Muscidae*, les larves de mouches domestiques et leurs cousines. Assez typiquement, ces espèces n'apparaissent que cinq à sept jours après la mort. Elles préfèrent attendre ce que nous appelons l'étape de fraîcheur avancée ou début de ballonnement. Oh, il y avait aussi des vers à fromage.

Les vers à fromage étaient des asticots sauteurs. Bien que ce ne soit pas toujours facile, j'avais appris à ne pas m'en occuper lorsque je travaillais sur des corps putréfiés.

— Ceux que je préfère.

— Il faut que tout le monde vive, docteur Brennan.

— Je suppose qu'on ne peut qu'admirer un organisme vivant capable de sauter quatre-vingt-dix fois sa longueur.

— Tu as mesuré ?

— C'est un ordre de grandeur.

— Un critère particulièrement utile pour l'estimation de la date de la mort est la mouche du soldat noir. Elles ne se montrent généralement pas avant le vingtième jour suivant le décès, et les concentrations sont rares, même dans les cas d'inhumation.

— Il y en avait ?

— Oui.

— Quoi d'autre ?

— L'échantillonnage des coléoptères était moins important, ce qui est probablement dû au milieu humide. Mais les prédateurs classiques étaient là et ont dû se régaler des larves et des espèces à corps mou.

— Ce qui donne quoi pour ton estimation ?

— Je dirais qu'on peut parler de trois à quatre semaines.

— Pour les deux corps ?

— Tu as mesuré une profondeur d'un mètre vingt pour la fosse, de quatre-vingt-dix centimètres de la surface au corps inférieur. Nous avons déjà parlé de la larviposition avant l'inhumation pour les mouches à viande, ce qui explique la présence d'enveloppes pupaires sur et sous le corps du bas. Certaines contiennent des mouches adultes, moitié dedans, moitié dehors. Elles ont dû rester emprisonnées dans le sol en tentant de sortir. Il y avait aussi des *Piophilidae*.

— Lou...

— Des vers à fromage. J'ai également trouvé des mouches de cercueil dans l'échantillon de sol que tu as prélevé au-dessus du corps inférieur, et un certain nombre de larves sur le corps lui-même. L'espèce est connue pour se creuser des galeries jusqu'au corps et y déposer ses œufs. Le fait que le sol ait été retourné et la présence du corps supérieur ont dû leur faciliter l'accès. J'ai oublié de mentionner que j'ai trouvé une mouche de cercueil sur le corps supérieur.

— Les échantillons de terrain ont apporté des informations ?

— Oui, beaucoup. Je ne vais pas t'infliger la liste des bestioles qui bouffent de l'asticot et des matières décomposées, mais j'ai trouvé une espèce qui aide à fixer le délai *post mortem*. Quand j'ai fait l'examen du sol, j'ai prélevé un certain nombre de mites qui corroborent un temps minimal de trois semaines après la mort.

— Donc, trois à quatre semaines pour les deux corps ?

— C'est ma première estimation.

— Ton aide m'est précieuse, Lou. Vraiment, vous m'impressionnez, vous autres.

— Est-ce que cela cadre avec l'état de conservation ?

— De manière parfaite.

— Il y a encore une chose que je voudrais mentionner.

Ce qu'il m'a dit alors a soufflé comme un vent glacial dans mon crâne.

24.

— Excuse-moi, Lou, redis-moi ça.

— Ce n'est pas nouveau. L'augmentation des morts liées à la drogue ces dernières années a fait rapidement avancer la recherche sur les produits pharmaceutiques trouvés sur les insectes nécrophages. Je n'ai pas besoin de te dire qu'on ne découvre pas toujours les cadavres sur-le-champ et que les techniciens peuvent ne pas avoir suffisamment d'échantillons pour procéder à une analyse toxicologique. Tu sais ce que je veux dire, sang, urine, ou tissus organiques.

— Si bien qu'on cherche des drogues chez les asticots ?

— On peut, mais on a eu plus de chance avec les enveloppes pupaires. Sans doute du fait que le temps d'alimentation est plus long que pour les larves. On a aussi joué avec les exuvies des coléoptères et...

— Les quoi ?

— Les vieilles peaux de coléoptères, les matières fécales. Mais, cela dit, c'est dans les pupes de mouches qu'on trouve les plus hauts taux de drogue. Si les coléoptères privilégient les téguments secs, les mouches se portent sur les tissus mous. C'est là que les concentrations de drogue semblent être les plus élevées.

— Et qu'est-ce qu'on a trouvé ?

— La liste est assez longue. Cocaïne, héroïne, amphétamines, amitriptyline, nortriptyline. Plus récemment, nous avons travaillé sur le 3,4-méthylénodioxymétamphétamine.

— Ce qui est, pour le commun des mortels ?

— L'ecstasy, son nom le plus courant.

— Et vous trouvez ces substances dans les enveloppes pupaires ?

— Nous avons isolé aussi bien les souches de ces drogues que leurs métabolites.

— De quelle manière ?

— La technique d'extraction est proche de celle que l'on utilise pour les échantillons en pathologie classique, à l'exception du fait que tu dois briser la matrice résistante de chitine/protéine de la pupe d'insecte et des exuvies, de manière à libérer les toxines. Pour cela, il faut broyer les pupes et utiliser soit un acide concentré, soit un traitement basique. Ensuite, après un ajustement de pH, il n'y a plus qu'à reprendre les méthodes habituelles de repérage de drogue. Extraction standard, suivie d'une chromatographie de liquide et d'une spectrométrie de masse. L'ionisation indique ce qui se trouve dans l'échantillon et à quelle concentration.

J'ai avalé ma salive.

— Et tu me dis que tu as trouvé du flunitrazépam dans les enveloppes pupaires que je t'ai fait envoyer ?

— Celles correspondant au corps supérieur contenaient du flunitrazépam et deux de ses métabolites, le desméthylflunitrazépam et le flunitrazépam amino-7. La concentration de la drogue souche était beaucoup plus importante que celle des métabolites.

— Ce qui correspond à une exposition ponctuelle plutôt que chronique.

— Exactamundo.

Je l'ai remercié et j'ai raccroché.

Le choc de cette découverte me clouait à ma chaise. Cela m'avait retourné l'estomac et j'avais envie de vomir. À moins que ce ne soit mon gâteau synthétique.

Flunitrazépam.

Le mot, finalement, avait libéré le souvenir stocké.

Flunitrazépam.

Rohypnol.

C'était ça, le message d'alerte que mon cerveau émettait.

J'ai composé d'une main tremblante le numéro du motel Lord Cartaret. Pas de réponse. Nouvel appel, et j'ai laissé mes coordonnées sur le bip de Ryan.

Attendre. Mon système nerveux sympathique diffusait une exhortation au profil bas. Attention. Mais attention à quoi ?

Rohypnol.

Lorsque le téléphone a sonné, je me suis ruée dessus.

Un étudiant.

J'ai libéré la ligne et attendu encore, avec un sentiment d'angoisse noire et glacée.

Rohypnol. La drogue du violeur de bar.

Des glaciers se sont formés. Le niveau des océans a monté, baissé. Quelque part, des poussières d'étoiles sont devenues planètes.

Onze minutes plus tard, Ryan a appelé.

— Je pense que j'ai trouvé un autre lien.

— Comment ?

Du calme. Ne te laisse pas influencer par l'impact de la nouvelle.

— Entre l'île Murtry et les meurtres de Saint-Jovite.

Je lui ai raconté ma conversation avec Lou West.

— Une des victimes de Murtry présente de fortes concentrations de Rohypnol dans les tissus.

— Tout comme les corps du premier étage de Saint-Jovite.

— Oui.

Un autre souvenir avait fait irruption quand Lou avait prononcé le nom de la drogue.

Forêt boréale. Vue aérienne d'un chalet calciné. Un

pré, avec, en cercle, des corps recouverts de draps. Des gens en uniforme. Des civières. Des ambulances.

— Tu te rappelles l'Ordre du Temple solaire ?

— Les têtes de pioche qui ont fait une sortie groupée ?

— Oui. Soixante-quatre morts en Suisse et en France. Dix au Québec.

Je devais faire des efforts pour garder une voix calme.

— Certains des chalets avaient été programmés pour exploser et brûler.

— Oui. J'y avais pensé.

— On avait trouvé du Rohypnol aux deux endroits. La plupart des victimes en avaient ingéré juste avant de mourir.

Silence.

— Tu crois qu'Owens fait du prosélytisme pour le Temple solaire ?

— Je ne sais pas.

— Tu penses qu'ils font du trafic ?

Du trafic de quoi ? De vies humaines ?

— C'est une possibilité.

Long silence de bout en bout de la ligne.

— Je vais repasser ça aux gars qui ont travaillé sur Morin Heights. Entre-temps, je vais serrer les boulons à Dom Owens.

— Ce n'est pas tout.

Léger bourdonnement.

— Tu m'écoutes ?

— Oui.

— West estime que la mort des deux filles remonte à trois ou quatre semaines.

Ma respiration résonnait lourdement dans le combiné.

— L'incendie à Saint-Jovite remonte au 10 mars. Demain, nous sommes le 1er.

Silence. Ryan était en train de faire le calcul.

— Oh, maudit chris ! Ça fait trois semaines.

— J'ai le pressentiment qu'il va arriver quelque chose de terrible, Ryan.

— Message reçu.

Il avait raccroché.

A *posteriori*, j'ai toujours eu l'impression que les événements s'étaient précipités à partir de cette conversation et que, prenant de la vitesse, ils s'étaient déchaînés, pour former finalement un tourbillon qui avait tout englouti. Y compris moi.

J'ai travaillé tard cette journée-là. Hardaway aussi. Il m'a appelée alors que j'étais en train de sortir de l'enveloppe son rapport d'autopsie.

Je lui ai donné le profil pour le corps de surface et une estimation d'âge pour celui du dessous.

— Cela cadre, a-t-il dit. Elle avait vingt-cinq ans.

— Vous avez pu l'identifier ?

— On a réussi à sortir une empreinte lisible. Comme cela n'avait rien donné du côté des fichiers locaux ou municipaux, on a envoyé ça au FBI. Rien dans leurs dossiers non plus. Eh bien, le plus dingue... J' sais vraiment pas ce qui m'a pris, p'têt' de savoir que vous bossiez là-bas. Quand les gars au bureau ont suggéré d'envoyer ça à la GRC, j'ai dit : « Oh, et puis merde, balancez-leur le bébé. » Et je veux bien aller au diable si elle est pas canadienne.

— Et quelles autres informations avez-vous eues sur elle ?

— Quittez pas.

J'ai entendu un bruit de ressort, puis de froissement de papier.

— Le document est arrivé aujourd'hui, en fin de journée. Il s'agit de Jennifer Cannon. Race blanche. Un mètre soixante-cinq, cinquante-huit kilos. Cheveux bruns. Yeux verts. Célibataire. A été vue pour la dernière fois... — il y a eu un silence, le temps qu'il fasse le calcul — il y a deux ans et trois mois.

— Elle est d'où ?

340

— Laissez-moi vérifier... — Nouveau silence. Calgary. — C'est où, ça ?

— Complètement à l'ouest. Qui a rempli la déclaration de disparition ?

— Sylvia Cannon. Domiciliée à Calgary. C'est donc vraisemblablement la mère.

Je lui ai donné le numéro de bip de Ryan pour qu'il lui téléphone.

— Quand vous lui parlerez, dites-lui qu'il m'appelle. Si je ne suis pas ici, je serai à la maison.

J'ai mis les os de Murtry dans des boîtes, que j'ai bouclées. Fourré disquette, dossier rempli, rapport d'autopsie de Hardaway, photos et papiers pour la conférence dans mon porte-documents, fermé le labo à clé, et j'ai quitté les lieux.

Le campus était désert, la nuit humide et sans vent. Temps anormalement chaud pour la saison, diraient les météorologues. Il y avait dans l'air un lourd parfum d'herbe coupée et de pluie imminente. Un roulement de tonnerre a retenti au loin. L'orage devait être en train de dévaler les Smoky Mountains et de traverser le plateau du Piedmont.

Sur le chemin du retour, j'ai fait une halte au comptoir du pub Selwyn. La foule à la sortie des bureaux se dispersait et la jeune clique du Queens College n'avait pas encore pris les lieux d'assaut pour la soirée. Sarge, le copropriétaire, un vaurien d'Irlandais, était assis dans son box habituel à dispenser ses opinions sur le sport et la politique, pendant que Neal, le barman, dispensait n'importe laquelle de la dizaine de ses bières pression. Sarge voulait lancer la discussion sur la peine de mort ou, plutôt, avait son mot à dire sur la peine de mort, mais je n'étais pas d'humeur à blaguer. J'ai ramassé mon cheeseburger et je suis partie.

Les premières gouttes criblaient les magnolias quand j'ai glissé ma clé dans la serrure de l'Annexe.

Rien ne m'y attendait pour me souhaiter la bienvenue, si ce n'était un léger tic-tac, régulier.

Il était presque dix heures quand Ryan a refait surface.

Sylvia Cannon n'habitait plus depuis au moins deux ans à l'adresse qu'elle avait indiquée dans le dossier des personnes disparues. Pas plus qu'à celle donnée au bureau de poste pour faire suivre son courrier.

Les voisins de la première adresse se souvenaient qu'elle n'avait pas de mari, et une fille unique. Leur description de Sylvia peignait le portrait d'une femme tranquille, sortant peu. Une solitaire. Personne ne savait où elle avait travaillé ni où elle était partie. Une dame pensait qu'elle avait un frère dans le secteur. La police de Calgary essayait de retrouver sa trace.

Plus tard, alors que j'étais couchée juste sous le toit, j'écoutais le bruit de la pluie sur les tuiles et les feuilles. Grondements de tonnerre, éclairs, qui, de temps à autre, saisissaient dans leurs flashs la silhouette de Sharon Hall. Le ventilateur brassait un air humide, qui s'imprégnait du parfum des pétunias et de la moustiquaire mouillée.

J'adore les orages. J'aime la puissance brute du spectacle : pouvoir de l'hydraulique, électricité, percussion. C'est la domination de mère Nature, imposant à tous ses caprices.

J'ai profité du spectacle le plus longtemps possible, puis me suis relevée pour fermer la lucarne. Le rideau était mouillé et l'eau formait déjà des flaques sur le sol. J'ai rabattu un battant, que j'ai verrouillé, et j'ai inspiré profondément. Le cocktail olfactif du déluge faisait remonter en moi un flot de souvenirs d'enfance. Soirées d'été. Lucioles. Nos nuits avec Harry sur la véranda de Nanny.

« Pense à ça, me suis-je dit. Écoute ces souvenirs, pas les voix des morts qui résonnent dans ta tête. »

Il y a eu un éclair et ma respiration s'est figée dans

ma gorge. Est-ce que quelque chose avait bougé sous la haie ?

Nouvel éclair. J'avais beau fixer les arbustes, tout semblait vide et statique.

Aurais-je rêvé ?

Mes yeux fouillaient l'obscurité. Pelouse et haies, vertes. Allée, incolore. Pâleur des pétunias contre l'écorce sombre des pins, recouverte de lierre.

Immobilité totale.

De nouveau, le monde s'est illuminé et un grand craquement a fendu la nuit en deux.

Une forme blanche a bondi des arbustes et couru à travers la pelouse. J'avais toute mon attention portée sur elle, mais l'image s'est évanouie avant que j'aie pu bien voir.

Mon cœur battait tellement fort que cela résonnait dans mon crâne. J'ai rabattu la fenêtre et collé mon nez contre la moustiquaire pour tenter de voir dans l'obscurité où cette chose avait disparu. Ma chemise de nuit était trempée et la chair de poule gagnait tout mon corps.

J'ai scruté le terrain en tremblant.

Tranquillité absolue.

Oubliant la fenêtre, j'ai fait volte-face et dévalé l'escalier. J'allais ouvrir la porte de devant à toute volée quand le téléphone a sonné, m'expédiant le cœur dans la gorge.

Oh, mon Dieu, quoi encore ?

J'ai agrippé le combiné.

— Tempe, je suis désolée...

J'ai regardé l'heure : deux heures moins vingt. Pour quelle raison ma voisine pouvait-elle bien m'appeler à cette heure ?

— ... il a dû se faufiler mercredi, quand j'ai fait visiter. C'est inoccupé, vous savez. Je viens juste d'y aller pour vérifier que tout était en ordre, avec l'orage et tout, et il est sorti comme une flèche. J'ai appelé, mais il s'est enfui. J'ai pensé que vous aimeriez savoir...

J'ai lâché le combiné, poussé violemment la porte de la cuisine, et je suis sortie en trombe.

— Birdie, ici... Ici, chaton.

J'ai dépassé l'abri du patio. En quelques secondes, j'avais les cheveux trempés et ma chemise de nuit me collait au corps comme un vieux kleenex.

— Birdie ! Tu es là ?

Un éclair a illuminé allées, haies, jardins, bâtiments.

— Birdie ! ai-je hurlé. Bird !

Les gouttes de pluie tombaient dru sur les briques et cinglaient les feuilles au-dessus de ma tête. J'ai crié encore.

Pas de réponse.

J'ai appelé, appelé, une vraie folle arpentant le parc de Sharon Hall. En un rien de temps, je tremblais de manière incontrôlable.

Et puis je l'ai aperçu.

Il était recroquevillé sous un buisson, tête basse, les oreilles pointées vers l'avant d'une drôle de manière. Sa fourrure était trempée et agglutinée en paquets, laissant voir sa peau, comme des craquelures dans une vieille peinture.

Je me suis avancée vers lui et me suis accroupie. On aurait dit qu'on l'avait plongé dans l'eau et roulé par terre. Il avait la tête et le dos couverts d'aiguilles de pin, de bouts d'écorce et de débris de végétation.

— Bird ? ai-je dit d'une voix douce, en lui tendant les bras.

Il a relevé la tête, m'a observée de ses yeux jaunes tout ronds. Nouvel éclair. Il s'est redressé, dos arqué, et a émis un « Mmmrrr ».

J'ai tendu les mains, paumes vers le ciel.

— Viens, mon Bird, viens, ai-je murmuré.

Il a hésité, puis, s'approchant, est venu se frotter contre ma cuisse, avec un nouveau « Mmmrrr ».

Le prenant dans mes bras, je l'ai serré fort et j'ai

couru vers la cuisine. Il avait posé ses pattes avant contre mon épaule et se pressait contre moi, comme un bébé singe accroché à sa mère. Je sentais ses griffes à travers ma chemise de nuit trempée.

Dix minutes plus tard, j'avais fini de le frictionner. Des poils blancs agglutinés sur plusieurs serviettes et d'autres voltigeant dans l'air. Pour une fois, je n'allais pas m'en plaindre.

Il a dévoré un bol de Friskies light et une soucoupe de glace à la vanille. Puis je l'ai porté jusqu'au lit. Se glissant sous les couvertures, il s'est allongé de tout son long contre ma jambe. J'ai senti son corps se tendre, puis se détendre tandis qu'il étirait les pattes, avant de bien s'installer dans le creux du matelas. Il avait encore le poil mouillé, mais c'était le cadet de mes soucis. Mon chat était revenu.

— Je t'aime, Bird, ai-je dit à la nuit.

Je me suis endormie dans un duo de ronronnements assourdis et de pluie battante.

25.

Le jour suivant étant un samedi, je n'allais pas à l'université. J'avais prévu de lire les conclusions de Hardaway et de rédiger mon rapport sur l'affaire Murtry. Expédition ensuite au centre botanique pour acheter des fleurs, que je voulais transplanter dans les grands bacs que je gardais sur le patio. Le jardinage express est un de mes talents. Tout cela complété d'une longue conversation avec Katy, de moments tranquilles avec mon chat, sans compter mon exposé pour le congrès et la soirée avec Élisabeth Nicolet.

Mais les choses tournèrent autrement.

À mon réveil, Birdie était déjà parti. L'ayant appelé mais sans succès, j'ai enfilé short et tee-shirt, avant de descendre voir si je le trouvais. La piste n'était pas difficile à suivre. Il avait vidé son plat et dormait au soleil, sur le canapé de la rotonde.

Il était couché sur le dos, pattes arrière écartées, pattes avant repliées sur la poitrine. Je suis restée là à le regarder un moment, souriant comme une enfant le matin de Noël. Je suis ensuite allée me préparer un café et un bagel, et, l'*Observer* à la main, je me suis installée à la table de cuisine.

Une femme de médecin avait été trouvée poignardée à Myers Park. Un enfant avait été attaqué par un pit-bull. Les parents demandaient que l'animal soit abattu, mais le propriétaire poussait des hauts cris. Les Hornets avaient battu les Golden State 101 à 87.

La météo annonçait une journée ensoleillée, avec un maximum de vingt-quatre degrés pour Charlotte. Coup d'œil sur les températures mondiales : à Montréal, vendredi, le thermomètre avait atteint les neuf degrés. Il y avait quand même une raison à l'orgueil sudiste.

J'ai lu le journal de A à Z. Éditoriaux. Petites annonces. Circulaires publicitaires des pharmacies. Rituel du samedi que j'adore, mais auquel je n'avais pas pu me livrer ces dernières semaines. Comme un drogué avec sa dose, je me suis repue du moindre mot imprimé.

Une fois ma lecture terminée, j'ai débarrassé et rapporté mon porte-documents sur la table. Les photos d'autopsie en pile sur ma gauche, le rapport de Hardaway en face de moi. Mon stylo a rendu l'âme à la première ligne. Je me suis levée pour aller en chercher un autre dans le salon.

À la vue d'une silhouette sur la véranda, mon cœur s'est emballé. Je n'avais pas la moindre idée de qui il pouvait s'agir ni si elle était là depuis longtemps.

La forme s'est retournée et, s'approchant du mur, est venue regarder par la fenêtre. Ses yeux ont rencontré les miens qui, incrédules, ont renvoyé son regard.

J'ai immédiatement fait le tour pour aller ouvrir.

Elle se tenait, les hanches projetées en avant, les mains serrées sur les sangles d'un sac à dos. Le bas de sa robe flottait autour de ses chaussures de marche. Le soleil matinal brillait dans ses cheveux, l'auréolant d'un halo cuivré.

« Doux Jésus, me suis-je dit. Et maintenant, que va-t-il se passer ? »

C'est Catherine qui a rompu le silence.

— Il fallait que je vous parle. Je...

— Oui, bien sûr. Entre, je t'en prie.

Me reculant d'un pas, j'ai tendu la main vers elle.

— Donne-moi ton sac.

Elle a passé le seuil, enlevé son sac qu'elle a posé par terre, sans jamais me quitter des yeux.

— J'arrive comme ça à l'improviste...

— Catherine, ne dis pas de bêtises. Je suis contente de te voir. C'est parce que j'ai été surprise.

Elle a desserré les lèvres sans émettre un son.

— Veux-tu manger quelque chose ?

La réponse était inscrite sur son visage.

La prenant par les épaules, je l'ai entraînée vers la cuisine. Elle m'a obéi, docilement. J'ai empilé sur le côté photos et rapport, et l'ai assise sur une chaise.

Tout en lui préparant un bagel grillé, tartiné de fromage à la crème, avec un verre de jus d'orange, je l'observais à la dérobée. Son regard restait fixé sur le dessus de la table, tandis que sa main lissait d'invisibles plis au napperon que j'avais placé devant elle. Ses doigts arrangeaient et dérangeaient les franges, tirant sur chaque brin pour l'aligner parallèlement aux autres.

J'avais l'estomac noué. Comment était-elle arrivée jusqu'ici ? S'était-elle enfuie ? Où était Carlie ? J'ai retenu mes questions le temps de la laisser manger.

Quand elle a eu fini son bagel et refusé un second, j'ai débarrassé et me suis assise à table avec elle.

— Alors. Comment m'as-tu retrouvée ?

Je lui ai caressé la main avec un sourire encourageant.

— Vous m'aviez donné votre carte.

Elle l'a sortie de sa poche et l'a posée sur la table. Puis ses doigts ont recommencé à jouer avec le napperon.

— J'ai appelé deux ou trois fois au numéro de Beaufort, mais vous n'étiez jamais là. Pour finir, c'est un homme qui a répondu, qui m'a dit que vous étiez retournée à Charlotte.

— C'était Sam Rayburn. Il m'avait prêté son bateau.

— En tout cas, j'ai décidé de quitter Beaufort...

— Elle a levé les yeux vers moi, pour les rabaisser aussitôt. — J'ai fait du stop jusqu'à l'université, et ça a pris plus longtemps que je ne pensais. Quand je suis arrivée sur le campus, vous étiez déjà partie. Je me suis fait héberger par une fille et, ce matin, elle m'a déposée chez vous en allant travailler.

— Comment as-tu su où j'habitais ?

— Elle a regardé dans une espèce de bouquin.

— Ah, d'accord.

J'étais sûre que mon adresse personnelle n'était pas indiquée dans l'annuaire de la fac.

— Eh bien, je suis contente que tu sois là.

Elle a hoché la tête. Elle avait l'air exténuée. De grands cernes noirs soulignaient ses yeux rougis.

— Je t'aurais rappelée mais tu ne laissais pas ton numéro. Et lorsque, mardi, nous sommes retournés au centre, le lieutenant Ryan et moi, nous ne t'avons pas vue.

— J'étais là...

Sa voix est devenue très faible.

J'ai attendu.

Birdie est apparu sur le seuil. La tension qui régnait dans la pièce lui a fait faire demi-tour. L'horloge a sonné la demi-heure. Catherine continuait à tripoter les franges.

Finalement, je n'ai pas pu tenir plus longtemps.

— Catherine, où est Carlie ?

J'ai posé ma main sur la sienne.

Ses yeux sont venus se planter dans les miens. Ils étaient vides et sans éclat.

— Ils s'en occupent, a-t-elle dit d'une petite voix, comme une enfant qu'on gronde.

— Qui ça, *ils* ?

Elle a retiré sa main, posé les coudes sur la table, et s'est massé les tempes par petits mouvements circulaires. Elle fixait de nouveau le napperon.

— Carlie est à Saint Helena ?

Hochement de tête.

— C'est toi qui as voulu le laisser là-bas ?

Elle a secoué la tête et a collé ses paumes contre ses tempes.

— Il va bien ?

— C'est mon bébé ! Mon bébé à moi !

Son ton véhément m'a frappée de surprise.

— Je peux m'en occuper.

Elle a relevé la tête et deux larmes ont roulé sur ses joues. Ses yeux me sondaient.

— Qui a dit le contraire ?

— Je suis sa mère.

Elle avait la voix tremblante. De quoi ? D'épuisement ? De peur ? De colère ?

— Qui s'en occupe ?

— Et si j'avais tort ? Si tout ça, c'était vrai ?

Son regard s'est reporté sur le dessus de la table.

— Mais si tout *quoi* était vrai ?

— Mon bébé, je l'aime. Je veux le meilleur pour lui.

Elle ne répondait pas à mes questions. Elle explorait son propre monde obscur, en se répétant à elle-même une conversation familière. Sauf que, cette fois, c'était dans ma cuisine.

— Bien sûr, Catherine.

— Je ne veux pas qu'il meure.

Ses doigts tremblants effleuraient les motifs du napperon, d'un geste avec lequel je l'avais vue caresser la tête de Carlie.

— Est-il malade ?

— Non. Il va très bien.

Les mots étaient presque inaudibles. Une larme est tombée sur le napperon.

Je fixais la petite tache sombre, en me sentant complètement idiote.

— Catherine, je ne sais pas comment t'aider. Il faut que tu me dises ce qui se passe.

Le téléphone a sonné à côté, mais je n'ai pas bougé.

Un clic, ma voix, puis un bip suivi d'un murmure. D'autres clic, puis le silence.

Catherine ne bougeait pas. Elle paraissait paralysée par les pensées qui la torturaient. À travers le silence, je percevais sa souffrance et j'attendais.

Sept taches sur le tissu de lin bleu. Dix. Treize.

Une éternité plus tard, elle a relevé la tête. Après s'être essuyé les joues et avoir rejeté ses cheveux en arrière, elle a croisé les doigts et soigneusement posé les mains au centre du napperon. Elle s'est éclairci deux fois la gorge.

— Je ne sais pas ce que c'est que de vivre comme tout le monde, a-t-elle dit avec un petit sourire humble. Jusqu'à cette année, je ne savais pas que je vivais autrement.

Elle a baissé les yeux.

— Je suppose que c'est avec Carlie que les choses ont changé. Les doutes sont venus après sa naissance. Cela ne m'était jamais venu à l'idée de poser des questions. J'ai suivi l'école à la maison, si bien que ma connaissance du monde était... — le même petit sourire — est limitée. Limitée à ce qu'ils veulent que j'en connaisse.

— Qui, *ils* ?

Elle serrait les mains si fortement l'une contre l'autre que ses articulations blanchissaient aux jointures.

— En fait, nous ne sommes pas supposés parler de ce qui concerne le groupe à l'extérieur... Elle a avalé sa salive. Ils sont ma famille. Je n'ai pas eu d'autre monde qu'eux depuis l'âge de huit ans. Il a été mon père, mon conseiller, mon directeur de conscience et...

— Dom Owens ?

Elle a relevé brusquement les yeux vers moi.

— Il est d'une intelligence supérieure. Il connaît tout sur la santé, la reproduction, l'évolution, la pollution, et sur la manière d'équilibrer les forces spirituelles, biologiques et cosmiques. Il voit et comprend des choses dont, nous, nous n'avons aucune idée. Ce n'est pas Dom. J'ai confiance en Dom. Jamais il ne ferait de mal à Carlie. Il fait ce qu'il peut pour le protéger. Il veille sur nous tous. Mais c'est que je ne suis pas sûre...

Elle a fermé les yeux et levé la tête vers le plafond. Une petite veine palpitait le long de son cou. Son larynx montait et descendait. Alors, elle a pris une grande respiration et, baissant le menton, elle m'a regardée droit dans les yeux.

— La fille. Celle que vous cherchiez. Elle était là-bas.

Je devais tendre l'oreille pour entendre.

— Heidi Schneider ?

— Je n'ai jamais su son nom de famille.

— Dis-moi ce dont tu te souviens.

— Elle est entrée dans le groupe via celui du Texas, je crois. Elle a vécu à Saint Helena pendant deux ans environ. Elle était plus âgée que moi ; je l'aimais bien. Elle voulait toujours me parler ou m'aider. Elle était drôle... — Silence. — Elle était supposée procréer avec Jason...

— Comment ?

J'ai cru que j'avais mal entendu.

— Son partenaire de procréation était Jason. Mais c'est Brian qu'elle aimait, le garçon avec qui elle avait rejoint le groupe. Celui sur la photo.

— Brian Gilbert.

J'avais la bouche sèche.

— En tout cas, avec Brian, ils se retrouvaient en cachette... — Ses yeux se sont portés sur un point au loin. — Quand elle est tombée enceinte, elle était paniquée parce que le bébé n'allait pas être sanctifié. Elle a essayé de le cacher, mais ils ont fini par s'en rendre compte.

— Owens ?

Ses yeux fixaient de nouveau les miens. Je pouvais y lire de la peur.

352

— Peu importe. Cela concerne tout le monde.

— De quoi parles-tu ?

— De l'ordre... — Elle a essuyé ses paumes sur le napperon et recroisé les doigts. — De choses dont je ne peux rien dire. Vous voulez écouter ou non ?

Ses yeux étaient à nouveau pleins de larmes.

— Continue.

— Un jour, Heidi et Brian ne sont pas venus à la réunion du matin. Ils étaient partis.

— Où ?

— Je ne sais pas.

— Tu penses qu'Owens les a fait rechercher par quelqu'un ?

Les yeux tournés vers la fenêtre, elle s'est mordu la lèvre inférieure.

— Ce n'est pas seulement ça. L'automne dernier, Carlie s'est réveillé une nuit tellement en colère que je suis descendue lui chercher du lait. Il y avait du bruit dans le bureau, une femme qui parlait tout doucement, comme si elle ne voulait pas qu'on l'entende. Elle devait être au téléphone.

— Tu as reconnu sa voix ?

— Oui. C'était une des femmes qui travaillaient au bureau.

— Et qu'est-ce qu'elle disait ?

— Elle disait à quelqu'un qu'une autre personne allait bien. Je ne suis pas restée plus longtemps pour écouter.

— Continue.

— À peu près trois semaines après, il est arrivé la même chose, sauf que, cette fois-ci, j'ai entendu des bruits de dispute. Ils avaient vraiment l'air en colère, mais la porte était fermée si bien que je n'ai pas pu comprendre ce qu'ils disaient. C'était Dom et cette même femme.

Elle a essuyé une larme d'un revers de main. Elle ne me regardait toujours pas.

— Le lendemain, elle était partie et je ne l'ai jamais

revue. Elle et une autre. Elles ont disparu, purement et simplement.

— Il n'y a pas de gens qui entrent et sortent du groupe ?

Ses yeux se sont soudés aux miens.

— Elle travaillait au bureau. Je pense que c'est elle qui recevait les appels dont vous avez parlé.

Elle haletait dans son effort pour refouler ses larmes.

— C'était la meilleure amie de Heidi.

J'ai senti le nœud se resserrer dans mon estomac.

— Est-ce qu'elle s'appelait Jennifer ?

Elle a hoché la tête.

J'ai respiré profondément. *Reste calme. Pour Catherine*.

— Et qui était l'autre ?

— Je n'en suis pas sûre. Elle n'était pas là depuis longtemps. Attendez. C'était peut-être Alice, son nom. Ou Anne.

Les battements de mon cœur se sont accélérés. *Oh, mon Dieu, non !*

— Sais-tu d'où elle venait ?

— De quelque part dans le Nord. Non, peut-être d'Europe. Quelquefois, avec Jennifer, elles parlaient dans une autre langue.

— Penses-tu que Dom Owens ait fait tuer Heidi et ses bébés ? C'est pour ça que tu as peur pour Carlie ?

— Vous ne comprenez pas. Ce n'est pas Dom. Il essaie juste de nous protéger, de nous aider à accomplir le passage.

Elle me fixait avec attention, comme pour m'atteindre au plus profond de mon crâne.

— Dom ne croit pas à l'antéchrist. Il veut seulement nous emmener loin de la destruction.

Sa voix était maintenant chevrotante et de petits hoquets venaient ponctuer les silences entre les mots. Elle s'est levée et s'est approchée de la fenêtre.

— C'est les autres. C'est elle. Dom, lui, veut que nous vivions tous éternellement.

— Qui, *elle* ?

Elle arpentait la cuisine comme un animal en cage, en triturant sa chemise de coton. Les larmes ruisselaient sur son visage.

— Mais pas maintenant. C'est trop tôt. Ça ne peut pas être maintenant, a-t-elle dit d'une voix plaintive.

— Trop tôt pour quoi ?

— Et s'ils se trompaient ? S'il n'y avait pas assez d'énergie cosmique ? S'il n'y avait rien de l'autre côté ? Si Carlie mourait, un point c'est tout ? Si mon bébé mourait ?

Fatigue. Angoisse. Culpabilité. Le mélange a fini par l'emporter et elle s'est mise à sangloter de manière incontrôlable. Ses mots sont devenus incohérents, et j'ai compris que je n'apprendrais rien de plus.

Je me suis approchée pour la prendre dans mes bras.

— Catherine, tu as besoin de repos. Je t'en prie, viens t'allonger un moment. Nous parlerons plus tard.

Elle a émis un son que je n'ai pu interpréter et s'est laissé entraîner vers la chambre d'ami. Je suis allée lui chercher des serviettes de toilette et suis redescendue au salon pour remonter son sac. À mon retour, elle était étendue sur le lit, un bras sur le front, les yeux fermés. Des larmes avaient roulé sur ses tempes, vers la racine des cheveux.

J'ai laissé le sac devant la commode et tiré les stores. Au moment où je refermais la porte, elle disait quelque chose, tout doucement, en remuant à peine les lèvres.

Ses mots m'ont effrayée bien au-delà de tout ce que j'avais pu entendre depuis longtemps.

26.

— « La vie éternelle » ? Ce sont ses mots exacts ?
— Oui.
Je serrais tellement fort le combiné que j'avais mal au poignet.
— Redis-moi cela.
— « Et si jamais ils partaient en nous laissant derrière ? Et si, à cause de moi, Carlie n'avait pas la vie éternelle ? »
Silence. Red pesait les mots de Catherine. J'ai changé de main. Une marque de transpiration restait imprimée sur le plastique.
— Je ne sais pas, Tempe. C'est difficile de te répondre. Comment savoir quand un groupe va devenir violent ? Parmi ces mouvements religieux marginaux, certains sont extrêmement explosifs. D'autres sont inoffensifs.
— Il n'y a pas de signes avant-coureurs ?
Et si mon bébé mourait ?
— Il y a un certain nombre de facteurs qui interagissent les uns sur les autres. Pour commencer, la secte elle-même, ses croyances et ses rituels, son organisation et, bien sûr, son leader. S'ajoutent à cela des forces extérieures. Quelle dose d'hostilité pèse sur les membres ? À quel point la société les stigmatise-t-elle ? Et on ne parle pas nécessairement de mauvais traitements. Un simple sentiment de persécution peut amener un groupe à devenir violent.

Il veut seulement nous emmener loin de la destruction.

— Quels types de croyance amènent ces groupes à franchir la limite ?

— C'est ça qui me préoccupe dans le discours de ta jeune amie. On dirait qu'elle parle de voyage. D'aller quelque part pour la vie éternelle. Ça a des connotations d'apocalypse.

Il essaie juste de nous protéger, de nous aider à accomplir le passage.

— La fin du monde.

— Absolument. Le dernier jour. Armageddon.

— Ce n'est pas nouveau. Pourquoi une vision apocalyptique du monde déchaîne-t-elle la violence ? Pourquoi ne pas simplement se mettre à l'abri et attendre ?

— Comprends-moi bien. Cela n'évolue pas toujours dans ce sens. Mais, pour les adeptes de ces sectes, la fin du monde est imminente et ils considèrent qu'ils ont un rôle clé à jouer lors des événements qui ne manqueront pas de se produire. Ils sont les élus, qui donneront naissance à l'ordre nouveau.

Elle était paniquée, parce que le bébé n'allait pas être sanctifié.

— Ce qui développe dans leurs réflexions une sorte de dualisme. Ils sont purs, quand tous les autres sont corrompus, dénués de tout sens moral. Du coup, les autres deviennent démoniaques.

— Avec moi ou contre moi.

— Absolument. Selon ces conceptions, les derniers jours du monde vont être caractérisés par la violence. Certaines sectes réagissent en termes de survie, stockent des armes, mettent en place des systèmes élaborés de surveillance contre l'ordre social démoniaque qui les menace. Ou contre l'antéchrist, ou contre Satan, ou contre tout ce qui pour elles constitue une menace.

Dom ne croit pas à l'antéchrist.

— Les croyances en l'apocalypse peuvent être particulièrement explosives si elles s'incarnent dans un leader charismatique. Koresh se considérait comme l'envoyé de Dieu.

— Continue.

— Tu vois, un des problèmes pour un prophète autoproclamé est qu'il doit se réinventer sans cesse. Il ne peut pas appuyer son autorité à long terme sur un support institutionnel. Il n'a pas non plus de limitations institutionnelles à son action. C'est le leader qui mène la danse, tant que ses disciples le suivent. D'où le fait que ces types peuvent générer des situations très explosives. Et ils peuvent faire ce qu'ils veulent dans leur sphère de pouvoir.

« Parmi les plus paranoïaques, certains vont répliquer à ce qu'ils perçoivent comme des menaces contre leur autorité par un durcissement de leur attitude dictatoriale. Ils réclament des choses de plus en plus bizarres, ordonnent que leurs disciples s'y plient, en signe de loyauté.

— Par exemple ?

— Jim Jones avait mis en place des épreuves de foi, pour reprendre ses propres termes. Les membres du Temple du Peuple étaient contraints de signer des confessions écrites ou de se soumettre à des humiliations publiques pour prouver leur dévotion. L'un de ces petits rituels consistait à faire absorber à ses disciples des liquides non identifiés. Quand on leur annonçait que c'était du poison, ils ne devaient pas montrer de peur.

— Charmant.

— La vasectomie est aussi une pratique courante. On dit que la direction de Synanon exigeait de certains disciples mâles qu'ils passent sous le couteau.

Son partenaire de procréation était Jason.

— Et les mariages arrangés ?

— Jouret et Di Mambro, Jim Jones, David Koresh, Charles Manson, Roch Thériault. Ils ont tous pratiqué l'agencement de couples. Jeûne, sexualité, avortement, habillement, sommeil. Peu importe de quelle idiosyncrasie il s'agit. Le leader, tout en conditionnant ses disciples à se plier à ses propres règles, brise leurs inhibitions. À la fin, leur acceptation aveugle de comportements bizarres les amène à s'habituer à l'idée même de la violence. Au début, il ne s'agit que de petits actes de dévotion, de demandes apparemment bénignes, comme la manière de se coiffer ou la méditation au milieu de la nuit, ou les relations sexuelles avec le leader. Par la suite, ces demandes peuvent prendre un tour plus fatal.

— D'après ce que tu dis, on assiste à la déification de la folie.

— Bien dit. Ce procédé a un autre avantage pour le leader. Cela écarte les moins impliqués, qui en ont assez et s'en vont.

— D'accord, je vois. Des groupes marginaux vivent une existence entièrement orchestrée par je ne sais quelle tête de pioche. Mais qu'est-ce qui fait qu'à un certain moment ils deviennent violents ? Pourquoi aujourd'hui, plutôt que le mois suivant ?

Mais pas maintenant. C'est trop tôt.

— La plupart des explosions de violence correspondent à ce que les sociologues appelleraient une « escalade des tensions limitrophes ».

— Évite-moi le jargon, Red.

— O.K. Ces groupes marginaux ont deux préoccupations majeures : recruter des membres et les conserver. Mais, si le leader se sent menacé, l'objectif se trouve fréquemment déplacé. Parfois, ils stoppent le recrutement, et soumettent les membres présents à un contrôle plus strict. Les demandes de soumission à des règles aberrantes s'intensifient. Le thème de la fin du monde prend plus d'importance. Le groupe s'isole de plus en plus, fait preuve d'une paranoïa de plus en plus aiguë. Il y a escalade des tensions avec la société environnante, ou avec le gouvernement, ou avec la justice.

— Et qu'est-ce qui peut représenter une menace pour ces mégalomanes ?

— Un disciple qui part peut être considéré comme un traître...

Un jour, Heidi et Brian ne sont pas venus à la réunion du matin. Ils étaient partis.

— Le leader peut avoir l'impression qu'il perd le contrôle. Ou si la secte a des adeptes à plusieurs endroits et qu'il lui soit impossible d'être présent partout, il peut avoir la sensation que son autorité dérape durant ses absences. Angoisse accrue. Sentiment d'isolement accru. Volonté tyrannique accrue. C'est une spirale paranoïaque. Il suffit alors d'un facteur extérieur pour tout déclencher.

— Et à quel degré d'agression doit se situer cet élément extérieur ?

— C'est variable. À Jonestown, il a suffi qu'un député du Congrès, avec un groupe de journalistes, tente de ramener une poignée de dissidents aux États-Unis. À Waco, il a fallu un assaut quasi militaire du Bureau of Alcohol, Tobacco and Firearms, avec pour finir une attaque aux gaz lacrymogènes et des véhicules blindés perçant une brèche dans l'enceinte du centre.

— Qu'est-ce qui explique cette différence ?

— Question d'idéologie et de leadership. Le système de fonctionnement de Jonestown était plus explosif que celui de Waco.

Mes doigts serrant le combiné étaient glacés.

— Et, d'après toi, Owens prend-il le chemin de la violence ?

— Il est clair qu'il est à surveiller. S'il retient le bébé de ton amie contre son gré, il faut considérer cela comme un avertissement.

— Il n'est pas certain qu'elle ait été ou non d'accord pour le laisser là-bas. Elle montre beaucoup de réticence à parler de la secte. Ce sont eux qui l'ont élevée, depuis qu'elle a huit ans. Je n'ai jamais vu quelqu'un de si déchiré. Mais le fait que Jennifer Cannon vivait au centre d'Owens au moment du meurtre est par ailleurs très clair.

Le silence a couru d'un bout à l'autre de la ligne.

— Est-il possible qu'à cause de Heidi et de Brian Owens ait pété les plombs ? Qu'il puisse avoir envoyé quelqu'un pour les tuer, eux et leurs bébés ?

— C'est possible. Et n'oublie pas que ce n'est pas la seule chose qu'il peut prendre comme une attaque. Il semble que Jennifer Cannon ait caché les appels téléphoniques du Canada, pour ensuite refuser de se soumettre à la volonté d'Owens quand il s'en est aperçu. Et, bien sûr, il y a ton intervention.

— Mon intervention ?

— Brian a mis Heidi enceinte contre les ordres de la secte. Puis ils sont partis ensemble. Ensuite, l'histoire avec Jennifer. Là-dessus, vous débarquez avec Ryan. Drôle de coïncidence, en passant.

— Comment ?

— Le député qui s'est pointé en Guyane, il s'appelait Ryan aussi.

— Donne-moi une prédiction, Red. En fonction de ce que je t'ai dit, que vois-tu dans ta boule de cristal ?

Il n'a pas répondu tout de suite.

— D'après ce que tu m'as raconté, Owens semble correspondre au profil du leader charismatique, s'autodéfinissant comme messie. Et, visiblement, ses disciples ont accepté cette vision des choses. Owens peut avoir l'impression qu'il est en train de perdre le contrôle sur ses adeptes. Il peut considérer votre enquête comme une menace additionnelle portée à son autorité.

Nouveau silence.

— Et il y a ce que Catherine t'a dit au sujet de ce passage...

Il a pris une grande inspiration.

— Considérant tout cela, je dirai que la probabilité d'une dérive violente est élevée.

J'ai raccroché et laissé un message à Ryan sur son bip. En attendant qu'il rappelle, j'ai repris le rapport de Hardaway. Juste au moment où je le sortais de l'enveloppe, le téléphone a sonné. Si je n'avais pas été aussi énervée, cela aurait pu m'amuser. Il était dit que je ne lirais pas ce document.

— Tu es tombée du lit ?

La voix de Ryan était lourde de fatigue.

— Je suis toujours levée tôt. Et j'ai eu de la visite.

— Laisse-moi deviner. Gregory Peck.

— Catherine a débarqué ce matin. Elle dit qu'elle a passé la nuit à l'UNC et qu'elle m'a trouvée par l'annuaire de la fac.

— Pas très malin d'y laisser ton adresse personnelle.

— Elle n'y est pas. Jennifer Cannon a vécu au centre de Saint Helena.

— Ô chris !

— Catherine a surpris une dispute entre Jennifer et Owens. Le lendemain, Jennifer avait disparu.

— Du super-boulot, Brennan.

— Il y a mieux.

Je lui ai raconté comment Jennifer avait accès au téléphone et qu'elle était l'amie de Heidi. Il m'a communiqué à son tour ses propres scoops.

— Lorsque tu as parlé avec Hardaway, tu lui as demandé quand Jennifer avait été vue vivante pour la dernière fois. Mais tu n'as pas demandé où. Ce n'était pas à Calgary. Jennifer n'y a plus habité après être partie pour le collège. D'après sa mère, elles sont restées en relation étroite jusque peu avant sa disparition. Sa fille a alors commencé à espacer ses appels, à se montrer évasive lors de leurs conversations.

« La dernière fois qu'elle a appelé, c'était pour Thanksgiving il y a deux ans. Puis plus rien. La mère a téléphoné au collège, a pris contact avec les amis de sa fille, elle est même venue voir sur le campus. Mais elle n'a jamais pu découvrir où sa fille avait disparu. C'est là qu'elle a rempli un dossier pour personne disparue.

— Et ?

Je l'ai entendu respirer profondément.

— La dernière fois qu'on a vu Jennifer, c'était sur le campus de McGill.

— Non !

— Si. Elle n'a pas passé ses examens et ne s'est plus présentée aux cours. Elle a ramassé ses affaires, tout bonnement, et a disparu.

— Ses affaires ?

— Ouais. C'est pour ça que la police ne s'est pas beaucoup bougée sur le dossier. Elle a empaqueté ce qui lui appartenait, a fermé son compte en banque, laissé un chèque pour son propriétaire et s'est évanouie dans la nature. Ce qui ne ressemble pas vraiment à un enlèvement.

Une image se formait dans mon esprit, sans parvenir à se fixer. Un visage avec une frange. Un tic nerveux. J'ai forcé mes lèvres à formuler le nom.

— Il y a une autre jeune fille qui a disparu du centre en même temps que Jennifer Cannon. Catherine ne la connaissait pas, parce qu'elle était nouvelle... — J'ai avalé ma salive. — D'après elle, la fille pouvait s'appeler Anna.

— Je ne te suis pas.

— Anna Goyette était... — je me suis reprise — est une étudiante de McGill.

— Anna est un nom courant.

— Catherine l'a entendue parler avec Jennifer dans une langue étrangère.

— En français ?

— Je ne sais pas si Catherine reconnaîtrait le français si elle l'entendait.

— Tu penses que la seconde victime de Murtry pourrait être Anna Goyette ?

Je n'ai pas répondu.

— Brennan, ce n'est pas parce qu'une fille qui s'est pointée à Saint Helena s'appelait peut-être Anna qu'il faut imaginer une réunion de promotion de McGill. Cannon a quitté l'université il y a deux ans. Goyette a dix-neuf ans. Elle n'était pas encore à l'université à ce moment-là.

— C'est vrai. Mais tout le reste concorde.

— Je ne sais pas. Et même si Jennifer a vécu avec Owens, cela ne veut pas dire que ce soit lui qui l'a tuée.

— Ils se disputent. Elle disparaît. On trouve son cadavre enseveli sommairement.

— Elle était peut-être droguée. Ou son amie Anna l'était. Peut-être qu'Owens s'en est aperçu et qu'il les a

363

foutues dehors. N'ayant nulle part où aller, elles ont fait chanter leurs associés. Ou elles se sont envolées avec un sac de marchandise.

— C'est ce que tu penses ?

— Écoute, tout ce qu'on sait de façon certaine, c'est que Jennifer Cannon a quitté Montréal il y a deux ans et qu'on a retrouvé son corps sur Murtry Island. Il est possible qu'elle ait vécu quelque temps dans la communauté de Saint Helena. Il est possible qu'elle se soit disputée avec Owens. Et, si c'est effectivement le cas, il est possible que cela ait un rapport avec sa mort.

— Cela a en tout cas un maudit rapport avec la question de trouver ce qu'elle a pu fabriquer depuis sept ans.

— Oui.

— Qu'est-ce que tu vas faire ?

— Je vais d'abord aller voir le shérif Baker pour savoir si on peut obtenir un mandat avec ça. Puis je vais mettre le feu au cul de nos petits camarades texans. Je veux connaître le moindre trou à rat qu'Owens a pu occuper dans sa vie. Puis retour à la « villa Mon désir » pour la mettre ostensiblement sous haute surveillance. Je veux voir de quelle couleur il transpire, notre gourou, et je n'ai pas beaucoup de temps devant moi. Ils me veulent à Montréal lundi.

— Je pense que c'est un homme dangereux, Ryan.

Il m'a écoutée sans m'interrompre tandis que je lui relatais en gros ma conversation avec Red Skyler. Un long silence a suivi, le temps pour lui de digérer les propos du sociologue.

— Je vais appeler Claudel, pour qu'il me dise où ils en sont avec Anna Goyette.

— Merci, Ryan.

— Garde un œil sur Catherine, a-t-il dit d'un ton solennel.

— Sans faute.

Je n'en ai pas eu l'occasion. Quand je suis remontée dans la chambre, elle avait disparu.

27.

— Merde ! ai-je déclaré devant la pièce vide.

Birdie m'avait suivie dans les escaliers. Tétanisé par mon exclamation, il a baissé la tête et m'a observée de ses yeux ronds.

— Merde !

Pas de réponse.

Ryan avait raison. Catherine était instable. Je savais que je n'étais pas en mesure d'assurer sa protection, ni celle de son bébé. Alors, pourquoi m'en sentir si responsable ?

— Elle a foutu le camp, Bird. Qu'est-ce qu'on peut faire ?

Devant son absence de suggestions, j'ai suivi ma procédure coutumière. Pour faire face à l'anxiété, je travaille.

Je suis retournée dans la cuisine. La porte était grande ouverte et le vent avait éparpillé les photos d'autopsie.

Le vent, vraiment ? Le rapport de Hardaway était exactement à la place où je l'avais laissé.

Catherine avait-elle regardé les photos ? Était-ce ce macabre tableau qui l'avait fait fuir, dans la panique ?

Avec un nouvel accès de culpabilité, je me suis assise et j'ai repris les photos une à une.

Débarrassé de son suaire d'asticots et de sédiments, le corps de Jennifer Cannon était en meilleur état que je ne m'y attendais. La décomposition avait dévasté

visage et viscères, mais les blessures étaient très clairement visibles dans la chair boursouflée et décolorée.

Des coupures. Des centaines de coupures. Les unes
circulaires, les autres droites, de un à plusieurs centimètres. Elles étaient particulièrement concentrées près
de la gorge, sur le thorax et sur toute la longueur des
bras et des jambes. Sur l'ensemble du corps, on apercevait ce qui ressemblait à de minuscules griffures,
mais la macération épidermique en rendait l'examen
difficile. Il y avait des marbrures d'hématomes partout.

Je me suis arrêtée sur un certain nombre de clichés.
Si les blessures à la poitrine avaient des bords nets et
droits, les autres coupures présentaient des lèvres
déchiquetées et irrégulières. Sur l'avant-bras droit une
plaie profonde et circulaire laissait voir la chair déchi-
rée et l'os fracturé.

Photos du crâne. Bien que le décollement ait commencé, la plupart des cheveux étaient encore en place.
Bizarrement, les vues postérieures montraient l'os à
travers la chevelure emmêlée, comme s'il y avait eu un
scalp localisé.

J'avais déjà vu ça quelque part. Où ?

Je suis passée au rapport de Hardaway.

Vingt minutes plus tard, je me reculai dans ma
chaise et fermai les yeux.

Cause probable de la mort : exsanguination suite à
de multiples blessures. Les coupures nettes de la poitrine avaient été faites par une lame tranchante qui
avait sectionné plusieurs vaisseaux importants. En raison de la décomposition, le médecin légiste ne pouvait
se prononcer sur l'origine des autres lacérations.

La journée se poursuivit dans un état de grande agitation. Je terminai mes rapports sur Jennifer Cannon et
l'autre victime de Murtry, revins à mes données de
scanner assisté par ordinateur, avec de fréquentes inter-
ruptions pour guetter Catherine.

Ryan téléphona à deux heures pour me dire que la

corrélation avec Jennifer Cannon avait emporté la décision d'un juge et qu'un mandat de perquisition allait être émis à l'encontre du centre de Saint Helena. Dès qu'il aurait le papier, il foncerait là-bas avec Baker.

Je lui ai dit pour Catherine et j'ai écouté ses propos rassurants quant au fait que je n'avais rien à me reprocher. Je lui ai aussi dit pour Birdie.

— Au moins, il y a quelques bonnes nouvelles.

— Ouais. Rien de neuf du côté d'Anna Goyette ?

— Non.

— Du Texas ?

— J'attends toujours. Je te tiens au courant de ce qui se passe là-bas.

Au moment où je raccrochais, j'ai senti une caresse de fourrure contre ma cheville. Birdie me faisait la danse des huit autour des chevilles.

— Voyons, Birdie. Un peu de tenue...

Mon chat a une adoration inconsidérée pour les jouets canins. Et j'ai beau lui expliquer que ce n'est pas pour les chats, il n'en démord pas.

J'ai déniché dans un tiroir de cuisine un petit os en peau brute et le lui ai lancé à travers le salon.

Il a traversé la pièce en courant, a bondi, opéré un roulé-boulé par-dessus sa proie. S'est redressé, a coincé sa victime entre ses pattes avant et a commencé à la mâchouiller.

J'observais la scène en me demandant quel attrait pouvait avoir ce bout de cuir gluant.

Il en a attaqué le coin, puis, le virant de côté, il en a griffé toute la face latérale avec les dents. Comme le truc basculait, il lui a refilé un petit coup de patte et a planté une canine dans le cuir.

Toute mon attention était soudain concentrée sur le spectacle.

Est-ce qu'il pouvait s'agir de la même chose ?

Je suis venue m'accroupir près de lui et lui ai repris son jouet. Posant ses deux pattes sur mes genoux, il s'est étiré pour tenter de le récupérer.

À la vue des marques sur le cuir, mon pouls s'est accéléré.

Doux Jésus !

Les blessures bizarres sur le corps de Jennifer Cannon. Les égratignures superficielles. Les bordures déchiquetées.

J'ai couru chercher mon microscope dans le salon, puis, revenant dans la cuisine, j'ai recherché la photo de la tête dans le paquet de Hardaway.

Vu au grossissement, le scalp n'était pas dû à la décomposition. Les mèches restantes étaient fermement implantées. La partie de peau manquante était de forme nettement rectangulaire, avec des bords déchirés et irréguliers.

Il y avait eu arrachement du cuir chevelu.

Que fallait-il en conclure ?

Et il y avait autre chose encore.

Comment avais-je pu être aussi aveugle ? Une idée préconçue m'avait-elle à ce point masqué l'évidence ?

J'ai ramassé mes clés et mon sac, et je suis sortie.

Trois quarts d'heure plus tard, je me trouvais à l'université et les os de la victime non identifiée de Murtry, disposés sur la table du labo, semblaient me fixer d'un air accusateur.

Comment avais-je pu faire preuve de tant de négligence ?

« Ne jamais présumer d'une seule source de trauma. » Les mots de mon directeur d'études me revenaient, à travers les décennies.

J'étais tombée dans le piège. Quand j'avais vu les marques sur les os, j'avais pris pour acquis qu'elles étaient dues aux ratons laveurs et aux vautours. Je ne les avais pas examinées de près. Ni mesurées.

Mais maintenant, c'était fait.

Au-delà des dégâts importants infligés au squelette par les charognards, il y avait eu d'autres blessures.

Les deux trous dans l'os occipital étaient les plus

explicites. Chacun mesurait cinq millimètres, avec un écart de trente-cinq millimètres entre les deux. Ce ne pouvait pas être un vautour et l'écartement était trop important pour un raton laveur.

D'après les dimensions, il devait s'agir d'un gros chien. Ainsi que les égratignures parallèles sur les os crâniens et les perforations de même type au niveau de la clavicule et du sternum.

Jennifer Cannon et sa compagne avaient été attaquées par des animaux, probablement de gros chiens. Les dents avaient déchiré les chairs, entaillé l'os. Certaines morsures avaient été assez puissantes pour percer l'épaisseur du cuir chevelu à l'arrière du crâne.

Mon esprit a opéré un flash-back.

Carole Comptois. La victime montréalaise. Pendue par les poignets et torturée. Elle avait subi la même agression.

Tu exagères, Brennan.

Oui.

C'est ridicule.

« Non, me disait une voix intérieure. Ce n'est pas ridicule. »

Jusque-là, mon scepticisme n'avait pas beaucoup servi les victimes. J'avais fait preuve de légèreté en écartant la possibilité d'une attaque par un animal. J'avais douté du lien entre Heidi Schneider et Dom Owens, et la connexion avec Jennifer Cannon m'avait échappé. Je n'avais nullement aidé Catherine et Carlie, et je n'avais rien fait pour retrouver Anna Goyette.

Dorénavant, si nécessaire, j'irais plus loin. S'il y avait une quelconque possibilité de lien entre Carole Comptois et les victimes de Murtry, j'allais la prendre en considération.

J'ai appelé Hardaway, sans grand espoir qu'un samedi il soit encore au bureau si tard. Il n'y était pas. Pas plus que LaManche, qui avait effectué l'autopsie de Comptois. J'ai laissé un message à l'un et à l'autre.

Frustrée, j'ai pris mon calepin, pour établir la liste de ce que je savais.

Jennifer Cannon et Carole Comptois étaient toutes les deux de Montréal. Elles étaient toutes les deux mortes agressées par un chien.

Le squelette enterré avec Jennifer Cannon portait également des marques de dents d'animal. On avait mesuré chez elle des taux élevés de Rohypnol, indiquant une intoxication ponctuelle.

Du Rohypnol avait été détecté chez deux des victimes retrouvées avec Heidi Schneider et sa famille à Saint-Jovite.

Du Rohypnol avait été retrouvé dans les organismes de certaines des victimes de l'assassinat-suicide de l'Ordre du Temple solaire.

Le Temple solaire avait des activités autant au Québec qu'en Europe.

De la maison de Saint-Jovite, quelqu'un avait appelé la communauté d'Owens sur Saint Helena. Les deux propriétés appartenaient à Jacques Guillion, également propriétaire d'un ranch au Texas.

Jacques Guillion était belge.

L'une des victimes de Saint-Jovite, Patricia Simonnet, était belge.

Heidi Schneider et Brian Gilbert avaient rejoint le groupe de Dom Owens au Texas et étaient retournés là-bas pour la naissance des bébés. Ils avaient ensuite quitté le Texas, avant d'être assassinés. À Saint-Jovite.

La mort des victimes de Saint-Jovite remontait à environ trois semaines.

Jennifer Cannon et l'autre victime non identifiée étaient mortes depuis trois à quatre semaines.

Carole Comptois était morte aussi environ trois semaines plus tôt.

Je fixai la page. Dix. Dix personnes avaient trouvé la mort. De nouveau, l'étrange phrase rebondissait dans mon crâne. Le trépassé du jour. Nous les avions retrouvées progressivement, mais elles étaient toutes mortes à la même période. Quelle serait la prochaine ? Dans quel piège infernal étions-nous tombés ?

De retour à la maison, j'ai sauté sur l'ordinateur pour corriger mon rapport sur le squelette de Murtry, en y incluant mes observations sur les blessures dues à l'attaque d'un animal.

Au moment où j'achevais d'imprimer et de relire, l'horloge carillonnait le refrain complet de Westminster, avant les six longs gongs. Mon estomac grondait pour me rappeler qu'il n'avait rien absorbé depuis le bagel et le café du matin.

Ayant pris un peu de basilic et des fines herbes dans le patio, je me suis coupé des bouts de fromage, ai pris deux œufs dans le frigo, et j'ai mixé le tout dans la poêle. Munie d'un autre bagel grillé et d'un Coke, je suis retournée avec mon dîner sur la table du salon.

À la relecture de ma liste établie à l'université, une pensée dérangeante a fait surface.

La disparition d'Anna Goyette remontait également à un peu moins de trois semaines.

Cela m'a coupé l'appétit. J'ai abandonné la table pour le canapé. Allongée de tout mon long, j'ai laissé dériver mes pensées, pour que les associations se fassent librement.

Les noms. Schneider. Gilbert. Comptois. Simonnet. Owens. Cannon. Goyette.

R.A.S.

Les âges. Quatre mois. Dix-huit ans. Vingt-cinq. Huit décennies.

Aucun rapport.

Les lieux. Saint-Jovite. Saint Helena.

Les saints ? Il pourrait y avoir un lien ? J'ai pris note de demander à Ryan où était située la propriété de Guillion au Texas.

Je me suis rongé l'ongle du pouce. Qu'est-ce qui lui prenait donc tant de temps, à Ryan ?

Mes yeux ont parcouru les étagères qui couvraient

six des huit murs du solarium. Livres du plancher au plafond. C'est bien une chose que je ne me résous jamais à éliminer. Un bon tri semblait pourtant nécessaire. Il y avait là des dizaines d'ouvrages que je n'ouvrirais jamais plus, dont certains dataient de mes années de licence.

Universités.

Jennifer Cannon. Anna Goyette. Les deux étaient étudiantes à McGill.

J'ai repensé à Daisy Jeannotte et aux étranges propos qu'elle avait tenus au sujet de son assistante.

Mes yeux sont revenus vers l'ordinateur. Sur mon écran de veille se promenaient des vertèbres en une longue et sinueuse ronde reptilienne. Puis des os longs venaient prendre la place de la colonne vertébrale, suivis de côtes, d'un bassin. L'écran redevenait noir. Puis débutait un nouveau spectacle, cette fois-ci avec un crâne qui pivotait lentement sur lui-même.

E-mail. Quand nous avions échangé nos adresses avec Jeannotte, je lui avais demandé de me contacter si Anna revenait. Cela faisait des jours que je n'avais pas vérifié mes messages.

Je me suis branchée, ai téléchargé mon courrier et épluché les noms des expéditeurs. Pas de Jeannotte. Mon neveu Kit avait quant à lui envoyé trois messages. Deux la semaine dernière, un ce matin.

Kit ne m'envoyait jamais d'e-mail.

J'ai cliqué sur son message le plus récent.

« De : khoward
À : tbrennan
Objet : Harry
Tante Tempe,
J'ai appelé, mais tu ne dois pas être là. Je suis terriblement inquiet au sujet de Harry.
Appelle-moi s'il te plaît. Kit. »

Depuis qu'il avait deux ans, Kit avait toujours appelé sa mère par son prénom. Ses parents avaient beau s'y être opposés, il avait refusé de se corriger. Le nom de Harry devait mieux sonner à son oreille.

En remontant vers ses messages précédents, j'étais traversée par des émotions contradictoires. Inquiétude pour ma sœur. Agacement face à sa désinvolture. Compassion pour Kit. Culpabilité à cause de mon propre manque d'attention. C'était sûrement le coup de téléphone que j'avais laissé sonner lorsque je parlais avec Catherine.

Je suis revenue dans l'entrée pour vérifier sur mon répondeur.

« Salut, ma tante, c'est Kit. Je t'appelle à propos de Harry. Elle ne répond pas chez toi à Montréal, et je ne sais absolument pas où elle a pu partir. Je sais qu'elle y était encore il y a quelques jours. *Silence.* La dernière fois que je l'ai eue au téléphone, elle avait l'air bizarre. Vraiment, même pour elle. *Petit rire nerveux.* Est-ce qu'elle est toujours au Québec ? Sinon, sais-tu où elle est ? Je suis inquiet. C'est la première fois qu'elle avait ce ton-là. S'il te plaît, rappelle-moi. Bye. »

L'image de mon neveu m'est apparue. Avec ses yeux verts et ses cheveux couleur sable. Difficile de croire que Howard Howard ait pu contribuer génétiquement de quelque manière que ce soit au fils de Harry. Un mètre quatre-vingt-dix, mince comme un fil, Kit était la copie conforme de mon père.

J'ai réécouté le message, pour voir où ça pouvait clocher.

Non, Brennan.

Mais pourquoi Kit était-il si préoccupé ?

Appelle-le. Elle va bien.

J'ai appuyé sur la touche de composition automatique. Pas de réponse.

J'ai essayé chez moi, à Montréal. Même topo. J'ai laissé un message.

Pete. Il n'avait pas eu de nouvelles.

Évidemment. Entre Harry et un panaris, il aurait eu du mal à choisir. Elle en était parfaitement consciente.

Ça suffit, Brennan. Reviens aux victimes. Elles ont besoin de toi.

Je me suis efforcée de penser à autre chose. Ce n'était pas la première fois qu'elle disparaissait. Autant considérer qu'elle allait bien.

Je me suis rallongée. Quand je me suis réveillée, j'étais tout habillée, et le téléphone sans fil sonnait sur ma poitrine.

— Merci d'avoir appelé, ma tante. Je... peut-être que je suis en train de péter les plombs, mais ma mère avait l'air très déprimée la dernière fois que je l'ai eue au téléphone. Et voilà qu'elle a disparu. Ce n'est pas le genre de Harry. D'avoir l'air si à plat, je veux dire.

— Kit, je suis sûre que ça va.

— Tu as probablement raison, mais, bon, on avait projeté quelque chose. Elle se plaint toujours qu'on ne passe plus assez de temps ensemble, alors je lui avait promis de l'emmener faire un tour de bateau la semaine prochaine. J'ai pas mal avancé les travaux de rénovation et on devait aller se balader dans le golfe quelques jours. Elle aurait au moins pu appeler si elle avait changé d'avis.

L'inconscience de ma sœur a fait monter en moi la bouffée de colère habituelle.

— Elle va t'appeler, Kit. Quand je suis partie, son atelier avait l'air de lui prendre pas mal la tête. Tu sais comment elle est.

— Ouais... — Un silence. — Mais il n'y a pas que ça. Elle avait l'air tellement — il a hésité sur le mot à employer — sans ressort. Cela ne lui ressemble pas.

J'ai repensé à ma dernière soirée avec elle.

— Cela fait peut-être partie d'une nouvelle *persona*. Un calme extérieur, tout en amabilité.

Même pour moi, ces mots sonnaient faux.

— Ouais, peut-être bien. Est-ce qu'elle a parlé d'aller quelque part ?

— Non. Pourquoi ?

— Elle a dit quelque chose qui m'a laissé penser

qu'elle avait un voyage en tête. Mais... je ne sais pas comment dire... elle n'était pas d'accord, ou elle n'avait pas envie. Oh, et puis merde, je n'en sais rien.

Il a laissé échapper un soupir. Je l'imaginais se passant la main dans les cheveux, puis se frottant le haut du crâne. Manière « kitienne » d'exprimer sa frustration.

— Elle a dit quoi ?

Malgré mes résolutions, l'inquiétude commençait à me gagner.

— Je ne me rappelle plus exactement, mais écoutemoi ça. Ce qu'elle pouvait porter ou la tête qu'elle pouvait avoir n'avait plus d'importance. Tu trouves que ça lui ressemble ?

Non. Pas du tout.

— Tante Tempe, tu sais quelque chose sur le groupe dans lequel elle s'est embarquée ?

— Seulement le nom. Vie intérieure et Puissance, je crois. Cela te tranquilliserait si je faisais une petite enquête ?

— Ouais.

— Et puis je vais appeler mes voisins à Montréal, pour savoir s'ils l'ont vue. D'accord ?

— Ouais.

— Kit, tu te rappelles la fois où elle a rencontré Striker ?

Silence.

— Ouais.

— Que s'est-il passé ?

— Elle était partie pour un rallye en ballon, avait disparu pendant trois jours, pour réapparaître mariée.

— Tu te souviens comme tu paniquais ?

— Ouais. Mais elle avait pas lâché son fer à friser. Dis-lui qu'elle me rappelle simplement. J'ai laissé des messages sur son répondeur, mais, qui sait, elle est peut-être fâchée pour je ne sais quelle foutue raison ?

J'ai raccroché et vérifié l'heure. Minuit et quart. J'ai essayé à Montréal. Pas de réponse. J'ai donc laissé un autre message. Profitant du fait que j'étais allongée dans le noir, mon esprit organisait le contre-interrogatoire.

Pourquoi ne pas m'être informée au sujet de Vie intérieure et Puissance ?

Parce qu'il n'y avait pas de raison pour cela. Elle s'était inscrite à ce cours par l'intermédiaire d'une institution établie. Il n'y avait donc pas à s'inquiéter. De plus, enquêter sur toutes les pistes que poursuivait Harry aurait occupé un détective à plein temps.

Demain. J'appellerais demain. Pas ce soir. Fin de l'interrogatoire.

J'ai grimpé l'escalier, me suis déshabillée et glissée sous les couvertures. Il fallait que je dorme. J'avais besoin de quitter le tumulte de pensées qui m'agitait.

Le ventilateur tournait au plafond avec un léger ronronnement. Cela m'a fait penser au salon de chez Owens et, malgré mes tentatives de blocage, les noms sont remontés.

Brian. Heidi. Brian et Heidi étaient étudiants.

Jennifer Cannon était étudiante.

Anna Goyette.

J'ai senti mon estomac se retourner.

Harry.

Harry s'était inscrite pour son premier séminaire au North Harris Country Community College. Harry était étudiante.

Les autres avaient été tués ou avaient disparu alors qu'ils se trouvaient au Québec.

Ma sœur se trouvait au Québec.

Y était-elle encore ?

Et Ryan, qu'est-ce qu'il pouvait bien foutre ?

Quand il a finalement rappelé, mon inquiétude avait fait place à une franche panique.

28.

— Partis ? Mais qu'est-ce que tu veux dire, par partis ?

J'avais dormi par à-coups et, quand Ryan m'a
réveillée à l'aube, j'avais mal à la tête et ne me sentais
pas dans mon assiette.

— Quand on a débarqué avec le mandat, il n'y avait
plus personne.

— Vingt-six personnes se sont purement et simplement envolées ?

— Owens et une femme sont venus faire le plein
des camionnettes à sept heures hier matin. Le gérant du
garage s'en souvenait parce que ce n'était pas dans
leurs habitudes. On est arrivés là-bas, Baker et moi,
vers les cinq heures de l'après-midi. Quelque part
entre-temps, le *padre* et ses disciples ont pris la poudre
d'escampette.

— Ils ont pris les véhicules et ils sont partis ?

— Baker a lancé un message général, mais jusqu'à
maintenant on n'a pas repéré les camionnettes.

— Dieu du ciel.

Je n'arrivais pas à y croire.

— Mais, à vrai dire, il y a pire.

Il a laissé passer un moment de silence.

— Un autre groupe de dix-huit personnes s'est
volatilisé au Texas.

Je me suis sentie glacée de partout.

— Il s'avère qu'il y avait une autre petite troupe sur les terres de Guillion là-bas. Cela faisait plusieurs années que les services du shérif de Fort Bend l'avaient à l'œil et ils étaient ravis d'avoir un prétexte pour aller y voir de plus près. Malheureusement, quand les gars s'y sont pointés, nos moines s'étaient dispersés. Ils n'ont bouclé qu'un vieux et son épagneul qui étaient planqués sous la véranda.

— Et lui dit quoi ?

— Ils l'ont mis en garde à vue, mais il est soit sénile, soit idiot. Toujours est-il qu'on n'en tire pas grand-chose.

— Ou c'est un cachottier de première.

Le gris de l'aube allait s'éclaircissant derrière la fenêtre.

— Et maintenant ?

— Maintenant, on passe le complexe de Saint Helena au peigne fin, en espérant que les fédéraux vont trouver où Owens a emmené ses disciples.

Coup d'œil vers la pendule : sept heures dix. Et j'avais déjà commencé à me ronger les ongles.

— De ton côté ?

Je lui ai raconté l'histoire des marques de dents sur les os et mes soupçons concernant Carole Comptois.

— Ce n'est pas le bon *modus operandi*.

— Quel *modus operandi* ? Simonnet a pris une balle dans la tête, Heidi et sa famille ont été lacérées et poignardées à mort, et on ne sait pas de quoi sont morts les deux dans la chambre. Cannon et Comptois ont toutes les deux été attaquées par des animaux et à coups de couteau. Il n'y a pas une seule circonstance commune.

— Comptois a été tuée à Montréal. Cannon et sa copine ont été trouvées à deux mille kilomètres au sud. Le chien a fait la navette ?

— Je ne dis pas que c'est le même chien. Mais le même procédé.

— Et pour quelles raisons ?

C'était la question que je m'étais posée toute la nuit. Et aussi : qui avait pu faire cela ?

— Jennifer Cannon était étudiante à McGill. De même qu'Anna Goyette. Heidi et Brian étaient aussi à l'université quand ils sont entrés dans le groupe d'Owens. Peux-tu vérifier si Carole Comptois a eu un lien quelconque avec une université, si elle a suivi des cours ou si elle a travaillé dans un collège ?

— C'était une pute.

— Elle peut avoir eu une bourse, ai-je dit d'un ton sec.

Son attitude négative m'exaspérait.

— O.K., O.K., ne me fais pas le coup du syndrome prémenstruel.

— Ryan...

J'hésitais, dans la crainte de donner une réalité à ma peur en la formulant en mots. Il ne disait rien.

— Ma sœur s'est inscrite à un séminaire dans un collège communal au Texas.

Silence.

— Son fils m'a appelée hier, il n'arrive pas à la joindre. Moi non plus.

— Elle est peut-être en phase de retour sur elle-même, ça peut faire partie de ses exercices. Tu vois ce que je veux dire, comme une retraite. Elle a peut-être mis son âme en plan quadrillé et elle l'explore centimètre par centimètre. Si tu es vraiment inquiète, appelle le collège.

— Ouais.

— Qu'elle se soit enrôlée dans le Lone Star State ne veut pas dire que...

— Je sais que c'est absurde, mais les mots de Catherine m'ont inquiétée et maintenant voilà que Dom Owens se balade dans la nature, à projeter je ne sais quoi.

— On va le piéger, ce trou du cul.

— Je sais.

379

— Brennan, comment je peux te dire ça ?... — Il a inspiré profondément, expiré. — Ta sœur vit une période de transition et, pour le moment, elle semble être à l'affût de nouvelles relations. Elle peut avoir rencontré quelqu'un et pris le large pour quelques jours.

Sans son fer à friser ? L'angoisse formait au creux de ma poitrine un bloc froid et dense.

Après avoir raccroché, j'ai tenté une nouvelle fois de joindre Harry. Mentalement, je voyais l'appartement vide et le téléphone qui sonnait. Où pouvait-elle donc être à sept heures un dimanche matin ?

Dimanche. Merde. Il me faudrait attendre demain pour appeler le collège.

J'ai préparé du café et rappelé Kit, bien qu'au Texas il soit encore une heure de moins.

Il était aimable, groggy, et avait du mal à suivre le fil de mes questions. Il a fini par comprendre, mais il n'était pas certain que le cours suivi par sa mère faisait partie du cursus normal du collège. Il lui semblait se rappeler que cela avait trait à la littérature, et m'a promis de faire un saut chez elle pour vérifier.

J'étais incapable de rester en place. J'ouvrais l'*Observer*, le refermais. Prenais le journal de Bélanger. Je tentais même les évangélistes du dimanche matin. Ni les faits divers, ni Louis-Philippe, ni Jééésuuuus ne parvinrent à retenir mon attention. Mon cerveau était un cul-de-sac sans issue.

Sans grande conviction, je chaussai mes baskets et sortis. Le ciel était clair, l'air doux et parfumé le long de Queen Ouest, puis sur Princeton vers le Freedom Park. Les gouttelettes de sueur se transformèrent en traînées lorsque mes Nike s'attaquèrent au macadam sur le bord du lagon. Des petits canards glissaient sur l'eau à la suite de leur mère, avec des couac ! couac ! qui montaient dans l'air dominical.

Mes pensées étaient toujours aussi embrouillées et vaines, et c'étaient les mêmes joueurs, les mêmes événements des dernières semaines qui me tournaient dans la tête. Vains efforts pour me concentrer sur le battement régulier de mes semelles sur le sol, sur ma respiration. La phrase de Ryan me revenait, obsédante. Nouvelles relations. Cela correspondait-il à ce qu'ils avaient appelé, Harry et lui, leur nuit du Hurley ? Cela correspondait-il à notre petit tour de piste sur le *Melanie Tess* ?

Je traversai le parc, repris vers le nord en direction de la clinique médicale, avant d'emprunter les petites rues de Myers Park. De part et d'autre, jardins impeccables et pelouses de terrain de golf, entretenus çà et là avec le même soin.

Au moment de couper Providence Road, j'ai manqué entrer en collision avec un type, pantalon tabac, chemise rose et veste de sport en crépon, digne du catalogue de chez Sears. Il portait un vieux porte-documents et un sac en toile. C'était Red Skyler.

— On traîne dans les bas quartiers du sud ? lui ai-je demandé en essayant de reprendre mon souffle.

Red habitait à l'autre bout de Charlotte, près de l'université.

— Je fais une allocution à l'église méthodiste de Myers Park aujourd'hui... — Il a désigné l'édifice de pierres grises, de l'autre côté de la rue. — Je suis venu plus tôt pour mettre en place mes diapos.

— C'est bien.

J'étais collante de sueur, et mes cheveux se hérissaient en paquets cotonneux et humides. Du bout des doigts, j'ai décollé mon tee-shirt de ma peau.

— Comment ça avance, ton affaire ?

— Pas bien. Owens et ses adeptes se sont terrés quelque part.

— Ils se planquent ?

— Apparemment. Red, je peux te demander quelques précisions sur un point que tu as évoqué l'autre fois ?

— Bien sûr.

— Au sujet des sectes, tu as mentionné deux groupes principaux. Nous avons tellement parlé du premier groupe que j'ai oublié de te poser des questions sur le second.

Un homme est passé avec son caniche noir. Ils avaient l'un et l'autre besoin d'un bon toilettage.

— Tu as dit que tu inclurais dans ta définition un certain nombre de programmes d'éveil à vocation commerciale.

— Oui, dès que la transformation des processus de pensée est utilisée pour recruter et fidéliser les membres.

Il a posé son sac sur le trottoir et s'est gratté l'aile du nez.

— Il me semble t'avoir entendu dire que ces associations grossissaient leurs rangs en convainquant leurs participants d'acheter toujours davantage de cours.

— Oui. Contrairement aux sectes dont nous avons parlé, ces programmes n'ont pas pour but de garder des membres à demeure. Ils les exploitent aussi longtemps que ceux-ci sont suffisamment accrochés pour acheter de nouveaux cours. Et les aider à recruter d'autres personnes.

— Alors, pourquoi les assimiles-tu à des sectes ?

— L'influence coercitive exercée par ces programmes dits de croissance personnelle est sidérante. Il s'agit toujours des mêmes vieilles techniques, contrôler les comportements par la transformation des processus de pensée.

— Et ces sessions d'éveil consistent en quoi ?

Il a jeté un coup d'œil à sa montre.

— Je finis à onze heures moins le quart. On se retrouve pour déjeuner et je t'explique.

— Ils se font connaître en tant qu'ateliers interpersonnels de thérapie et d'éveil.

Tout en parlant, Red étalait de la graisse de rôti sur ses toasts. On était chez Anderson et, par la fenêtre, on

apercevait les toits et les briques de l'hôpital presbyté-
rien.

— Ils présentent commercialement leurs produits
comme des séminaires, des cours collégiaux, mais les
ateliers sont établis de manière à jouer avec les émotions et la psychologie des auditeurs. Cette partie-là
n'est pas mentionnée dans la brochure. Ni le fait que
les participants y seront soumis à un lavage de cerveau,
les amenant à intégrer une vision du monde totalement
nouvelle.

Il a piqué un morceau de jambon.

— Et ils opèrent comment ?

— La majorité des programmes se déroule sur
quatre ou cinq jours. Le premier jour est entièrement
consacré à établir l'autorité du leader. Nombreuses
humiliations et agressions verbales. Le jour suivant, on
martèle la nouvelle idéologie. Le coach te persuade
que ta vie, c'est de la merde et que la seule manière de
t'en sortir, c'est d'accepter cette manière de penser.

Un autre toast.

— Le jour trois est traditionnellement réservé aux
exercices. Initiation aux états de transe. Régression
dans le passé. Rêves éveillés. Le coach encourage
chacun à déterrer ses déceptions, ses sentiments de
rejet, ses mauvais souvenirs. Émotionnellement, cela
assomme complètement les gens. Puis, le jour d'après,
on échange beaucoup, dans le cadre chaleureux de
petits groupes, où le leader joue alternativement le rôle
de tyran implacable ou celui du père ou de la mère
aimants. C'est à ce moment-là qu'on les incite à s'inscrire à de nouveaux cours. Le dernier jour est gai,
joyeux, on n'arrête pas de s'embrasser, on danse, on
joue, on fait de la musique. Et on force la vente.

Un couple en pantalon militaire et même chemise de
golf est venu s'installer dans le box à notre droite.
Corail pour lui, vert mousse pour elle.

— Le danger est que ces cours soumettent les participants à un très grand stress, aussi bien physique que

383

psychique. La plupart des gens ne savent pas à quel point ce sera intense. Sinon, ils ne signeraient pas.

— Les participants ne parlent pas des ateliers, après ?

— On leur dit de rester dans le vague, que de discuter de leur expérience risquerait de la gâter pour les autres. Ils ont pour instruction de décrire avec enthousiasme la manière dont cela a changé leur vie, et de dissimuler combien le processus est conflictuel et déstabilisant.

— Et où se fait le recrutement ?

J'avais peur de connaître déjà la réponse.

— Partout. Dans la rue. Par le porte-à-porte. Dans les écoles, les bureaux, les cliniques médicales. Ils font de la publicité dans les magazines d'approche alternative, de New Age...

— Et les collèges, les universités ?

— Terrain hautement fertile. Panneaux d'affichage, cafétérias, résidences universitaires et au moment des journées d'inscription aux activités du campus. Certaines sectes envoient des membres tourner autour des centres sociaux pour repérer les étudiants qui arrivent seuls. Ce n'est pas que les autorités scolaires ferment les yeux ou encouragent ces pratiques, mais elles n'y peuvent pas grand-chose. L'administration fait enlever les publicités sur les panneaux d'affichage, mais elles sont remplacées immédiatement.

— Et ce ne sont pas les mêmes bestioles ? Ces séminaires d'éveil ne sont pas liés aux sectes dont nous avons parlé l'autre fois ?

— Cela dépend. Certains programmes servent à recruter des membres pour d'autres organisations qui se tiennent en arrière-plan. Tu prends le cours et, à la fin, on te dit que tu as tellement bien réussi que tu as été choisi pour passer au niveau supérieur. Rencontrer le gourou, ou je ne sais quoi.

Ses mots me sont arrivés comme des pierres en

pleine poitrine. L'invitation de Harry pour le dîner chez le leader.

— Red, qui sont les gens qui tombent dans ce genre de truc ?

J'espérais que ma voix paraissait plus calme que je ne l'étais.

— Selon mes recherches, il y a deux facteurs importants... — Il les comptait sur ses doigts luisants de graisse. — Période dépressive et rupture d'appartenance.

— Qu'entends-tu par là ?

— Quelqu'un qui est en transition est souvent seul, ne sait plus où il en est et, de ce fait, se trouve très vulnérable.

— En transition ?

— Entre école et collège, collège et milieu de travail. Une séparation récente. Un licenciement.

Les mots de Red se sont brouillés dans le brouhaha du déjeuner. Il fallait que je parle à Kit.

Quand je suis revenue sur terre, Red me fixait d'un drôle d'air. J'ai senti que je devais dire quelque chose.

— Je pense que ma sœur s'est inscrite dans un cours de ce genre. Vie intérieure et Puissance.

Il a haussé les épaules.

— Il y en a tellement. Je ne connais pas celui-là.

— Et maintenant, personne n'arrive plus à la joindre. Rupture de communication totale.

— Tempe, la majorité de ces programmes est peu dangereuse. Mais il faut que tu essaies de lui parler. Ils peuvent avoir des effets très destructeurs sur certains individus.

Comme Harry.

Le cocktail habituel de peur et d'exaspération a commencé à tourner en moi.

J'ai remercié Red, réglé l'addition. Une fois sur le trottoir, une dernière question m'est revenue à l'esprit.

— As-tu déjà entendu parler d'une sociologue du nom de Jeannotte ? Elle travaille sur les mouvements religieux.

— Daisy Jeannotte ?

Il a levé les sourcils, et son front s'est plissé de rides obliques.

— Je l'ai vue à McGill il y a quelques semaines et je serais curieuse de savoir comment elle est perçue par ses collègues.

Il a marqué un moment d'hésitation.

— Oui. On m'a dit qu'elle était au Canada.

— Tu la connais ?

— Je l'ai rencontrée il y a de cela des années... — Sa voix était devenue atone. — Jeannotte n'est pas très bien considérée chez nous.

— Ah ?

J'ai essayé de lire sur son visage, mais il était totalement dénué d'expression.

— Merci pour le déjeuner, Tempe. J'espère que tu en as eu pour ton argent.

Il avait un sourire forcé. Je lui ai touché le bras.

— Mais qu'est-ce que tu racontes, Red ?

Le sourire a disparu.

— Ta sœur est une élève de Daisy Jeannotte ?

— Non. Pourquoi ?

— Jeannotte s'est trouvée au centre d'une polémique il y a quelques années. Je ne connais pas exactement l'histoire, et je ne veux pas lancer de rumeurs. Simplement, fais attention.

Au moment où j'allais lui poser davantage de questions, il m'a fait un signe de tête et s'est dirigé vers sa voiture. Je suis restée plantée au soleil, bouche ouverte. Pour l'amour du Ciel, qu'est-ce que cela pouvait vouloir dire ?

De retour à la maison, un message de Kit m'attendait. Il avait remis la main sur un répertoire des cours, mais il n'y avait rien qui ressemblait à l'atelier de Harry au North Harris College. Par ailleurs, il avait trouvé un dépliant de Vie intérieure et Puissance sur le bureau de sa mère. Qui portait un trou de punaise, ce qui d'après lui indiquait qu'il venait d'un tableau d'affichage. Il avait appelé. Le numéro n'était plus en service.

Le cours de Harry n'avait rien à voir avec le collège !

Les mots de Red se sont mêlés à ceux de Ryan, aggravant mon sentiment de panique. Nouvelles relations. Période de transition. Rupture. Vulnérabilité.

Le restant de la journée, je vaquai à des occupations diverses, mais l'inquiétude et l'incertitude minaient toute capacité de concentration. Puis, alors que les ombres s'allongeaient dans mon patio, je reçus un appel qui me secoua suffisamment pour me remettre les idées en place. En état de choc, j'écoutai l'histoire dans son entier, puis ma décision fut prise.

Je composai le numéro du bureau de mon département pour avertir que je devais partir plus tôt que prévu. Comme j'avais déjà signalé mon absence pour le congrès d'anthropologie, mes étudiants ne manqueraient qu'un seul autre cours. J'étais désolée, mais il fallait absolument que je parte.

Je remontai ensuite préparer mes affaires. Pas pour Oakland, pour Montréal. Je devais retrouver ma sœur.

Je devais arrêter ce vent de folie qui déboulait sur nous comme un orage du Piedmont.

29.

Quand l'avion a quitté la piste, je me suis calée dans mon siège, les yeux fermés, trop épuisée par une autre nuit d'insomnie pour porter attention à mon environnement. D'habitude, j'aime sentir l'accélération du décollage et regarder le monde rapetisser. Mais pas là. Les mots d'un vieil homme effrayé résonnaient dans ma tête.

J'ai étiré mes jambes et mon pied est venu taper contre le sac que j'avais placé sous le siège. Bagage à main. À garder toujours sous les yeux. La chaîne de sécurité pouvait ne pas être inutile.

À côté de moi, Ryan feuilletait le magazine de USAirways. Il n'avait pas pu avoir un vol direct depuis Savannah, si bien qu'il était venu en voiture jusqu'à Charlotte pour prendre l'avion de six heures trente-cinq. À l'aéroport, il m'en avait dit plus sur la déposition prise au Texas.

Le vieil homme avait fui pour protéger son chien.

Comme Catherine, je suppose, qui craignait pour son bébé.

— A-t-il dit précisément ce qu'ils avaient l'intention de faire ? lui ai-je demandé à mi-voix.

L'hôtesse de l'air faisait la démonstration des ceintures de sécurité et des masques à oxygène.

Ryan a secoué la tête.

— C'est un zombie, ce type. Il restait au ranch

388

parce qu'ils lui avaient donné un toit et qu'ils l'avaient autorisé à garder son chien. S'il n'était pas totalement sur la bonne fréquence pour ce qui est du credo, il en a quand même absorbé pas mal.

Le magazine est retombé sur ses genoux.

— Il passe son temps à radoter sur l'énergie cosmique, les anges gardiens, l'inhalation totale.

— L'annihilation ?

Il a haussé les épaules.

— Il dit que les gens avec qui il vit n'appartiennent pas à ce monde. Il paraîtrait qu'ils sont ici pour combattre les forces du mal, mais qu'à présent c'est l'heure de partir. Seulement, il ne pouvait pas emmener Fido.

— Il s'est donc caché sous la véranda.

— Ouais.

— Et qui sont ces forces du mal ?

— Il ne sait pas exactement.

— Et il ne peut pas dire où les « Justes » sont allés ?

— Dans le Nord. Je te rappelle que le pépé n'est pas franchement dans les premiers de la classe.

— Il n'a jamais entendu parler de Dom Owens ?

— Non. Le chef de sa troupe s'appelait Toby.

— Pas de nom de famille ?

— Les noms de famille relèvent de ce monde. Ce n'est pas Toby qui lui fait peur. Apparemment, il le met dans le même sac que son cocker. C'est une femme qui lui a foutu les jetons.

N'était-ce pas aussi ce que Catherine avait dit ? « Ce n'est pas Dom. C'est cette femme. » Un visage m'est apparu en flash.

— Et qui est cette femme ?

— Il ne connaît pas son nom. D'après ce qu'il dit, cette petite salope aurait expliqué à Toby que l'antéchrist avait été éliminé et que le jour du Jugement dernier était proche. C'est là-dessus que le wagon s'est ébranlé.

— Et ?

Je me sentais frappée d'inertie.

389

— Le chien n'était pas invité.

— Rien d'autre ?

— Il dit que la femme est sans aucun doute la Mère supérieure.

— Catherine aussi a parlé d'une femme.

— Qui s'appelait ?

— Je n'ai pas demandé. Je n'ai pas percuté sur le moment.

— Qu'est-ce qu'elle a dit d'autre ?

Je lui ai répété ce que je me rappelais. Il a posé sa main sur la mienne.

— Tempe, tout ce qu'on sait de cette Catherine, c'est qu'elle a toujours vécu dans une culture alternative. Elle débarque chez toi en proclamant qu'elle t'a retrouvée par l'université. Or tu me dis que ton adresse n'est pas inscrite dans le répertoire. Cette même journée, quarante-trois de ses meilleurs copains prennent la route, dans deux États différents, et la fille elle-même disparaît en fumée.

Exact. Ryan m'avait déjà fait part de sa méfiance envers Catherine.

— Tu n'as jamais découvert qui t'avait fait le coup du chat ?

— Non.

Retirant ma main, j'ai commencé à me ronger l'ongle du pouce.

Nous avons laissé passer un silence. Puis quelque chose d'autre m'est revenu en mémoire.

— Catherine aussi a fait mention d'un antéchrist.

— À quel propos ?

— Elle a dit que Dom ne croyait pas à l'antéchrist.

Ryan n'a repris la parole qu'après un long moment.

— J'ai parlé aux types qui étaient sur le coup des morts du Temple solaire, au Canada. Tu sais ce qui s'est passé à Morin Heights ?

— Seulement qu'il y a eu cinq morts. J'étais à Charlotte et les médias américains étaient plutôt branchés sur la Suisse. Le dénouement canadien n'a pas eu beaucoup de presse.

— Je vais te dire ce qui s'est passé. Joseph Di Mambro a envoyé une équipe de tueurs pour assassiner un bébé.

Il m'a laissée digérer.

— Morin Heights a été l'étincelle qui a mis le feu aux poudres outre-Atlantique. Il semble que cette naissance n'avait pas été approuvée par le grand chef et que, d'après lui, il s'agissait de l'antéchrist. Une fois le bébé mort, les fidèles avaient la voie libre pour le passage.

— Seigneur ! Penses-tu qu'Owens peut vraiment faire partie de ces fanatiques ?

Ryan a de nouveau haussé les épaules.

— Ou il peut n'être qu'un pâle imitateur. Le baratin d'Adler-Lyons est difficile à percer à jour tant que les psychologues ne l'auront pas décortiqué.

On avait trouvé une espèce de bible ou de traité à Saint Helena. Ainsi qu'une carte de la province de Québec.

— Mais pour ce qui est du cinglé à la tête de tout ça, s'il entraîne des innocents à la mort, il a intérêt à compter ses côtelettes. Je vais le coincer, ce fils de pute, l'étriper et le faire rôtir moi-même.

Il a repris son magazine, les mâchoires crispées.

Fermant les yeux, j'ai essayé de dormir. Mais un certain nombre d'images ne me lâchaient pas.

Harry, pétulante de vie. Harry en survêtement, sans maquillage.

Sam, hors de lui à cause de la violation de son île.

Malachy. Mathias. Jennifer Cannon. Carole Comptois. Un chat carbonisé. Le contenu de mon bagage à main.

Catherine, les yeux suppliants. Comme si je pouvais faire quelque chose pour elle. Comme si je pouvais la prendre en charge et, d'une manière ou d'une autre, lui donner une vie meilleure.

Ou bien était-ce Ryan qui avait raison ? S'était-elle jouée de moi ? Avait-elle été envoyée pour je ne sais quelle sinistre mission obscure ? Owens était-il à l'origine du chat égorgé ?

Harry avait parlé de l'Ordre. Sa vie prenait eau de toute part et, grâce à l'Ordre, elle y verrait plus clair. Comme Catherine. L'Ordre concernait tout le monde. Brian et Heidi l'avaient enfreint. Quel ordre ? Un ordre cosmique ? Un ordre venu d'en haut ? L'Ordre du Temple solaire ?

Je me sentais comme un papillon enfermé dans une bouteille, me heurtant sans cesse aux parois de verre avec les mêmes pensées aveugles, mais dans l'incapacité totale d'échapper aux limites cognitives de ma propre confusion mentale.

Brennan, tu vas finir par te rendre folle ! Tu ne peux rien faire, à mille cent cinquante kilomètres d'altitude.

Un bond en arrière de cent cinquante ans me libérerait l'esprit.

Sortant un des journaux de Bélanger de mon porte-documents, je me suis reportée à décembre 1844, avec l'espoir que le répit des vacances avait rendu Louis-Philippe plus aimable.

Le bon docteur avait vivement apprécié son dîner de Noël chez les Nicolet, aimait bien sa nouvelle pipe mais n'approuvait pas le projet de sa sœur de remonter sur les planches. Eugénie avait été invitée à aller chanter en Europe.

Ce qui lui manquait en sens de l'humour, Louis-Philippe le compensait en ténacité. Le nom de sa sœur apparaissait souvent dans les premiers mois de 1845. Apparemment, il lui avait fréquemment exprimé son point de vue. Au grand dam du docteur, Eugénie n'avait rien voulu entendre. Son départ était prévu pour avril, avec un programme de concerts à Paris et à Bruxelles, puis elle passerait l'été en France avant de revenir à Montréal en juillet.

Une voix a intimé l'ordre de remonter tablettes et dossiers de fauteuil, de boucler les ceintures, en vue de l'atterrissage sur Pittsburgh.

Une heure plus tard, toujours dans l'avion, je parcourais les pages du printemps 1845. Même si Louis-

Philippe avait beaucoup de travail avec l'hôpital et ses activités municipales, il rendait visite à son beau-frère chaque semaine. Donc, Alain Nicolet n'était pas parti pour l'Europe avec sa femme.

Comment s'était déroulée la tournée d'Eugénie ? Apparemment, ce n'était pas le souci d'oncle Louis-Philippe, vu le peu de mentions qu'il avait faites de sa sœur au cours de ces quelques mois. Quand un passage a soudain attiré mon attention.

17 juillet 1845. En raison de circonstances exceptionnelles, le séjour d'Eugénie en France se trouvait prolongé. Des arrangements avaient été pris ; Louis-Philippe se montrait très vague quant à leur nature.

J'ai plongé du regard dans la blancheur qui s'étalait au-delà du hublot. Quelles étaient ces « circonstances exceptionnelles » qui avaient retenu Eugénie en France ? J'ai fait le calcul. Élisabeth était née en janvier. Oh, doux Jésus...

Au cours de l'été et de l'automne, Louis-Philippe ne mentionnait qu'une fois sa sœur, brièvement. Lettre d'Eugénie. Elle se porte bien.

Au moment où les roues touchaient la piste de l'aéroport de Dorval, Eugénie réapparaissait. Elle aussi était de retour à Montréal. Le 16 avril 1846. Avec un bébé de trois mois.

C'était bien ça.

Élisabeth était née en France. Alain ne pouvait donc pas être le père. Mais alors qui était-ce ?

Nous n'avons pas échangé un mot avec Ryan au cours du débarquement. Il est allé vérifier ses messages, pendant que j'attendais mes bagages. La tête qu'il faisait au retour laissait présager que les nouvelles n'étaient pas bonnes.

— Ils ont retrouvé les camionnettes près de Charleston.

— Vides ?

Il a hoché la tête. Eugénie et son bébé se sont évanouis dans un autre siècle.

Le ciel était argenté et une pluie fine tombait à travers les phares tandis que nous reprenions l'autoroute 20 vers l'est. Le pilote avait annoncé une température douce sur Montréal, avec trois degrés au-dessus de zéro.

Nous étant déjà accordés sur le déroulement des opérations, nous nous taisions. J'aurais voulu foncer à la maison, pour y retrouver ma sœur et me libérer de ce sentiment croissant d'appréhension. Mais j'allais d'abord faire ce que Ryan m'avait demandé. J'agirais ensuite selon mes propres plans.

La voiture une fois garée dans le parking de Parthenais, nous sommes remontés ensemble vers les bureaux. L'odeur de malt provenant de la brasserie Molson imprégnait l'air. Les flaques qui s'accumulaient dans les trous de la chaussée étaient recouvertes d'un film huileux.

Ryan est sorti de l'ascenseur au premier étage, j'ai continué jusqu'au cinquième où se trouvait mon bureau. À peine débarrassée de mon manteau, j'ai composé un numéro interne. Ils avaient eu mon message et nous pouvions commencer dès que je serais prête. Sans attendre, j'ai pris la direction du labo.

Scalpel, règle, colle et tube de caoutchouc de soixante centimètres de long. J'ai disposé le tout sur ma table de travail. Puis j'ai déballé ce que contenait mon bagage à main.

Le crâne et la mandibule de la victime non identifiée de Murtry n'avaient pas souffert du voyage. Je me demande souvent ce que les techniciens d'aéroport peuvent penser quand ils voient défiler au scanner mes morceaux de squelette. Le crâne posé sur un rond de liège au milieu de la table, j'ai enduit de colle l'articulation temporo-mandibulaire, pour fixer la mâchoire en place.

Pendant que cela séchait, j'ai sorti le tableau des épaisseurs de tissus faciaux pour femme américaine blanche. Une fois certaine que tout tenait bien en place, j'ai placé le crâne sur un support, ajusté la hauteur et immobilisé le tout avec des clips. Sous le regard fixe des orbites creuses, j'ai pris les mesures et découpé dix-sept petits ronds de caoutchouc que j'ai collés sur les os faciaux.

Vingt minutes plus tard, je me rendis dans une petite salle au bout du couloir, qu'une plaque extérieure identifiait comme la section Imagerie. Le technicien qui m'a accueillie m'a indiqué que la machine était en route.

Sans perdre de temps, j'ai placé le crâne sur le plateau de copie, en ai pris des clichés en vidéo, que j'ai envoyés sur le PC. Après analyse des vues digitalisées, j'ai choisi l'orientation frontale. Avec l'aide du crayon optique et du logiciel graphique, j'ai mis en connexion les ronds de caoutchouc dépassant du crâne. Au fur et à mesure que je déplaçais la croix sur l'écran, une figure macabre commençait à se dessiner.

Une fois satisfaite des contours du visage, je suis passée à l'étape suivante. Au vu de l'architecture osseuse, j'ai sélectionné des yeux, des oreilles, un nez, des lèvres à partir du logiciel de données, pour ajuster sur le crâne des traits primitifs.

Ce fut ensuite le tour des cheveux, avec ce qui me semblait être la coiffure la plus neutre. Ignorant tout de la victime, j'avais décidé de préférer l'imprécision à l'erreur. Lorsque les composantes que j'avais rajoutées m'ont convenu, j'ai atténué et ombré l'ensemble à l'aide de la pointe graphique, pour obtenir l'apparence la plus vivante possible.

Tout cela me prit moins de deux heures.

Une fois terminé, je me reculai dans le fauteuil pour contempler mon travail.

Un visage sur l'écran me faisait face. Paupières tombantes, nez délicat, large à la base, pommettes hautes. Plutôt joli, selon les canons inexpressifs de la robotique. Et d'une certaine manière familier. J'ai avalé ma salive avec peine. Puis, d'un petit mouvement de la pointe graphique, j'ai modifié la coiffure. Coupe au carré. Une frange.

J'ai retenu mon souffle. Ma reconstitution ressemblait-elle à Anna Goyette ? Ou n'était-ce qu'un profil ordinaire de jeune fille à qui j'avais donné une coiffure connue ?

Revenant à la coiffure initiale, j'ai essayé de réévaluer l'éventualité d'une similitude. Oui ? Non ? Je n'en avais aucune idée.

J'ai alors activé une commande dans le menu déroulant. Quatre clichés sont apparus sur l'écran. J'en ai fait un examen comparé, pour détecter toute éventuelle incohérence entre ma recomposition et le crâne. En premier, le crâne original, avec la mâchoire. Puis une image d'écorché, la moitié droite composée de la structure osseuse, la gauche avec le revêtement de chair. En troisième, le visage que j'avais composé, en surimpression translucide sur le profil osseux et les indicateurs d'épaisseur des tissus. Et finalement, le visage complet, selon ma recomposition. J'ai cliqué dessus pour l'avoir en plein écran et l'ai examiné un bon moment. Je n'étais toujours pas sûre.

Lancement de l'impression, sauvegarde, puis je me suis précipitée à mon bureau. En partant, j'ai déposé les copies du croquis sur le bureau de Ryan. Avec une note, se résumant à deux mots : Murtry, Inconnue. J'avais un autre souci en tête.

Lorsque je suis sortie du taxi, il ne pleuvait plus, mais la température avait beaucoup baissé. Une mince pellicule de glace se formait sur les flaques et se cristallisait autour des branches et des fils électriques.

L'appartement était aussi sombre et tranquille qu'une crypte. Abandonnant manteau et sac dans l'entrée, je suis allée droit à la chambre d'ami. La trousse de maquillage de Harry était étalée sur la commode. S'en était-elle servie ce matin ou la semaine dernière ? Des vêtements. Des bottes. Un séchoir à cheveux. Des magazines. Ma fouille n'a rien donné qui puisse m'indiquer si elle était partie et quand.

Je m'y étais attendue. Ce à quoi je ne m'étais pas

attendue, c'était à l'inquiétude qui me serrait la gorge au fur et à mesure que je passais de pièce en pièce.

Le répondeur. Pas de message.

Du calme. Elle a peut-être appelé Kit.

Négatif.

Charlotte ?

Pas de nouvelles de Harry, mais Red Skyler avait appelé pour dire qu'il avait contacté Info-sectes. Ils n'avaient rien sur Dom Owens, par contre, ils avaient un dossier sur Vie intérieure et Puissance. Selon eux, l'organisme était légal. Actif dans plusieurs États, il proposait des séminaires de croissance intérieure, inefficaces et inoffensifs. Confrontez votre moi intérieur et votre moi social. Des conneries probablement sans danger. Je ne devais pas me faire trop de souci. Pour plus d'information, je n'avais qu'à l'appeler, lui ou Info-sectes. Il me laissait les deux numéros.

J'ai à peine écouté les autres messages. Sam. Il voulait des nouvelles. Katy. Elle avait reporté son retour à Charlottesville.

Donc Vie intérieure machin n'était pas dangereux et c'était probablement Ryan qui avait raison. Harry avait encore foutu le camp. La colère m'a mis le feu aux joues.

En pilotage automatique, j'ai suspendu mon manteau, roulé ma valise jusqu'à ma chambre. Puis je me suis assise à la tête du lit. Me suis frotté les tempes. Mon cerveau tournait et retournait les mêmes pensées. Les chiffres sur mon réveil indiquaient lentement les minutes.

Ces dernières semaines avaient été parmi les plus difficiles de ma carrière. Les tortures et les mutilations infligées aux victimes surpassaient de loin ce que je voyais normalement. Et je ne me rappelais pas quand j'avais pu travailler sur tant de cadavres en si peu de temps. En quoi les morts de Murtry étaient-ils liés à ceux de Saint-Jovite ? Carole Comptois avait-elle succombé à la main du même monstre ? Le massacre de

Saint-Jovite avait-il marqué le commencement de tout ? En ce moment même, un maniaque était-il en train de programmer un bain de sang trop terrible pour être envisagé ?

Il faudrait que Harry se débrouille avec Harry.

Je savais ce que j'allais faire. Tout au moins, où commencer.

Il pleuvait de nouveau et le campus de McGill était couvert d'une fine couche de verglas. Les bâtiments se dessinaient devant moi en formes sombres, les fenêtres constituant les seules lumières dans ce lugubre brouillard humide. Ici et là, une silhouette traversait un square éclairé, minuscule marionnette dans un théâtre d'ombres.

La croûte de glace poreuse a crissé sous mes pas quand j'ai remonté les marches de l'escalier de Birks Hall en me tenant à la rampe. Le bâtiment était vide, déserté en prévision de la tempête. Pas de manteaux accrochés aux patères ni de chaussures dégouttant le long du mur. Imprimantes et photocopieuses étaient silencieuses, et le seul bruit était celui des gouttes de pluie qui tombaient sur les petits carreaux des fenêtres, bien au-dessus.

L'écho de mes pas sonnait creux tandis que je grimpais au troisième. Depuis le couloir principal, j'ai bien vu que la porte du bureau de Jeannotte était fermée. Je n'avais pas vraiment cru qu'elle serait là, mais il m'avait semblé que cela valait la peine d'essayer. Elle n'était pas préparée à ma visite, et, quand on les prend par surprise, les gens disent parfois des choses bizarres.

En tournant le coin, j'ai vu une lumière jaune filtrer de dessous la porte. J'ai frappé, sans savoir à quoi m'attendre.

La porte s'est ouverte, et je suis restée bouche bée de stupéfaction.

30.

Elle avait les yeux rougis, les traits pâles et tirés.
Elle a eu un haut-le-corps en me reconnaissant, mais
n'a fait aucun commentaire.

— Comment ça va, Anna ?

— Ça va.

Un battement de cils a fait bouger sa frange.

— Je suis le docteur Brennan. Nous nous sommes
rencontrées il y a quelques semaines.

— Je sais.

— Lorsque je suis repassée, on m'a dit que tu étais
malade.

— Ça va, maintenant. J'étais juste partie un petit
moment.

L'envie me démangeait de la questionner, pourtant je
me suis retenue.

— Le docteur Jeannotte est-elle là ?

Elle a secoué la tête. Puis, machinalement, elle a
repoussé ses cheveux derrière son oreille.

— Ta mère était inquiète.

Son haussement d'épaules était tellement faible qu'il
en était presque imperceptible. Elle n'a pas demandé
comment je connaissais sa vie de famille.

— Je travaille avec ta tante, sur un projet d'études.
Elle aussi était soucieuse à ton sujet.

— Ah...

Elle avait les yeux fixés au sol, si bien que je ne voyais pas son visage.

Balance-lui le paquet.

— Ton amie m'a dit que tu pourrais être impliquée dans quelque chose qui te trouble beaucoup.

Elle a croisé mon regard.

— Je n'ai pas d'amis. De qui parlez-vous ?

Sa voix était faible et atone.

— Sandy O'Reilly. Elle te remplaçait ce jour-là.

— Sandy veut récupérer mon job. Pourquoi êtes-vous là ?

Bonne question.

— Je voulais vous parler, à toi et au docteur Jeannotte.

— Elle n'est pas là.

— Est-ce qu'on peut discuter, toutes les deux ?

— Vous ne pouvez rien pour moi. Ce que je vis ne concerne que moi.

Son apathie me donnait des frissons dans le dos.

— Je comprends cela. Mais, à vrai dire, je pensais que, toi, tu pourrais peut-être m'aider.

Elle a regardé du côté du couloir, puis ses yeux sont revenus sur moi.

— Vous aider comment ?

— Aimerais-tu prendre un café quelque part ?

— Non.

— Est-ce qu'on pourrait aller ailleurs ?

Elle m'a fixée longuement d'un air morne. Puis, avec un hochement de tête, elle a pris son parka sur le portemanteau et m'a entraînée vers les escaliers. En bas, nous sommes sorties par une porte de derrière. Courbées sous la pluie glaciale, nous avons suivi péniblement le chemin qui montait au centre du campus et nous avons contourné le musée Redpath vers l'arrière. Elle a sorti une clé de sa poche pour ouvrir une porte et s'est écartée pour me laisser pénétrer dans un couloir sombre. Une faible odeur de moisi et de pourriture y régnait.

Au deuxième étage, nous avons pris place sur un long banc de bois, au milieu de squelettes dont la mort ne datait pas d'hier. Une baleine béluga était suspendue au-dessus de nos têtes, rescapée de quelque catastrophe du pléistocène. Des flocons de poussière voltigeaient dans la lumière des néons.

— Je ne travaille plus au musée mais j'y viens encore, pour réfléchir... — Elle gardait l'œil fixé sur un élan gris. — Ces animaux vivaient il y a des millions d'années et à des milliers de kilomètres d'ici. Et maintenant ils sont là en ce point de l'univers, immobiles pour toujours dans un temps et un lieu donnés. L'idée me plaît.

— Oui. — C'était une des manières d'appréhender l'extinction des espèces. — La stabilité est une chose rare dans le monde d'aujourd'hui.

Elle m'a regardée avec un drôle d'air, puis a de nouveau reporté son attention sur les squelettes. J'observai attentivement son profil, tandis qu'elle examinait les spécimens.

— Sandy m'a parlé de vous, mais je n'ai pas vraiment écouté, a-t-elle dit sans tourner la tête vers moi. Je ne sais pas exactement qui vous êtes ni ce que vous voulez.

— Je suis une amie de ta tante.

— Elle est gentille, ma tante.

— Oui. Ta mère pensait que tu pouvais avoir des problèmes.

Elle a eu un sourire amer. Visiblement, le sujet ne la mettait pas en joie.

— En quoi ce que pense ma mère vous concerne ?

— Ce qui me concerne, c'est que sœur Julienne était bouleversée par ta disparition. Elle n'est pas au courant que ce n'est pas la première fois.

Abandonnant les vertèbres, son regard est revenu brusquement sur moi.

— Et qu'est-ce que vous savez d'autre, à mon sujet ?

Elle a rejeté ses cheveux en arrière. C'était peut-être le froid qui l'avait revigorée. Ou d'échapper à la présence de son mentor. Elle montrait un peu plus de présence que dans Birks Hall.

— Anna, ta tante m'a suppliée de te retrouver. Elle ne veut pas t'espionner, elle tient simplement à tranquilliser ta mère.

Elle a hésité. Puis :

— Puisque vous semblez décidée à me considérer comme l'un de vos animaux de compagnie, vous devez également savoir que ma mère est cinglée. Si je suis en retard de dix minutes, elle appelle les flics.

— D'après la police, tes absences durent un peu plus de dix minutes.

Ses yeux se sont légèrement étirés.

Parfait, Brennan. Mets-la sur la défensive.

— Écoute, Anna, je ne veux pas me mêler de ce qui ne me regarde pas. Mais s'il y a quelque chose que je puisse faire pour t'aider, je suis on ne peut plus disponible.

J'ai attendu, mais elle n'a pas répliqué.

Pose le problème autrement. Avec un peu de chance, elle finira par laisser une ouverture.

— Peut-être que tu peux m'aider. Comme tu le sais, je travaille pour le coroner et il y a certaines affaires récentes qui nous posent un sérieux problème. Une jeune femme, du nom de Jennifer Cannon, a disparu de Montréal il y a quelques années. On a retrouvé son corps la semaine dernière en Caroline du Sud. Elle était étudiante à McGill.

Aucune réaction.

— Tu la connaissais ?

Elle était aussi silencieuse que les squelettes autour de nous.

— Le 17 mars, une certaine Carole Comptois a été tuée et son corps a été abandonné sur l'Ile-des-Sœurs. Elle avait dix-huit ans.

Sa main est venue repousser ses cheveux.

— Jennifer Cannon n'était pas seule.

Sa main est retombée sur ses genoux, puis est allée de nouveau tripoter ses cheveux.

— Nous n'avons pas identifié la personne qui était enterrée avec elle.

Sortant le croquis, je le lui ai tendu. Elle l'a saisi en évitant mon regard.

Le papier a légèrement tremblé entre ses mains quand elle a examiné le visage que j'avais composé.

— C'est le vrai visage ?

— L'approximation faciale est un art, non une science. On ne peut jamais être certain des détails.

— Vous l'avez établi d'après le crâne ?

Sa voix tremblait.

— Oui.

— Ce n'est pas la bonne coiffure, fit-elle d'une voix presque inaudible.

— Tu la reconnais ?

— C'est Amalie Provencher.

— Tu la connais ?

— Elle travaille au centre social.

Elle détournait toujours les yeux.

— Quand l'as-tu vue pour la dernière fois ?

— Ça fait à peu près quinze jours. Peut-être plus, je ne suis pas sûre. J'étais absente.

— Elle est étudiante ?

— Qu'est-ce qu'ils lui ont fait ?

J'ai hésité. Jusqu'à quel point pouvais-je lui dire les choses ? Ses changements d'humeur me laissaient supposer qu'elle était soit instable, soit droguée. Elle n'a pas attendu ma réponse.

— Ils l'ont assassinée ?

— Qui, Anna ? De qui parles-tu ?

Finalement, elle m'a regardée en face. Ses yeux miroitaient sous la lumière artificielle.

— Sandy m'a parlé de votre conversation. Elle avait raison et tort à la fois. Il y a bien une secte ici sur le campus, mais qui n'a rien de satanique. Moi je n'ai

aucun rapport avec elle. Amalie, si. Elle a pris ce boulot au centre social à leur demande.

— C'est là que tu l'as rencontrée ?

Elle a hoché la tête, puis, se passant les mains sur les
yeux, elle les a ensuite essuyées sur son pantalon.

— Quand ?

— Je ne sais pas. Il y a un moment. C'était plutôt la
galère et j'ai pensé que j'avais besoin d'aide. Quand
j'allais au centre, Amalie insistait toujours pour qu'on
discute, elle était vraiment attentive. Elle ne parlait
jamais d'elle ni de ses problèmes. Elle écoutait tout ce
que j'avais à dire. On avait pas mal d'atomes crochus,
alors on est devenues amies.

Je me suis rappelé les mots de Red. Les recruteurs
avaient pour instruction de repérer des membres poten-
tiels, de créer un lien et de gagner leur confiance.

— Elle avait évoqué le groupe dont elle faisait partie, en me disant que cela avait complètement changé
sa vie. J'ai fini par aller à une de leurs réunions. C'était
pas mal... — Elle a haussé les épaules. — Quelqu'un a
parlé, on a mangé, on a fait des exercices de respiration, ce genre de truc. Je peux pas dire que ça m'accro-
chait plus que ça. J'y suis retournée deux ou trois fois,
parce que tout le monde se comportait avec moi avec
beaucoup de gentillesse.

Le coup de l'amour.

— Puis ils m'ont invitée à la campagne. *A priori*, ça
avait l'air sympa, si bien que j'y suis allée. On a parti-
cipé à des jeux, des gens sont venus faire des discours,
on a chanté, fait des exercices. Amalie adorait ça, mais
ce n'était pas pour moi. Je trouvais qu'il y avait beaucoup de bla-bla, mais il n'était pas question de dire
qu'on n'était pas d'accord. Sans compter qu'ils ne me
laissaient jamais seule. J'avais pas une seule minute à
moi.

« Ils tenaient à ce que je reste plus longtemps pour
un atelier et, quand j'ai dit non, ils ont piqué une vraie

crise avant qu'on me raccompagne en ville. J'évite Amalie depuis ; je ne la vois que de temps en temps.

— Quel est le nom du groupe ?

— Je ne me rappelle plus exactement.

— Tu penses qu'ils ont pu tuer Amalie ?

Elle s'est essuyé les paumes contre ses cuisses.

— J'ai rencontré un type là-bas. Il avait rejoint le groupe par le biais d'un cours, ailleurs. En tout cas, quand je suis partie, lui est resté, et je ne l'ai pas revu pendant un bon bout de temps. Peut-être un an. Et puis je suis tombée sur lui à un concert sur l'île Notre-Dame. On s'est vus quelque temps, et ça n'a pas marché... — Nouveau haussement d'épaules. — Par la suite, il a laissé tomber le groupe, mais il m'a raconté un certain nombre d'histoires complètement dingues sur ce qui se passait là-bas. Quoique en fait il évitait plutôt d'en parler. Il était paniqué pour vrai.

— Il s'appelait comment ?

— John quelque chose.

— Où il est maintenant ?

— Je ne sais pas. Je crois qu'il a déménagé.

Elle a essuyé les larmes qui perlaient à ses paupières.

— Anna, est-ce que le docteur Jeannotte est liée à cette secte ?

— Pourquoi vous me demandez ça ?

Sa voix s'est brisée sur le dernier mot. Une petite veine bleue palpitait le long de son cou.

— Quand je t'ai vue la première fois dans son bureau, elle avait l'air de te rendre très nerveuse.

— Elle a été formidable pour moi. Elle me fait beaucoup plus de bien que tous ces trucs de méditation ou de respiration... — Elle a poussé un gros soupir. — Mais elle est très exigeante aussi, j'ai toujours peur de mal faire.

— D'après ce que j'ai compris, tu passes beaucoup de temps avec elle.

Elle a reporté son attention sur les squelettes.

— Je croyais que ce qui vous intéressait, c'étaient Amalie et les autres morts.

— Anna, accepterais-tu de parler avec quelqu'un d'autre ? Ce que tu viens de me dire est important et la police va vouloir faire une enquête là-dessus, c'est certain. Il y a un inspecteur qui travaille sur le dossier. Andrew Ryan. Il est très gentil, il te plairait, j'en suis sûre.

Elle m'a lancé un regard déconcerté en repoussant ses cheveux derrière ses oreilles.

— Je n'ai rien à dire. John, oui, mais je ne sais pas du tout où il est passé.

— Te rappelles-tu l'endroit où avait lieu le séminaire ?

— Dans une espèce de ferme. J'y suis allée en camionnette et je n'ai pas vraiment fait attention à la route parce qu'ils nous occupaient sans arrêt avec des jeux. Au retour, j'ai dormi. Ils ne nous avaient pas lâchés et j'étais crevée. À part John et Amalie, je n'ai revu personne. Et maintenant vous me dites qu'elle a été...

On a entendu une porte s'ouvrir en bas et une voix a retenti dans l'escalier.

— Qui est là ?

— Super. Je viens de perdre la clé, a chuchoté Anna.

— Nous ne sommes pas supposés venir ici ?

— Pas vraiment. Quand j'ai arrêté de travailler au musée, j'ai... disons que j'ai gardé la clé.

Merveilleux.

— Suis-moi, ai-je dit en me levant du banc. Il y a quelqu'un ? ai-je crié. Nous sommes là.

Des pas dans l'escalier et un garde est apparu dans l'encadrement de la porte. Son bonnet de laine lui descendait jusqu'aux yeux et un parka trempé couvrait à peine son gros ventre. Il était essoufflé et ses dents paraissaient jaunes dans la lumière violette.

— Oh, Seigneur, quelle joie de vous voir ! ai-je

lancé en forçant le ton. Nous faisions un croquis de l'*Odocoileus virginianus* et nous n'avons pas vu passer l'heure. Tout le monde est parti tôt à cause du verglas, et je suppose qu'on a dû nous oublier. On s'est retrouvées enfermées... — Je lui ai fait mon sourire d'idiote. — J'allais appeler le service de sécurité.

— Vous n'avez pas le droit d'être ici. Le musée est fermé, a-t-il déclaré d'un ton rogue.

Visiblement, ma comédie n'avait pas marché.

— C'est sûr. Nous devrions être parties depuis longtemps. Son mari doit se faire un sang d'encre.

J'ai montré Anna, qui hochait la tête comme une grosse tortue.

Il a examiné Anna de ses yeux embués, puis a désigné les escaliers du menton.

— Bon, alors, allez-y.

Nous n'avons pas demandé notre reste.

Dehors, il pleuvait toujours. C'était maintenant de grosses gouttes à moitié cristallisées comme les slush, ces sortes de granités qu'avec ma sœur nous allions acheter l'été aux vendeurs de rue. Son visage a surgi d'un coin de mon esprit. Où es-tu donc, Harry ?

Revenues à Birks Hall, Anna m'a regardée avec un drôle d'air.

— *Odocoileus virginianus* ?

— Ça m'est venu comme ça.

— Il n'y a pas de cerf de Virginie dans le musée.

Avait-elle un frémissement au coin des lèvres, ou n'était-ce qu'un effet du froid ? J'ai haussé les épaules.

Elle m'a laissé avec réticence son numéro de téléphone à la maison et son adresse. Je l'ai assurée que Ryan allait l'appeler très bientôt et nous nous sommes quittées là-dessus. Tandis que je me pressais pour sortir de l'université, quelque chose m'a fait me retourner. Elle était encore là, plantée sous l'arche du vieil édifice gothique, immobile, comme ses copains du cénozoïque.

J'ai appelé le bip de Ryan dès mon retour à la maison. Il m'a appelée quelques minutes plus tard. Je lui ai dit qu'Anna avait refait surface et lui ai raconté les grandes lignes de notre conversation. Il m'a promis d'en informer le coroner afin qu'une recherche soit lancée pour obtenir les dossiers médicaux et dentaires d'Amalie Provencher. Il a raccroché rapidement pour pouvoir joindre Anna avant qu'elle ait quitté le bureau de Jeannotte. Il me rappellerait plus tard pour me tenir au courant de ce qu'il avait appris dans sa journée.

Dîner de salade niçoise, avec des croissants, puis un bon bain, avant de passer un vieux survêtement. Comme j'étais toujours frigorifiée, je me suis décidée à faire un feu. N'ayant plus de briquettes d'allumage, j'ai chiffonné en boule quelques feuilles de journal, que j'ai arrosées de liquide inflammable. J'entendais les grêlons rebondir contre les fenêtres. Je les ai enflammées et les ai regardées s'embraser.

Neuf heures moins le quart. J'ai sorti le journal de Bélanger et allumé la télévision. J'espérais que les dialogues et les rires enregistrés de l'émission auraient un effet lénifiant. Si je laissais mon esprit vacant, j'étais sûr qu'il serait comme un chat dans la nuit, à gratter et à miauler sauvagement, jusqu'à ce que j'en arrive à un degré d'angoisse où il me serait impossible de dormir.

Raté. Les blagues y allaient de bon cœur, mais la concentration me fuyait.

Le feu a attiré mon regard. Les flammes se réduisaient à quelques maigres langues rouges qui léchaient la bûche du dessous. M'approchant de la cheminée, j'ai repris un cahier du journal, dont j'ai déchiré quelques pages pour les fourrer sous le feu mourant.

Je remuais les bûches avec le tisonnier quand quelque chose m'est brutalement revenu en mémoire.

Les journaux !

J'avais complètement oublié mes microfilms.

Remontant dans la chambre, j'ai sorti les photocopies que j'avais faites à McGill et les ai apportées sur le canapé. Cela m'a pris un moment avant de retrouver l'article dans *La Presse*.

L'entrefilet était mince, je m'en souvenais bien. 20 avril 1845. Eugénie Nicolet poursuivait son voyage vers la France. Elle allait chanter à Paris et à Bruxelles, passer l'été dans le Sud et revenir à Montréal pour le mois de juillet. Il y avait la liste des gens qui l'accompagnaient, ainsi que les dates des prochains concerts. S'y ajoutaient un bref résumé de carrière et quelques mots pour dire combien on déplorerait son absence.

Ma monnaie m'avait permis d'aller jusqu'au 26 avril. J'ai parcouru tout ce que j'avais photocopié, et le nom d'Eugénie ne réapparaissait pas. Je suis revenue en arrière, pour reprendre dans le détail le moindre article et les petites annonces.

Il y avait bien quelque chose, au 22 avril.

Une autre personne allait se produire à Paris, qui était non pas musicien, mais conférencier. Il se préparait à une tournée, pour dénoncer la vente d'êtres humains et encourager le commerce avec l'Afrique de l'Ouest. Né sur la Côte-de-l'Or, il avait fait ses études en Allemagne, enseigné la philosophie à l'université de Halle. Il venait d'achever un cycle de conférences à la faculté de théologie de McGill.

Je suis repartie en arrière dans l'histoire. 1845. L'esclavage battait son plein aux États-Unis alors qu'il avait été interdit en France et en Angleterre. Le Canada était encore une colonie britannique. L'Église et les missionnaires suppliaient les Africains d'arrêter d'exporter leurs frères et leurs sœurs, et encourageaient les Européens à développer comme alternative le commerce légal avec l'Afrique de l'Ouest. Le « commerce légitime », ils appelaient cela, je crois.

J'ai lu la liste des passagers avec une excitation croissante.

Ainsi que le nom du bateau.

Eugénie Nicolet et Abo Gabassa avaient traversé l'Atlantique ensemble.

Je me suis levée pour attiser le feu.

Alors, c'était ça ? Avais-je déniché un secret enfoui depuis un siècle et demi ? Eugénie Nicolet et Abo Gabassa ? Avaient-ils été amants ?

Glissant mes pieds dans mes chaussures, je me suis dirigée vers la porte-fenêtre. J'ai tourné la poignée, la fenêtre était bloquée. Un coup de hanche et la croûte de glace a cédé.

Mon tas de bois était gelé et il a fallu un bon nombre de coups de bêche avant de réussir à dégager une bûche. Quand j'ai regagné l'intérieur, je frissonnais de la tête aux pieds et j'étais couverte de minuscules particules de glace. Au moment où je m'approchais de la cheminée, un son m'a figée brusquement.

Ma sonnette émettait une espèce de grelottement. Pour cesser d'un coup, comme si quelqu'un avait abandonné.

J'ai lâché la bûche, couru à la vidéo de sécurité pour appuyer sur le bouton. Une silhouette connue était en train de disparaître par la grande porte.

Ramassant mes clés, j'ai traversé le corridor au pas de course et poussé la porte donnant sur le hall d'entrée. La porte extérieure finissait de se rabattre. Tirant la languette, je l'ai ouverte toute grande.

Daisy Jeannotte était étalée de tout son long sur mes escaliers.

31.

Le temps que je tende la main vers elle, elle avait lentement replié les bras et avait roulé sur le côté pour se retrouver en position assise, me tournant le dos.

— Vous vous êtes fait mal ?

Sortant de ma gorge sèche, ma voix était éraillée et aiguë.

Elle a sursauté, puis s'est retournée.

— La glace est traître. J'ai glissé, mais ça va aller.

Elle a accepté mon aide. Elle tremblait des pieds à la tête et cela n'avait pas l'air d'aller du tout.

— Venez chez moi, je vous en prie, je vais vous faire un thé.

— Non. Je ne peux pas rester. On m'attend. Je n'aurais pas dû sortir par une telle nuit de cauchemar, mais il fallait que je vous parle.

— Entrez, je vous en prie, il fera plus chaud à l'intérieur.

— Non. Merci.

Sa voix était aussi glaciale que la température.

Elle a renoué son foulard et m'a regardée droit dans les yeux. Derrière elle, le cône éclairé du réverbère était strié de grêlons. Prises dans l'éclairage au sodium, les branches des arbres semblaient d'un noir étincelant.

— Docteur Brennan, laissez donc mes étudiants tranquilles. Je me suis efforcée de vous être utile, mais j'en arrive à penser que vous abusez sérieusement de ma gentillesse. Vous n'avez pas le droit de traquer ainsi ces jeunes gens. Et pour ce qui est de donner mon numéro à la police pour harceler mon assistante, cela dépasse purement et simplement les limites de l'imaginable.

Elle s'est essuyé les yeux de sa main gantée, ce qui a étalé une large traînée noire sur sa joue.

Ma colère s'est enflammée comme une allumette de cuisine. Les bras serrés autour de la taille, je sentais mes ongles me rentrer dans la chair à travers le tissu.

— Mais, nom de Dieu, de quoi parlez-vous ? Il n'est pas question de *harceler* Anna, lui ai-je craché au visage. Et il ne s'agit pas d'un maudit projet de recherche ! Des gens sont morts ! Dix au moins et Dieu sait combien d'autres.

Mon front et mes bras étaient recouverts de givre. Je ne les sentais pas. Ses paroles m'avaient mis dans une rage folle, et toute mon angoisse et la frustration accumulées ces dernières semaines se déversaient d'un coup.

— Jennifer Cannon et Amalie Provencher étaient étudiantes à McGill. Elles ont été assassinées, docteur Jeannotte. Mais pas simplement assassinées. Non. Ce n'était pas suffisant pour ces gens-là. Ces maniaques les ont données en pâture aux chiens, les ont regardées se faire dépecer, se faire broyer la tête jusqu'à la cervelle.

Je hurlais, ayant perdu tout contrôle de ma voix. En dépit du trottoir glissant, un couple qui passait de l'autre côté de la rue a accéléré le pas.

— Une famille entière a été poignardée, mutilée, une vieille femme a pris une balle dans la tête, à moins de deux cents kilomètres d'ici. Des bébés ! Ils ont tué deux petits bébés ! Une fille de dix-huit ans a été mise en pièces, puis flanquée dans un container ici même, en pleine ville. Des morts, docteur Jeannotte, supprimés par des cinglés qui pensent être les maîtres de la morale.

J'avais le feu aux joues, malgré le froid.

— Eh bien, je vais vous dire quelque chose, ai-je continué en pointant vers elle un doigt tremblant. Je les trouverai, ces soi-disant justes, ces bâtards malveillants, et je les mettrai hors d'état de nuire, peu importe le nombre d'enfants de chœur, de conseillers d'orientation ou de pandits à la Nehru qu'il me faudra harceler ! Et cela inclut vos étudiants ! Et cela pourrait bien vous inclure, vous !

Le visage de Jeannotte apparaissait fantomatique dans l'obscurité, avec les traces de mascara qui lui dessinaient un masque macabre. Un gros bouton sur la paupière plongeait dans l'ombre son œil gauche, le droit paraissait, lui, étrangement clair.

Rabaissant la main, j'ai de nouveau croisé mes bras contre moi. J'en avais trop dit. Ma vindicte évanouie, je grelottais.

La rue était déserte et profondément silencieuse. Ma respiration faisait un bruit rauque.

Je ne sais à quoi je m'attendais comme réponse, mais en tout cas certainement pas à la question qui est tombée de ses lèvres.

— Pourquoi utiliser ce genre d'imagerie ?

— Quoi ?

Était-elle en train de critiquer mon style ?

— La Bible, les pandits, les enfants de chœur. Pourquoi de telles références ?

— Parce que, d'après moi, ces meurtres ont été commis par des fanatiques religieux.

Jeannotte est restée d'une immobilité absolue. Quand elle a repris la parole, sa voix était aussi glacée que la nuit et ses mots m'ont davantage transie que celle-ci.

— Vous perdez complètement pied, docteur Brennan. Je vous avertis, ne vous occupez pas de cela... — Ses yeux délavés étaient plongés dans les miens. — Si vous insistez, je serai obligée de prendre des mesures.

Une voiture a remonté doucement l'avenue, en face de mon immeuble. S'est arrêtée. Quand elle a tourné dans ma rue, les phares ont décrit un large arc de cercle qui a balayé les maisons et illuminé un instant le visage de Jeannotte.

J'ai eu un sursaut, et mes ongles se sont plantés plus profondément.

Oh, Seigneur !

Ce n'était pas une illusion créée par l'obscurité. L'œil droit de Jeannotte était d'une étrange pâleur. Sans leur maquillage, les cils et les sourcils ont brillé d'un éclat blanc dans le pinceau des phares.

Elle a dû lire quelque chose sur mon visage, car elle a replacé son écharpe sur l'œil et a dévalé l'escalier. Elle n'a pas jeté un regard en arrière.

Je suis revenue dans l'appartement, pour voir que le répondeur clignotait. Ryan. J'ai composé son numéro d'une main tremblante.

— Jeannotte est dans le coup, ai-je déclaré sans perdre de temps. Elle est venue ici il y a cinq minutes, pour me dire de me tenir à l'écart de tout cela. Apparemment, le fait que tu aies appelé Anna l'a fait sortir de ses gonds. Écoute, le jour où nous sommes retournés à Saint Helena, tu te rappelles ce type qui avait comme une barre blanche d'un côté du visage ?

— Ouais. Un grand, maigre comme un épouvantail. Il est entré pour parler à Owens.

Ryan avait l'air épuisé.

— Jeannotte a le même problème de dépigmentation, un œil pareil. Cela ne se remarque pas parce qu'elle le masque avec du maquillage.

— La même mèche décolorée ?

— Je ne peux pas dire, elle se teint probablement. Écoute, ces deux-là ont sûrement une relation de famille. C'est un trait physique trop inhabituel pour n'être qu'une coïncidence.

— Frère et sœur ?

— Je n'ai pas fait très attention sur le moment, mais je pense que le type sur Saint Helena était trop jeune pour être son père et trop vieux pour être son fils.

— Si elle est originaire des montagnes du Tennessee, les variations génétiques sont réduites.

— Très drôle.

Je n'étais pas d'humeur pour les blagues sudistes.

— Le gène peut être présent chez tous les membres du clan.

— C'est sérieux, Ryan.

— Tu vois ce que je veux dire, différence de bandes selon les vallons. Si ta sœur a le même chromosome que...

Bandes. Quelque chose dans le mot avait soudain accroché mon attention.

— Qu'est-ce que tu as dit ?

— Les vallons. C'est bien comme ça qu'on...

— Arrête donc ! Je suis en train de penser à quelque chose. Tu te rappelles ce que le père de Heidi Schneider a dit du type qui était venu les voir ?

Silence.

— Que le type ressemblait à une bête puante. Une maudite bête puante.

— Merde. Finalement, il ne faisait peut-être pas de la poésie, le père.

Un téléphone a sonné en arrière-fond, sonné et sonné. Personne n'a répondu.

— Tu penses qu'Owens a envoyé l'autre fêlé au Texas ?

— Non. Pas Owens. Catherine et le vieux ont parlé d'une femme. D'après moi, il s'agit de Jeannotte. Elle doit diriger le jeu d'ici, en se gardant des lieutenants dans les autres camps. Je pense aussi qu'elle recrute au niveau du campus, grâce à des séminaires.

— Qu'est-ce que tu peux me dire d'autre sur elle ?

Je lui ai dit tout ce que je savais, y compris son attitude vis-à-vis de son assistante, et lui ai demandé ce qu'il avait appris en discutant avec Anna.

— Pas grand-chose. Je pense qu'elle garde bien soigneusement pour elle un wagon de merde. Zelda, à côté, c'est la reine de la stabilité.

— Elle est peut-être droguée.

Le téléphone a sonné de nouveau.

— Tu es tout seul ?

À part la sonnerie, son bureau semblait étrangement calme.

— Tout le monde est sur le terrain, à cause de la tempête de verglas. Tu as des problèmes, toi ?

— Des problèmes de quoi ?

— Tu n'écoutes pas les infos ? La glace est en train de tout foutre en l'air. Ils ont fermé les aéroports, et de nombreuses petites routes sont bloquées. Les lignes électriques cassent comme du spaghetti et, du côté de la rive sud, ils sont sans lumière et sans chauffage. Les élus municipaux commencent à s'inquiéter pour les vieux. Et pour le pillage.

— Pour le moment, ça va pour moi. Les types de Baker ont-ils trouvé un lien entre Saint Helena et le groupe texan ?

— Pas vraiment. Le vieux avec son chien parle souvent d'une rencontre avec un ange gardien. Owens et ses disciples avaient la même idée. Il en est sans arrêt question dans les journaux.

— Les journaux ?

— Ouais. Visiblement, il y avait un certain nombre de fidèles que la fibre créatrice démangeait.

— Et ?

Il a tiré sur sa cigarette, puis expiré une longue bouffée.

— Mais accouche, nom de Dieu...

— Selon les experts de là-bas, il est bien question d'apocalypse, et c'est pour maintenant. Ils se préparent pour le grand saut. Le shérif Baker n'a pas pris de risques. Il a mis les fédéraux dans le coup.

— Et ils n'ont trouvé aucun indice sur leur destination ? Leur destination terrestre, j'entends.

— Rencontrer l'ange gardien et faire le passage pour un monde meilleur. Ah ! ils sont bien organisés. Visiblement, le voyage était prévu de longue date.

— Jeannotte ! Il faut retrouver Jeannotte ! C'est elle ! C'est elle, l'ange gardien !

Je criais comme une hystérique, j'en étais totalement consciente. Mais c'était plus fort que moi.

— O.K. C'est le temps de passer au grill, miss Daisy. Il y a combien de temps qu'elle est partie de chez toi ?

— Cela fait quinze minutes.

— Et elle allait où ?

— Je n'en sais rien. Je sais seulement qu'elle devait retrouver quelqu'un.

— O.K., je vais la retrouver. Brennan, si tu as raison, ta petite prof est une femme très dangereuse. Ne fais rien, je répète, ne fais rien de ton propre chef. Je sais que tu t'inquiètes pour Harry, mais, si elle est embarquée dans ce truc, on aura sans doute besoin de pros pour la sortir de là. Tu comprends ?

— Je peux me brosser les dents ? Ou c'est trop risqué ? ai-je déclaré d'un ton sec.

Son paternalisme jouait sur mes nerfs.

— Tu comprends ce que je veux dire. Trouve-toi des bougies. Je te reviens dès que j'ai du nouveau.

J'ai raccroché et me suis avancée jusqu'à la porte-fenêtre. Un soudain besoin d'espace m'a fait écarter le rideau. On se serait cru dans un conte de fées, les arbres et les branches semblaient en verre filé. Des dentelles de glace recouvraient les balcons aux étages supérieurs, restaient accrochées aux cheminées de brique et aux murs.

J'ai sorti bougies, allumettes et lampe de poche, puis récupéré ma radio et mon casque au fond de mon sac de sport. J'ai tout posé sur le comptoir de la cuisine et, retournant au salon, je me suis allongée sur le canapé et j'ai allumé la télé pour suivre les infos.

Ryan avait raison. Des lignes électriques étaient tombées un peu partout dans la province et HydroQuébec ne pouvait pas dire quand le courant serait rétabli. La température baissait toujours et on attendait d'autres précipitations.

J'ai passé une veste et fait trois voyages pour rapporter du bois. Si l'électricité était coupée, au moins j'aurais chaud. Puis j'ai sorti d'autres couvertures, que j'ai posées sur le lit. Au salon, un commentateur météo dressait avec un sourire crispé la liste des choses à ne pas faire.

Rituel classique, et bizarrement réconfortant. Quand la neige menace le Sud, les écoles ferment, toute activité publique cesse, et des gens paniqués empilent des réserves sur leurs étagères. Généralement, le blizzard prévu n'arrive pas, ou s'il tombe de la neige, elle disparaît dès le lendemain. À Montréal, on s'y prépare de manière méthodique, sans panique, et sur un fond dominant de « on fera face ».

Mes préparatifs m'avaient pris quinze bonnes minutes. La télévision avait retenu mon attention dix autres minutes. Maigre répit. À peine avais-je éteint que mon agitation est revenue de plus belle. Je me sentais coincée. Une puce montée sur ressort. Ryan avait raison. Il n'y avait rien que je puisse faire, et mon impuissance me mettait encore plus sur des charbons ardents.

J'ai suivi ma routine du soir, en espérant garder ainsi un peu plus longtemps mes pensées noires en lisière. En vain. Une fois au lit, mon barrage mental s'est trouvé débordé.

Harry. Pourquoi ne l'avais-je pas mieux écoutée ? Comment avais-je pu être à ce point égocentrique ? Où était-elle allée ? Pourquoi n'avait-elle pas appelé son fils ? Pourquoi ne m'avait-elle pas appelée moi ?

Daisy Jeannotte. Qui s'apprêtait-elle à rencontrer ? Quelle course affolée projetait-elle ? Combien d'âmes innocentes avait-elle l'intention d'entraîner avec elle ?

Heidi Schneider. Qui avait pu se sentir assez menacé par les bébés de Heidi pour se résoudre à ce meurtre odieux ? Quel bain de sang ces morts annonçaient-ils ?

Jennifer Cannon. Amalie Provencher. Carole Comptois. Leurs meurtres faisaient-ils partie de cette folie ? Quelles règles avaient-elles enfreintes ? Leurs morts participaient-elles à la chorégraphie de quelque rituel démoniaque ? Ma sœur avait-elle subi le même sort ?

La sonnerie du téléphone m'a fait bondir et la lampe de poche est tombée par terre.

Que ce soit Ryan, je vous en supplie. Faites que ce soit Ryan et qu'il ait arrêté Jeannotte.

Mais, en décrochant, j'ai entendu la voix de mon neveu.

— Maudite merde, tante Tempe. Je crois que j'ai vraiment déconné. Elle a appelé. J'ai trouvé le message sur l'autre cassette.

— Quelle autre cassette ?

— J'ai un vieux répondeur, avec de toutes petites cassettes. Celle que j'avais mise ne se rembobinait pas bien, alors je l'ai changée. Je n'y ai plus pensé jusqu'à maintenant, parce qu'une amie est venue me voir. J'étais en rage contre elle car on était supposés sortir ensemble la semaine dernière et que, quand j'étais passé la chercher, elle n'était pas là. Quand elle s'est pointée ici ce soir et que je lui ai dit d'aller se faire foutre, elle a insisté pour dire qu'elle avait laissé un message. Comme on s'obstinait, j'ai ressorti la vieille cassette et je l'ai repassée. Effectivement, il y avait son message, mais il y avait aussi celui de Harry.

— Et ta mère disait quoi ?

— Elle avait l'air sur les nerfs. Tu sais comment elle est. Mais elle semblait aussi avoir peur de quelque chose. Elle était dans une ferme ou je ne sais quoi, et elle voulait partir, mais personne ne voulait la raccompagner à Montréal. Donc, d'après moi, elle doit toujours être au Canada.

— Qu'est-ce qu'elle a dit d'autre ?

Mon cœur battait si fort que j'étais sûre que mon neveu pouvait l'entendre.

— Elle disait que ça commençait à devenir franchement pas net et qu'elle voulait sortir de là. Là-dessus, la bande a cassé ou elle a été coupée, ou... Je ne suis pas certain. Mais le message se terminait comme ça.

— Et elle a appelé quand ?

— Pam a appelé lundi. Le message de Harry vient après.

— Il n'y a pas d'indicateur de date ?

— Ce truc doit remonter aux années Truman.

— Tu as changé la cassette quand ?

— Peut-être mercredi. Ou jeudi. Je n'en suis pas certain. Mais avant samedi, ça j'en suis sûr.

— Réfléchis, Kit !

Il y a eu des bourdonnements sur la ligne.

— Jeudi. Quand je suis revenu du bateau, j'étais crevé, la cassette ne voulait pas se rembobiner. C'est là que j'en ai mis une neuve. Merde, ça veut dire qu'elle a appelé il y a au moins quatre jours, peut-être même six. Seigneur, j'espère que ça va. Elle avait l'air pas mal paniquée.

— Je pense savoir avec qui elle est. Ça va aller.

Je ne croyais pas à mes propres paroles.

— Préviens-moi dès que tu as réussi à la joindre. Dis-lui que je me sens vraiment mal pour ce truc. Je n'y ai carrément pas pensé.

Je suis allée à la fenêtre, ai pressé mon visage contre la vitre. La chape de glace transformait la lumière des réverbères en petits soleils, et les fenêtres de mes voisins en rectangles miroitants. Les larmes roulaient sur mes joues tandis que je pensais à ma sœur, quelque part dans la tempête.

Je suis retournée au lit d'un pas lourd, ai allumé la lumière, dans l'idée d'attendre l'appel de Ryan.

De temps à autre, les lumières faiblissaient, vacillaient, puis revenaient à la normale. Un millénaire s'est écoulé. Le téléphone restait muet.

Je me suis assoupie.

L'intuition finale me vint finalement d'un rêve.

32.

Devant moi, la vieille église. C'est l'hiver, les arbres sont nus. Malgré le ciel plombé, les branches dessinent de fines ombres arachnéennes sur les pierres grises. L'air sent la neige, et il règne un silence pesant d'avant tempête. Au loin, un lac gelé.

Une porte s'ouvre et une silhouette vient s'inscrire dans la lumière douce et jaune d'une lampe. Elle semble hésiter, puis se dirige vers moi, tête baissée contre le vent. Lorsqu'elle est plus près, je peux voir qu'il s'agit d'une femme. Elle porte un voile sur la tête et une longue robe noire.

Tandis qu'elle s'approche tombent les premiers flocons. Elle a une bougie à la main et je comprends qu'elle se tient penchée pour protéger la flamme. Je me demande comment celle-ci a pu ne pas s'éteindre.

La femme s'arrête et incline la tête vers moi. Son voile est déjà tout parsemé de neige. Malgré les efforts que je fais pour la reconnaître, son visage devient flou par instants, comme un galet au fond d'un grand bassin.

Elle fait demi-tour et je la suis.

Elle prend de plus en plus d'avance. La panique monte, j'essaie de la rattraper, mais mon corps ne répond pas. Mes jambes sont lourdes, il m'est impossible d'aller plus vite. Je la vois disparaître par une porte. J'appelle. Pas un son ne sort de ma bouche.

Je suis maintenant dans l'église. Tout est sombre. Les murs sont en pierre, le sol en terre battue. Au-dessus de moi, d'énormes fenêtres sculptées sont plongées dans l'obscurité. À travers, j'aperçois de minuscules flocons qui flottent, comme de la fumée.

Je n'arrive pas à me souvenir pourquoi je suis venue ici. J'en éprouve de la culpabilité, car je sais que c'est important. Quelqu'un m'y a envoyée. Je ne peux plus me rappeler qui.

M'avançant dans la semi-obscurité, je baisse les yeux, pour m'apercevoir que je suis pieds nus. J'ai honte, parce que je ne sais plus où j'ai laissé mes chaussures. Je veux partir, mais je ne connais pas le chemin. Je sens que, si j'abandonne ma mission, je ne pourrai pas m'en aller.

Un bruit de voix étouffées m'attire dans une direction. Il y a quelque chose par terre. C'est indistinct, comme un mirage impossible à identifier. Je m'approche et l'ombre se concentre sur différents objets.

Un cercle de cocons enveloppés. Ils sont trop petits pour contenir des corps, mais c'est bien la forme de corps.

Je m'approche de l'un et défais un des coins. Il y a un bourdonnement sourd. Je tire sur le drap et des mouches s'élèvent en nuages et montent vers la fenêtre. La vitre est opaque de buée glacée, je regarde les insectes voler, en sachant qu'ils ne sont pas faits pour ce froid.

Mes yeux retombent sur le paquet. Je ne me dépêche pas parce que je sais que ce n'est pas un cadavre. Les morts ne sont pas enveloppés et disposés de cette manière.

Seulement, c'en est bien un. Et je reconnais le visage. Celui d'Amalie Provencher qui me regarde, avec les traits d'un personnage de bande dessinée, dans des tonalités de gris.

Malgré cela, je n'arrive toujours pas à me presser. Je vais de paquet en paquet, ouvre les draps, libérant les mouches qui montent dans l'obscurité. Les visages sont blancs, les yeux fixes. Je ne les reconnais pas. Sauf un.

J'avais déjà deviné à la taille, avant même de déballer le suaire. Il est tellement plus petit que les autres. Je ne veux pas voir, mais il m'est impossible d'arrêter.

Non ! J'essaie de nier. Cela ne marche pas.

Carlie est couché sur le ventre, ses deux poings serrés de chaque côté du corps.

Puis j'en aperçois deux autres, minuscules, côte à côte dans le cercle.

J'éclate en sanglots. Là encore, aucun son ne sort de ma bouche.

Une main se referme sur mon bras. Je lève les yeux, c'est mon guide. Son apparence a changé ou, simplement, elle est plus nettement visible.

C'est une religieuse, et son habit est effrangé et couvert de terre. Quand elle bouge, on entend s'entrechoquer les grains de son chapelet, et s'élève une odeur de terre humide et de pourriture.

Je me relève et je vois sa peau couleur chocolat couverte de plaies rouges et suintantes. Je comprends qu'il s'agit d'Élisabeth Nicolet.

« Qui êtes-vous ? »

J'ai pensé la question, mais elle y répond.

« Toutes en robe de la plus sombre bure. »

Je ne comprends pas.

« Que faites-vous ici ?

— On a fait de moi une épouse du Christ. »

J'aperçois alors une autre personne. Elle se tient en retrait, et la lumière voilée par la neige laisse son visage dans l'ombre et donne à ses cheveux une teinte terne et grise. Ses yeux croisent les miens et elle me dit quelque chose. Ses mots se perdent.

« Harry ! »

Je hurle. Ma voix n'est qu'un faible murmure.

Harry ne m'entend pas. Elle étend les deux bras, ses lèvres remuent, forment un ovale noir dans son visage spectral.

Je crie de nouveau, sans émettre de son.

Elle parle encore, et je l'entends, bien que ses mots me parviennent de loin, comme des voix portées par l'eau.

« Aide-moi. Je meurs.

— Non ! »

Je veux courir, mais mes jambes ne veulent pas bouger.

Harry s'engage dans un couloir que je n'avais pas remarqué. Il y a une inscription au-dessus. *Ange Gardien.* Elle n'est plus qu'une ombre, qui se fond dans l'obscurité.

Je l'appelle ; elle ne se retourne pas. J'essaie d'aller vers elle. Mon corps est pétrifié, rien ne bouge que les larmes qui coulent le long de mes joues.

Ma compagne se transforme. Des ailes noires lui sortent dans le dos, son visage pâlit et se crevasse profondément. Ses yeux deviennent comme des éclats de pierre. Au moment où j'y plonge mon regard, les iris s'éclaircissent, sourcils et cils se décolorent. Une raie blanche apparaît dans les cheveux, part vers l'arrière en dégageant une bande de cuir chevelu qui est projetée très haut dans les airs. Avant de retomber sur le sol et que les mouches, redescendant de la fenêtre, viennent s'y poser.

« L'Ordre doit rester secret. »

La voix vient de partout et de nulle part.

Maintenant, le paysage du rêve se transforme e c'est la plaine côtière de Caroline. Des rayons de solei filtrent à travers des lambeaux de mousse et d'immenses ombres dansent entre les arbres. Il fait chaud e je creuse. Je lève des pelletées de terre, couleur de sang séché, que j'envoie sur un tas derrière moi, et je sui tout en sueur.

La lame de ma bêche heurte quelque chose. J'en gratte les contours, dégageant soigneusement la forme Une fourrure blanche maculée d'argile rouge brique. Je longe l'arc du dos. Une main, avec de longs ongle rouges. Je continue le long du bras. Des franges de cow-boy. Tout tremble dans l'intense chaleur.

J'aperçois le visage de Harry et je hurle.

Le cœur battant, trempée de sueur, je me suis brutalement redressée dans mon lit. Cela m'a pris un moment avant de reprendre mes esprits.

Montréal. Ma chambre. La tempête de verglas.

La lumière était toujours allumée et la pièce était silencieuse. Quelle heure était-il ? Trois heures quarante-deux.

Détends-toi. Un cauchemar n'est qu'un rêve. Qui reflète peurs et angoisses, mais n'est pas la réalité.

Puis une autre pensée. Ryan. Avais-je manqué son appel ?

Repoussant la couverture, je me suis rendue au salon. Le clignotant du répondeur était éteint.

De retour dans la chambre, j'ai retiré mes vêtements trempés. En ôtant mon pantalon de survêtement, j'ai remarqué que mes ongles avaient laissé leurs marques dans le creux de mes paumes. J'ai passé un jean et un gros sweat-shirt.

Les chances pour que je me rendorme étaient faibles. Je suis allée dans la cuisine me faire bouillir de l'eau. Le rêve m'avait laissé une sensation de nausée. Je ne voulais pas me le remettre en mémoire, mais les images avaient réveillé en moi quelque chose que je devais percer à jour. J'ai emporté mon thé sur le canapé.

En général, mes rêves ne donnent pas particulièrement dans le merveilleux ni dans l'effrayant ou le saugrenu. Ils sont de deux types.

Le plus souvent, je suis incapable de composer un numéro de téléphone, de voir la route, d'attraper mon train. J'ai un examen à passer, mais je n'ai jamais suivi les cours. Du gâteau à interpréter : angoisse.

Plus rarement, le message se présente sous un jour plus complexe. Mon subconscient passe au crible le matériau amassé par mon esprit conscient et compose des tableaux surréalistes. À moi de traduire ensuite ce que me dit mon psychisme.

Le cauchemar de cette nuit était clairement occulte. Les yeux fermés, j'ai essayé de décoder. Les images

425

revenaient en flash, comme des éclairs à travers une clôture.

Le visage informatisé d'Amalie Provencher.

Les bébés morts.

Une Daisy Jeannotte avec des ailes. Je me rappelais ce que j'avais dit à Ryan. Était-elle vraiment un ange de la mort ?

L'église. Elle ressemblait au couvent du lac Memphrémagog. Pourquoi mon cerveau me renvoyait-il cela ?

Élisabeth Nicolet.

Harry, me faisant signe pour que je l'aide, puis disparaissant dans un tunnel sombre. Harry, morte, avec Birdie. Harry était-elle vraiment en danger ?

On a fait de moi une épouse du Christ. Qu'est-ce que ça pouvait bien signifier ? Élisabeth avait-elle été retenue contre sa volonté ? Cela faisait-il partie de sa sainte vérité ?

Je n'ai pas eu le temps d'aller plus loin, car juste à ce moment-là on a sonné à la porte. « Ami ou ennemi ? » me suis-je demandé en me précipitant vers la vidéo de sécurité.

La longue silhouette dégingandée de Ryan remplissait l'écran. J'ai appuyé sur la touche d'ouverture et l'ai observé par l'œilleton tandis qu'il s'avançait dans le couloir. On aurait dit un survivant de la Vallée des larmes.

— Tu as l'air épuisé.

— Ça a été dingue et on est toujours en heures supplémentaires. Avec cette tempête, je me retrouve tout seul.

Il a essuyé ses bottes et descendu la fermeture Éclair de son parka. Une cascade de glace est tombée quand il a retiré son bonnet. Il ne m'a pas demandé pourquoi j'étais habillée à quatre heures du matin, et je ne lui ai pas demandé en quel honneur il débarquait chez moi à cette heure.

— Baker a retrouvé Catherine. Elle a changé d'avis à la dernière minute et a lâché Owens.

— Le bébé ?

Mon cœur s'est mis à battre.

— Il est là-bas, avec elle.

— Où ?

— Tu as du café ?

— Oui, bien sûr.

Il a jeté son bonnet sur la table du couloir et m'a suivie dans la cuisine. Il a continué à parler, pendant que je mettais le café dans le moulin et mesurais l'eau.

— Elle est allée se planquer avec un type, un certain Espinoza. Tu te souviens de la voisine qui avait appelé les services sociaux ?

— Je croyais qu'elle était morte.

— Elle est morte. C'est du fils qu'il s'agit. Il fait partie de la secte, mais il a un boulot pendant la journée et il habite un peu plus bas, dans la maison de maman.

— Elle a récupéré Carlie comment ?

— Il a toujours été là-bas. Tu es assise ? Quelqu'un a emmené les camionnettes à Charleston pendant que tout le groupe venait se terrer chez Espinoza. Tout ce temps ils étaient dans l'île. Puis, quand ça a moins senti le roussi, ils sont partis.

— Par quel moyen ?

— Ils se sont séparés et chacun y est allé de sa petite musique. Certains sont partis en bateau, d'autres sont passés en se planquant dans des boîtes de pick-up ou des coffres de voiture. Il semble qu'Owens a son armée de l'ombre. Et, comme des cons, on a tout misé sur les camionnettes.

Je lui ai tendu une tasse fumante.

— Catherine était supposée partir avec Espinoza et un autre type, mais elle lui a dit de faire le mort.

— Et l'autre est où ?

— Espinoza se fout en rogne quand on aborde le sujet.

— Et où sont-ils allés, tous ?

Ma gorge s'est serrée. Je connaissais déjà la réponse.

— Je pense qu'ils sont ici.

Je me suis tue.

— Catherine n'est pas sûre de l'endroit. Elle sait juste qu'ils doivent traverser une frontière. Ils voyagent à deux ou trois, et on leur a indiqué des routes secondaires pour échapper aux patrouilles.

— Où ?

— Il lui semble avoir entendu parler du Vermont. On a déjà prévenu les postes de police sur l'autoroute et les services d'immigration, mais c'est probablement trop tard. Ils ont eu presque trois jours d'avance et le Canada n'est pas exactement la Libye en ce qui concerne le contrôle douanier.

Il a bu quelques gorgées de café.

— Catherine proclame qu'elle n'a pas fait vraiment attention parce qu'elle n'a jamais cru qu'ils partiraient pour de bon. Elle est claire sur un point. Lorsqu'ils auront trouvé l'ange gardien, ils vont tous mourir.

J'ai commencé à essuyer le comptoir, qui était déjà propre.

Le silence s'est prolongé pendant un long moment. C'est lui qui a repris :

— Des nouvelles de ta sœur ?

Mon estomac s'est à nouveau noué.

— Non.

Lorsqu'il a repris la parole, il avait adouci sa voix.

— Les types de Baker ont trouvé quelque chose à Saint Helena.

— Quoi ?

La peur m'a transpercée de part en part.

— Une lettre adressée à Owens. Où l'expéditeur, un certain Daniel, parle de Vie intérieure et Puissance... — Sa main s'est posée sur mon épaule. — Il semble que ce n'était qu'une façade, ou du moins que l'association était infiltrée par les disciples d'Owens. Ce passage n'est pas clair. En revanche, ce qui l'est, c'est qu'ils s'en servaient pour leur recrutement.

— Oh, Seigneur !

— La lettre remonte à près de deux mois, sans indication de provenance. La formulation est vague : il semblerait qu'il y avait comme un quota à atteindre, que ce Daniel s'engageait à fournir.

— De quelle manière ?

Je pouvais à peine parler.

— Il ne le disait pas. C'est la seule référence à Vie intérieure et Puissance. Une lettre, c'est tout.

Mon rêve m'est revenu d'un coup avec une précision crue, et mon sang s'est changé en glace.

— Ils tiennent Harry ! ai-je dit, les lèvres tremblantes. Je dois la retrouver !

— On va la retrouver.

Je lui ai raconté l'appel de Kit.

— Merde.

— Comment ces gens peuvent-ils rester invisibles pendant des années et, d'un seul coup, on soulève une roche et ils se dispersent et s'évanouissent dans la nature ?

Ma voix chevrotait.

Ryan a reposé sa tasse et, me saisissant des deux mains, m'a tournée vers lui. J'appuyais si violemment sur l'éponge qu'elle en couinait.

— On n'a aucune piste, parce que ces types ont une source de revenus considérable dont on ignore la provenance. Tout se paie en liquide. Cela dit, ils n'ont pas l'air d'être impliqués dans quoi que ce soit d'illégal.

— À part le meurtre !

J'ai voulu me dégager, mais il me tenait fermement.

— Ce que je suis en train de dire, c'est qu'on ne peut pas coincer ces trous du cul pour une histoire de drogue, de vol, ou de trafic de cartes de crédit. Il n'y a pas de piste financière, pas de présomptions de crimes, et c'est en général là que ça casse. — Son regard était dur. — Mais ils se sont foutu le doigt là où je pense en venant jouer dans ma cour et je vais te les coincer comme il faut, ces maudits petits enragés.

429

Me libérant de son étreinte, j'ai lancé l'éponge à travers la cuisine.

— Et Jeannotte ?

— J'ai essayé le bureau, puis j'ai pensé la surprendre dans sa tanière. Personne ni à l'un ni à l'autre. N'oublie pas que je fais ça tout seul, Brennan. La tempête a plongé le Québec dans le noir.

— Qu'est-ce que tu as trouvé pour Jennifer Cannon et Amalie Provencher ?

— L'université me serine son habituel baratin sur la vie privée des étudiants. Ils ne lâcheront rien sans une injonction de la Cour.

C'en était assez. Je suis passée devant lui pour me diriger vers ma chambre. J'enfilais des chaussettes de laine quand il est apparu dans l'encadrement de la porte.

— Tu penses que tu fais quoi, là ?

— Je vais aller interroger Anna Goyette, puis je vais trouver ma sœur.

— Woaa, madame la chef scoute. Tout est pris dans une couverture de glace polaire dehors.

— Je me débrouillerai.

— Avec ta Mazda vieille de cinq ans ?

Je tremblais si fort que je n'arrivais pas à lacer mes bottes. Reprenant au début, j'ai défait le nœud, soigneusement repassé les lacets dans les anneaux. Puis j'ai fait de même avec l'autre pied, me suis redressée et lui ai fait face.

— Je ne resterai pas assise ici, en laissant ces fanatiques assassiner ma sœur. L'obsession du suicide peut bien les consumer, ils n'emmèneront pas Harry avec eux. Avec ou sans toi, je vais la trouver, Ryan. Et pas plus tard que maintenant !

Pendant une pleine minute, il est resté là, à me regarder. Puis il a inspiré profondément, expiré par le nez et ouvert la bouche. Au même moment, les lumières ont vacillé, faibli, puis se sont éteintes.

33.

Le plancher de la jeep était trempé de neige fondue. Les essuie-glaces claquaient de gauche à droite, de droite à gauche, dérapant çà et là sur le givre. Des millions de billes argentées passaient à travers les pinceaux des phares.

Le centre-ville était noir et désert. Pas de lumière dans les rues ni dans les immeubles, pas d'enseignes au néon, pas de feux de circulation. Les seules voitures que nous croisions étaient celles de la police. Des rubans jaunes délimitaient des zones interdites sur les trottoirs près des grands immeubles, afin de prévenir les accidents causés par des chutes de glace. Combien de gens allaient vraiment essayer de se rendre au travail aujourd'hui ? De temps à autre, on entendait un grand craquement et une plaque de glace venait s'exploser sur le trottoir. Le paysage me rappelait les dernières images de Sarajevo. J'ai pensé à mes voisins, recroquevillés dans leurs pièces froides et obscures.

Ryan avait la conduite « tempête », épaules relevées, doigts effleurant à peine le volant. Il restait en bas régime, n'accélérant que graduellement et lâchant l'accélérateur bien avant les intersections. Même ainsi, nous chassions souvent de l'arrière. Il s'en sortait bien. Les voitures de patrouille que nous croisions glissaient plus qu'elles ne roulaient.

Nous avons remonté péniblement la rue Guy, pour prendre celle du Docteur-Pennfield vers l'est. Au-dessus de nous brillait l'Hôpital général de Montréal alimenté par son propre générateur. Mes doigts agrippaient l'accoudoir de droite et je serrais le poing de ma main gauche.

— Il fait vraiment un froid de gueux. Mais pourquoi donc ce n'est pas de la neige ? ai-je lâché.

La tension et la peur remontaient à la surface.

Ryan ne quittait pas la route des yeux.

— D'après la radio, on assiste à une espèce de phénomène météo, avec des températures plus chaudes au niveau des nuages qu'au sol. Il y a une condensation en pluie, qui gèle en tombant. Le poids de la glace est en train de mettre hors circuit toutes les stations électriques.

— Et ça va se lever quand ?

— Le type de la météo dit que la perturbation stagne et qu'elle n'a apparemment pas l'intention de bouger.

Fermant les yeux, je me suis concentrée sur les sons. Dégivreur. Essuie-glaces. Sifflement du vent. Les battements de mon cœur.

La voiture a dérapé et mes lèvres ont laissé échapper un cri muet. Lâchant l'accoudoir, j'ai allumé la radio.

La voix était grave, rassurante. La plus grande partie de la province était privée d'électricité, et HydroQuébec avait mis trois mille employés au travail. Les équipes allaient travailler vingt-quatre heures sur vingt-quatre, cependant, personne n'était en mesure de dire quand les lignes pourraient être réparées.

Le transformateur desservant le centre-ville avait sauté en raison de la surcharge, mais sa remise en route était en tête des priorités. L'usine de traitement des eaux était arrêtée et il était recommandé aux habitants de faire bouillir leur eau.

« Pas évident sans électricité », me suis-je dit.

On avait mis en place des centres d'accueil, et la police commencerait dès l'aube son porte-à-porte pour localiser les personnes âgées en difficulté. De nombreuses routes étaient barrées et il était conseillé aux automobilistes de rester chez eux.

J'ai éteint la radio, avec une envie terrible d'être chez moi. Avec ma sœur. De penser à Harry a déclenché comme un martèlement derrière mon œil droit.

Ne pense pas à ton mal de tête et réfléchis, Brennan. Tu ne seras d'aucune utilité si tu ne te concentres pas.

Les Goyette vivaient dans le quartier dit du Plateau. Nous avons donc coupé vers le nord, puis vers l'est sur l'avenue des Pins. En haut de la colline, on voyait les lumières de l'Hôpital royal Victoria. Vers le sud, McGill était une étendue noire, en avant du centre-ville et de la rive du fleuve où la seule chose éclairée était la place Ville-Marie.

Ryan a tourné sur Saint-Denis direction nord. Habituellement prise d'assaut par les badauds et les touristes, la rue était cette fois-ci abandonnée à la glace et au vent. Tout était recouvert d'une chape translucide, qui masquait les noms des boutiques et des bistros.

Sur Mont-Royal, nous avons de nouveau pris vers l'est, pour tourner direction sud sur Christophe-Colomb, et, une éternité plus tard, nous sommes arrivés à l'adresse qu'Anna m'avait donnée. Immeuble classique, sur trois paliers, avec une véranda en façade et d'étroits escaliers de fer. Ryan s'est garé, le nez de la voiture pointé vers le trottoir.

Dehors, la glace m'a picoté les joues, comme de minuscules cendres incandescentes, et m'a fait monter les larmes aux yeux. Tête baissée, nous avons grimpé jusqu'à l'appartement des Goyette, glissant et dérapant sur les marches. La sonnette était emprisonnée dans une gangue grisâtre, j'ai frappé. Un instant plus tard, le rideau a bougé et le visage d'Anna est apparu. À travers la vitre gelée, je l'ai vue secouer la tête de droite à gauche.

— Anna, ouvre-nous ! ai-je crié.

Le mouvement de tête s'est accentué, mais mon humeur n'était pas à la négociation.

— Ouvre cette porte !

Elle s'est immobilisée, sa main tirait le lobe de son oreille. Puis elle a reculé d'un pas et j'ai pensé qu'elle allait disparaître. Mais une clé a tourné dans la serrure et la porte s'est entrouverte.

Je n'ai pas attendu. J'ai donné une violente poussée et, avant qu'elle ait pu réagir, nous étions à l'intérieur, Ryan et moi.

Se reculant, Anna nous a fait face, bras croisés, mains crispées sur les manches de sa chemise. Une lampe à huile crépitait sur une petite table en bois, envoyant des ombres danser en haut des murs de l'étroit couloir.

— Pourquoi ne me laissez-vous pas tranquille ?

Ses yeux paraissaient immenses dans la lumière tremblotante.

— J'ai besoin de ton aide, Anna.

— Je ne peux pas.

— Si, tu peux.

— Je lui ai dit la même chose. Je ne peux pas. Ou ils me retrouveront.

Sa voix tremblait et la peur intense sur son visage m'a fait l'effet d'une lance dans le cœur. J'avais déjà vu cette expression. Sur le visage d'une amie, terrifiée par quelqu'un qui ne cessait de la poursuivre. Je l'avais convaincue qu'il n'y avait pas de réel danger. Et elle en était morte.

— À qui as-tu dit cela ?

Où pouvait bien être sa mère ?

— Au docteur Jeannotte.

— Elle était ici ?

Elle a hoché la tête.

— Quand ?

— Il y a quelques heures. Je dormais.

— Et elle voulait quoi ?

Elle a jeté un coup d'œil à Ryan, puis a fixé le plancher.

— Elle m'a posé de drôles de questions. Elle voulait savoir si j'avais revu des gens du groupe d'Amalie. Je pense qu'elle se préparait à aller à la campagne, là où j'avais eu l'atelier. Elle... elle m'a frappée. Personne ne m'a jamais frappée de cette façon. Elle était comme folle. Je ne l'ai jamais vue comme ça.

Il y avait de la peine, de la honte dans sa voix, comme si d'une certaine manière elle avait sa part de responsabilité dans cette agression. Elle paraissait si fragile, une petite silhouette dans l'ombre, que je me suis approchée pour la prendre dans mes bras.

— Tu n'as pas de reproches à te faire, Anna.

Ses épaules ont commencé à se soulever, j'ai caressé ses cheveux. Ils scintillaient dans la lumière incertaine.

— J'aurais voulu l'aider, mais, honnêtement, je ne me souviens pas. J'étais... C'était une de mes mauvaises périodes.

— Je sais... Je veux que tu reviennes en arrière et que tu penses fort. Essaie de te rappeler tout ce qui est en relation avec cet endroit.

— J'ai essayé. Je n'y arrive pas, c'est tout.

J'avais envie de la secouer, pour qu'elle parle. La vie de ma sœur dépendait de ces quelques mots. Je me suis souvenue d'un cours que j'avais suivi en psychologie de l'enfant. Éviter l'abstraction, poser des questions précises. Doucement, je l'ai écartée de moi et lui ai relevé le menton de la main.

— Quand tu es allée à cet atelier, tu es partie de l'université ?

— Non. Ils m'ont prise ici.

— De quel côté de la rue avez-vous tourné ?

— Je ne sais pas.

— Tu te rappelles par quelle route vous avez quitté la ville ?

— Non.

Trop abstrait, Brennan.

— Vous avez pris un pont ?

Ses yeux se sont rétrécis, et elle a hoché la tête.

— Lequel ?

— Je ne sais pas. Attendez, il y avait une île avec plein de grands immeubles.

— L'Île-des-Sœurs, a dit Ryan.

— Oui.

Elle a ouvert grand les yeux.

— Quelqu'un a fait une blague sur les sœurs qui pouvaient habiter dans les appartements.

— Pont Champlain.

— À quelle distance était la ferme ?

— Je...

— Combien de temps avez-vous roulé ?

— À peu près trois quarts d'heure. Ouais. Quand nous sommes arrivés, celui qui conduisait s'est vanté d'avoir fait le trajet en moins d'une heure.

— Tu as vu quoi quand tu es sortie de la camionnette ?

De nouveau, le doute s'est inscrit dans ses yeux. Puis, lentement, comme si elle décrivait une tache de Rorschach :

— Juste avant d'arriver, je me rappelle qu'il y avait une grande tour avec plein de fils, d'antennes, de coupoles. Et puis une toute petite maison. Quelqu'un l'avait sans doute construite pour que ses enfants attendent le bus scolaire. Je me souviens d'avoir pensé qu'elle était en pain d'épice, avec comme des glaçages dessus.

Au même moment, un visage s'est matérialisé derrière elle. Sans maquillage, maigre et pâle dans la lumière vacillante.

— Qui êtes-vous ? Qu'est-ce que vous venez faire ici au milieu de la nuit ?

Elle parlait anglais avec un fort accent. Sans attendre de réponse, elle a agrippé Anna par le poignet et l'a tirée en arrière.

— Laissez ma fille tranquille.

— Madame Goyette, je pense que des gens sont en danger de mort. Anna peut peut-être nous aider à les sauver.

— Elle ne se sent pas bien. Allez-vous-en... — Elle a désigné la porte. — Je vous ordonne de sortir ou j'appelle la police.

Le visage fantomatique. La faible lumière. Le couloir comme un tunnel. J'étais de nouveau dans mon

rêve, et, d'un coup, cela m'est revenu. Mais oui !
C'était là que je devais aller !

Ryan a commencé à dire quelque chose, mais je l'ai
interrompu.

— Merci. L'aide de votre fille nous a été précieuse,
ai-je dit pour couper court.

Ryan m'a fusillée du regard au moment où je le
dépassais pour me diriger vers la porte. J'ai dévalé
l'escalier pratiquement sur les fesses. Je ne sentais plus
le froid tandis que j'attendais impatiemment devant la
jeep que Ryan ait fini de parler avec Mme Goyette, ait
enfoncé son bonnet et soit arrivé en bas.

— Mais, maudit chris, qu'est-ce que... ?

— Sors-moi une carte, Ryan.

— Cette petite folle peut...

— As-tu une carte du Québec, oui ou non ? ai-je dit
entre mes dents serrées.

Sans un mot, il a fait le tour de la jeep, et nous
sommes tous les deux montés en voiture. Il a pris une
carte dans le vide-poches côté conducteur et j'ai sorti
une lampe de poche du fond de mon sac. Tandis que je
dépliais la carte, il a mis en route, avant de ressortir
pour gratter le pare-brise.

J'ai situé Montréal, le pont Champlain qui traversait le
Saint-Laurent, la 10 Est. D'un doigt gourd, j'ai suivi la
route que j'avais empruntée vers Memphrémagog. Mentalement, je revoyais la vieille église. Je revoyais la tombe.
Je revoyais le panneau de signalisation couvert de neige.

Tout en remontant avec mon doigt, j'essayais d'évaluer la distance en temps. Les noms tremblaient dans le
faisceau de ma lampe. Chambly. Marieville. Sainte-
Angèle-de-Monnoir.

Mon cœur s'est arrêté quand je suis arrivée dessus.

*Je vous en supplie, mon Dieu, faites que nous arri-
vions à temps.*

J'ai baissé la vitre et hurlé dans le vent.

Le raclement s'est interrompu, et la portière s'est
ouverte. Ryan a jeté le grattoir à l'arrière et s'est glissé

derrière le volant. Il a retiré ses gants et je lui ai tendu la carte et la lampe. Sans un mot, j'ai montré du doigt un petit point dans le carré que formait la carte repliée. Il l'a examiné, sa respiration formant un nuage de brouillard dans le halo jaune.

— Maudite merde.

Un cristal de glace fondu s'est détaché de son cil. Il s'est frotté l'œil.

— C'est logique. L'Ange-Gardien. Ce n'est pas une personne, c'est un lieu. Ils doivent se retrouver à l'Ange-Gardien. À quarante-cinq minutes d'ici environ.

— Comment tu as pensé à ça ? a-t-il demandé.

Je n'avais pas envie de replonger dans mon rêve.

— Je me suis souvenue du panneau que j'avais vu en allant à Memphrémagog. Allons-y.

— Brennan...

— Ryan, je le dis pour la dernière fois : je vais délivrer ma sœur... — J'avais du mal à garder une voix posée. — Avec toi ou sans toi. Tu peux me ramener à la maison ou tu peux m'emmener à l'Ange-Gardien.

Il a hésité, puis a lâché un *Fuck !* avant de ressortir. Il a recommencé à gratter le pare-brise.

Une minute plus tard, il était de retour. Sans un mot, il a bouclé sa ceinture et passé la marche avant. Les roues ont patiné. Marche arrière, puis rapidement en première. La voiture s'est mise à avancer par petits bonds tandis qu'il alternait les deux vitesses. Finalement, il a réussi à la dégager et nous sommes descendus lentement jusqu'au coin de la rue.

Je me suis tue le temps que nous prenions Christophe-Colomb pour tourner à droite sur Rachel. Parvenu à Saint-Denis, Ryan a repris la direction sud, suivant en sens inverse notre chemin de tout à l'heure.

Merde ! Il me ramenait à la maison. Mon sang s'est glacé à l'idée de la route qui m'attendait vers l'Ange-Gardien.

Fermant les yeux, je me suis appuyée au dossier, pour me préparer mentalement.

Tu as des chaînes, Brennan. Tu vas les mettre et tu conduiras comme le fait cette tête de nœud de Ryan.

Un silence soudain est venu interrompre mon introspection. J'ai rouvert les yeux sur un carré noir. La glace ne heurtait plus le pare-brise.

— Où sommes-nous ?

— Dans le tunnel Ville-Marie.

Je n'ai rien dit. Ryan fonçait comme un vaisseau intergalactique dans l'espace. Quand il a pris la sortie vers le pont Champlain, j'ai été envahie à la fois par un soulagement et de l'appréhension.

Oui ! Direction l'Ange-Gardien.

Dix années-lumière plus tard, nous avons traversé le Saint-Laurent. Le fleuve paraissait d'une extraordinaire densité, les immeubles de l'Ile-des-Sœurs se découpant en noir sur le ciel d'avant l'aube. Même sans tableau d'affichage, je connaissais le score de tous les joueurs. Nortel. Kodak. Honeywell. Si habituels. Si familiers dans ce monde de fin de millénaire. Si seulement je pouvais me diriger vers l'univers bien ordonné de ces bureaux plutôt que vers la folie qui nous attendait là-bas.

L'atmosphère dans la jeep était tendue. Ryan était concentré sur la route et je me rongeais les ongles. Je fixais résolument le paysage, refusant toute réflexion sur ce qui pouvait nous attendre.

Nous crapahutions à travers un environnement froid et sinistre, une sorte de planète gelée. En allant vers l'est, la glace allait visiblement s'accroissant, privant le monde de texture et de couleur. Les contours devenaient indistincts, les objets se mêlaient les uns aux autres, comme des parcelles d'une gigantesque statue de plâtre.

Les poteaux indicateurs, les panneaux de signalisation étaient recouverts ; plus de directions ni de kilométrages. Ici et là, on distinguait quelques volutes de fumée s'échappant des cheminées, sinon tout semblait pris dans la glace. Juste après la rivière Richelieu, la route tournait et sur le bas-côté une voiture était ventre à l'air comme une grosse tortue caret. Des stalactites pendaient des pare-chocs et des roues.

Nous roulions depuis au moins deux heures quand j'ai aperçu le panneau. L'aube se levait et le ciel passait du noir au gris sale. La pellicule de glace laissait entrevoir une flèche avec *Ange-Gardien*.

— C'est ici.

Ryan a levé le pied et pris doucement la sortie. À l'intersection suivante, il a pompé sur les freins, et la jeep s'est arrêtée dans un crissement.

— Quelle direction ?

J'ai ramassé le grattoir et je suis sortie. Dégager le panneau était un sacré enjeu. J'ai glissé et me suis cogné fortement le genou. Le vent faisait rebiquer mes cheveux et m'envoyait dans les yeux des granules de glace. Au-dessus de ma tête, il sifflait dans les branches, secouait les lignes électriques qui émettaient des claquements étranges.

Je raclais comme une démente. La lame a fini par lâcher, mais j'ai continué jusqu'à ce que le plastique soit complètement déchiqueté. Puis avec le manche de bois, j'ai encore gratté et griffé. Enfin, des lettres et une flèche sont apparues.

Revenant clopin-clopant à la voiture, j'ai bien senti quelque chose de franchement bizarre au niveau de mon genou gauche.

— C'est par là.

Je ne me suis pas excusée pour le grattoir.

Dans le virage, la voiture a dérapé et s'est mise à glisser dangereusement. Agrippée à la poignée, j'ai lancé mes pieds vers l'avant.

Ryan a repris le contrôle et j'ai desserré les mâchoires.

— Il n'y a pas de pédale de frein de ton côté.

— Merci.

— Nous sommes dans le district de Rouville. Il y a un poste de la Sûreté pas loin. On va commencer par là.

Tout en déplorant le temps qui serait perdu, je n'ai pas discuté. Si nous débarquions dans un nid de frelons, nous pouvions avoir besoin de renforts. Et même si la jeep de Ryan s'en sortait bien sur la glace, elle n'avait pas de radio.

Cinq minutes plus tard, j'ai aperçu la tour. Ou ce qu'il en restait. Le métal avait plié sous le poids de la glace, poutres et poutrelles tordues s'éparpillaient aux alentours comme les pièces d'un gigantesque jeu de construction.

Juste après, la route tournait brutalement sur la gauche. Dix mètres plus loin, j'apercevais la petite maison en pain d'épice d'Anna.

— C'est là, Ryan ! Tourne ici !

— On suit ma façon de faire ou pas du tout.

Il a continué tout droit sans ralentir.

J'étais hystérique. Sourde à tout argument.

— Il va faire jour. Et s'ils décident d'agir à l'aube ?

Je pensais à Harry, droguée, sans défense, pendant que ces fanatiques allumaient des feux et priaient leur dieu. Ou lâchaient des chiens sauvages sur des agneaux sacrificiels.

— On va d'abord prévenir de notre arrivée.

— Il sera peut-être trop tard !

Mes mains tremblaient. C'était proprement insupportable. Ma sœur pouvait être à dix mètres. Je sentais ma poitrine se soulever, et je lui ai tourné le dos.

Un arbre en décida autrement.

Nous avions fait quatre cents mètres quand un énorme sapin nous a bloqué la route. La souche faisait près de quatre mètres de diamètre. Dans sa chute, il avait arraché les fils électriques qui s'étaient répandus sur la route.

Ryan a fait tourner son volant de la paume de la main.

— Le petit Jésus dans un pommier.

— C'est un sapin.

Le cœur me martelait les côtes.

Il m'a renvoyé un regard pas du tout amusé. Dehors, le vent hurlait et projetait de la glace contre les vitres. Ses mâchoires se sont crispées, décrispées, crispées à nouveau. Puis il a repris :

— Brennan, on suit *ma* façon de faire. Si je te dis de rester dans la voiture, tu ne décolles pas ton cul du siège, est-ce que c'est clair ?

J'ai opiné. J'aurais dit oui à n'importe quoi.

Demi-tour et, à la tour, nous avons pris à droite. La route était étroite et jonchée d'arbres, les uns déracinés, les autres brisés à hauteur du tronc. Ryan faisait du gymkhana. De part et d'autre, peupliers, frênes et bouleaux, les cimes ployées vers le sol sous le poids de la glace, prenaient des formes de U inversé.

Juste après la petite maison une barrière débutait. Ryan a ralenti, puis l'a longée au pas. À plusieurs endroits, des arbres étêtés avaient écrasé les traverses. C'est là que nous avons aperçu le premier signe de vie depuis Montréal.

La voiture était nez dans la rigole, les roues tournant à vide dans un nuage de gaz d'échappement. De la portière ouverte côté conducteur, on voyait dépasser une botte fermement plantée dans le sol.

Ryan a freiné, passé au point mort.

— Tu restes ici.

J'ai failli répliquer mais, à la réflexion, me suis retenue.

Il s'est dirigé vers la voiture. D'où j'étais, le conducteur pouvait aussi bien être un homme qu'une femme. Descendant ma vitre, j'ai vainement tenté de saisir ce qu'ils se disaient. La respiration de Ryan formait comme des petits jets de vapeur. Moins d'une minute plus tard, il revenait vers la jeep.

— On peut être plus aimable.

— Qu'est-ce qu'il a dit ?

— *Oui* et *non*. Il habite un peu plus loin, mais ce débile ne remarquerait même pas si Gengis Khan s'installait à côté de chez lui.

Nous avons continué le long de la barrière, jusqu'à une ouverture où démarrait une allée de graviers. Ryan s'y est engagé, avant de couper le moteur.

Deux camionnettes et une demi-douzaine de voitures s'éparpillaient devant un chalet délabré. On aurait dit de gros hippopotames bossus et gelés dans une rivière grise. La glace pendait de la corniche du toit et des rebords de fenêtres, rendait les vitres opaques, qui ne laissaient rien deviner de l'intérieur.

Ryan s'est tourné vers moi.

« Maintenant écoute-moi. Si c'est bien ici, on va être appréciés comme une invasion de vipères... — Il m'a pris le menton. — Promets-moi que tu vas rester là.

— Je...

Il a posé ses doigts sur mes lèvres.

— Tu restes ici.

Ses yeux étaient d'un bleu éblouissant dans la lugubre lumière de l'aube.

— Conneries, ai-je dit entre ses doigts.

Il a retiré sa main et a pointé son index vers moi.

— Tu m'attends dans la voiture.

Il a mis ses gants et est sorti dans la tempête. Quand il a claqué la portière, j'ai pris mes mitaines. Je lui donnais deux minutes.

La suite des événements me revient aujourd'hui sous forme d'images hachées, de souvenirs éclatés. J'ai vu, mais mon esprit s'est refusé à tout prendre en bloc. Il a enregistré et stocké ailleurs, comme des éléments épars.

Ryan avait parcouru une demi-douzaine de pas quand j'ai entendu un pop ! et son corps a eu comme une secousse. Ses mains se sont levées vers le ciel, il a amorcé un demi-tour sur lui-même. Un autre pop ! un nouveau spasme, puis il est tombé et est resté là, immobile, par terre.

— Ryan ! ai-je hurlé en ouvrant brusquement la portière.

La douleur a irradié dans ma jambe quand j'ai bondi, et mon genou a cédé sous mon poids.

— Andy !

Mon cri s'est perdu en direction de la forme inerte.

Puis il y a eu comme un éclair dans mon crâne, et j'ai sombré dans une noirceur plus épaisse que la glace.

34.

Ma première sensation consciente fut également de noirceur. De noirceur et de douleur. Lentement, je me suis redressée dans une obscurité qui ne me laissait rien distinguer. Une souffrance atroce me vrillait le crâne et j'ai cru que j'allais vomir. Une autre douleur est venue s'ajouter lorsque j'ai voulu mettre ma tête entre mes jambes repliées.

Après un moment, la nausée est passée. J'ai tendu l'oreille. Rien d'autre que le battement de mon propre cœur. J'ai regardé mes mains qui se perdaient dans le noir. Les odeurs : bois pourri, terre humide. Doucement, j'ai étendu les bras.

J'étais assise sur de la terre. Dans mon dos et de chaque côté, mes doigts rencontraient un mur de pierres rondes et grossières. À quinze centimètres au-dessus de ma tête, ma main a touché une surface de bois.

J'ai essayé de combattre l'accès de panique qui me faisait soudain haleter en petites aspirations rapides.

Prise au piège ! Il fallait que je sorte de là !

Noooooon !

Le cri n'était que dans ma tête. Je n'avais pas perdu totalement la maîtrise de moi-même.

J'ai fermé les yeux, tenté de contrôler mon hyper-ventilation. Mains serrées l'une contre l'autre, j'essayais de me concentrer sur une seule chose à la fois.

Inspiration. Expiration. Inspiration. Expiration.

Lentement, la sensation de panique a reflué. Je me suis mise à genoux et j'ai étendu la main devant moi. Le vide. La douleur dans mon genou m'arrachait des larmes, mais j'ai continué à avancer à quatre pattes dans cette noirceur d'encre. Un mètre. Deux. Trois.

D'avancer ainsi sans obstacle a fait reculer la terreur. Un tunnel valait mieux qu'une cage en pierre.

Me rasseyant, j'ai cherché à reconnecter une partie fonctionnelle de mon cerveau. Je n'avais aucune idée ni de l'endroit où je me trouvais, ni depuis quand, ni comment j'y étais arrivée.

Reconstitution : Harry. Le chalet. La voiture.

Ryan ! Oh, mon Dieu, mon Dieu, non, je vous en prie ! Pas Ryan, je vous en supplie !

Mon estomac a eu un nouveau spasme et un goût âcre m'a empli la bouche. J'ai dégluti.

Qui avait tiré sur Ryan ? Qui m'avait transportée jusqu'ici ? Où était Harry ?

Le sang me martelait les tempes et le froid commençait à m'ankyloser. Mauvais, ça. Il faut bouger. J'ai pris une grande respiration et me suis remise sur les genoux.

Pas à pas, dans des élancements, j'ai lentement remonté le tunnel. J'avais perdu mes gants, et la glaise humide m'engourdissait les mains, aggravait la douleur au niveau de ma rotule. Ce qui maintenait ma concentration. Jusqu'à ce que je touche un pied.

Dans un brusque geste de recul, j'ai heurté le bois de la tête et un hurlement s'est étranglé dans ma gorge.

Allez, Brennan, reprends-toi, nom d'un chien. Tu es une spécialiste des scènes de meurtre, pas une touriste hystérique.

Je me suis recroquevillée, totalement paralysée de terreur. Non à cause de ce caveau, mais de ce qui était à côté de moi. Plusieurs générations auraient eu le temps de naître, vivre et mourir tandis que je restais là, guettant un signe de vie. Pas un mot, pas un mouvement. J'ai respiré profondément, me suis avancée de quelques centimètres, et mes doigts ont de nouveau touché le pied.

Il était petit, chaussé d'une botte lacée, comme les miennes. J'ai remonté le long de la jambe jusqu'à son propriétaire. Le corps était couché sur le côté. Doucement, je l'ai fait basculer et j'ai poursuivi mon exploration. Ourlet. Boutons. Un fichu. Ma gorge s'est serrée quand mes doigts ont reconnu le tissu. Avant de toucher le visage, je savais.

Ce n'était pas possible ! Cela n'avait pas de sens.

J'ai écarté le fichu pour palper les cheveux. Oui. Daisy Jeannotte.

Seigneur Jésus ! Que se passait-il ?

Ne reste pas immobile ! m'ordonnait une partie de mon cerveau.

J'ai rassemblé mes forces pour reprendre ma progression sur un genou et une main, en m'appuyant de l'autre au mur. Mes doigts palpaient des toiles d'araignées et des choses sur lesquelles je n'avais pas envie de m'attarder. Des débris se détachaient et roulaient sur le sol au fur et à mesure de ma lente avancée dans le tunnel.

Quelques mètres encore et une faible clarté est apparue. Ma main a rencontré un obstacle. Montants de bois. Traverses. J'ai levé la tête pour distinguer un mince rectangle de lumière ambrée. Vers lequel montaient des marches sur lesquelles je me suis hissée, m'arrêtant chaque fois pour tendre l'oreille. Trois marches et je touchais le plafond. Mes mains ont perçu les contours d'une trappe qui n'a pas bougé sous ma poussée.

J'ai pressé mon oreille contre le bois. Des aboiements ! L'adrénaline s'est diffusée dans les moindres recoins de mon corps. C'était lointain, étouffé, mais je percevais l'excitation des bêtes. Une voix a hurlé un commandement, il y a eu un silence, puis les jappements ont repris de plus belle.

Juste au-dessus, rien, ni mouvement ni voix.

J'ai poussé de l'épaule et le panneau a bougé légèrement, sans pour autant céder. En examinant les fentes par lesquelles filtrait la lumière, j'ai vu qu'il y avait une ombre au milieu, du côté droit. J'ai tenté d'y introduire mes doigts, mais c'était trop étroit. De frustration, j'ai glissé mes doigts un peu plus haut, pour essayer de forcer la brèche. Les échardes m'arrachaient la peau, se plantaient sous mes ongles sans que je puisse pourtant atteindre le loquet.

Merde !

J'ai pensé à ma sœur, aux chiens, à Jennifer Cannon. J'ai pensé à moi, aux chiens, à Jennifer Cannon. J'avais tellement froid aux mains que je ne sentais plus mes doigts. Je les ai fourrés dans ma poche. Et là, mon index droit a buté contre quelque chose de plat et de dur. Que j'ai sorti, étonnée, pour l'approcher du mince rai de lumière.

La lame cassée du grattoir !

Oh, je vous en prie !

Avec une prière muette, je l'ai insérée en biais. La lame rentrait juste ! En tremblant, je l'ai poussée tant bien que mal vers le loquet. Le raclement devait s'entendre à des kilomètres à la ronde.

Je me suis figée, l'oreille tendue. Toujours pas de mouvement là-haut. La respiration courte, j'ai poussé la lame un peu plus loin. À quelques centimètres de ce que je pensais être le loquet, elle a rebondi sur quelque chose et, m'échappant des mains, est tombée dans l'obscurité.

Maudite saloperie !

J'ai dégringolé les escaliers sur les mains et les fesses, et me suis assise par terre. Invectivant ma maladresse, j'ai commencé à explorer le sol humide selon une recherche en quadrillage à échelle réduite. Très vite, mes doigts ont retrouvé la lame cassée.

Retour à l'escalier. Maintenant, le moindre mouvement m'envoyait des éclairs fulgurants le long de la jambe. Avec mes deux mains, j'ai réintroduit la lame pour pousser contre le loquet. Sans succès. J'ai retourné la lame et, la plaçant différemment, je l'ai fait glisser le long de la fente.

Il y a eu un petit déclic. J'ai écouté. Silence. J'ai

poussé avec mon épaule et la trappe s'est soulevée. Les mains agrippées au rebord, j'ai doucement ouvert le panneau, pour le rabattre silencieusement sur le plancher. Cœur battant, j'ai passé la tête par l'ouverture et jeté un regard circulaire.

La pièce n'était éclairée que par une lampe à huile. Cela ressemblait à un garde-manger. Il y avait des étagères sur trois des murs, garnies pour certaines de boîtes de conserve. De gros cartons s'empilaient en face de moi, ainsi qu'à ma droite et à ma gauche. Un coup d'œil vers l'arrière et un froid encore plus intense qu'à l'extérieur m'a glacée des pieds à la tête.

Une dizaine de bouteilles de propane étaient rangées contre le mur, les surfaces émaillées renvoyant la maigre lumière. Une image est venue flotter dans ma mémoire, photo de propagande de guerre montrant des stocks d'armes alignés avec soin. Les mains agitées de tremblements, je me suis baissée pour m'accroupir sur la dernière marche.

Comment les arrêter ?

J'ai regardé vers le bas. Un carré de lumière jaune pâle tombait sur le sol de la cave, s'étendant jusqu'au visage de Daisy Jeannotte. J'ai contemplé ses traits froids et figés.

— Mais qui es-tu donc ? ai-je murmuré. Je te croyais la maîtresse du jeu.

Immobilité la plus totale.

J'ai respiré plusieurs fois, lentement, puis me suis hissée dans le cellier. Le soulagement d'échapper au tunnel alternait avec la crainte de ce que j'allais devoir affronter.

Le garde-manger s'ouvrait sur une cuisine sombre et profonde. Clopinant jusqu'à la porte du fond, je me suis collée le dos au mur et j'ai analysé les bruits. Craquements du bois. Sifflement du vent et crépitement du verglas. Entrechoquement des branches gelées.

Respirant à peine, j'ai franchi le seuil, pour entrer dans un long couloir sombre.

Les bruits de la tempête se sont estompés. Il flottait une odeur de poussière, de fumée de feu de bois, de vieux tapis. J'ai avancé encore un peu en prenant appui sur le mur. Aucune lumière ne filtrait dans cette partie de la maison.

Où es-tu, Harry ?

Arrivée à une porte, j'y ai collé une oreille. Silence. Mon genou tremblait. Combien de temps allait-il tenir ? Soudain, j'ai entendu des voix étouffées.

Cache-toi ! me hurlaient les cellules de mon cerveau.

La poignée a tourné entre mes mains et je me suis glissée dans l'obscurité.

Il régnait dans la pièce un parfum humide et sucré, comme si on avait laissé des fleurs mourir dans leur vase. Mais, tout à coup, les poils de mes bras et de ma nuque se sont hérissés. Quelqu'un avait bougé ? Retenant une fois encore mon souffle, j'ai analysé les sons.

Il y avait un bruit de respiration !

Ma gorge sèche a eu un spasme de déglutition. J'étais tout entière tendue vers le plus petit indice de mouvement. À l'exception de ce son régulier d'inspiration et d'expiration, il régnait dans la pièce un silence total. Je me suis avancée lentement jusqu'à ce que les objets se détachent de l'obscurité. Un lit. Une forme humaine. Une table de nuit avec un verre d'eau et, à côté, un flacon de médicaments.

Encore deux pas. De longs cheveux blonds sur un édredon en patchwork.

Était-ce possible ? Mes prières pouvaient-elles se voir exaucées si vite ?

Me traînant jusqu'au lit, j'ai tourné le visage vers moi.

— Harry !

Oh, Seigneur, oui. C'était Harry.

Sa tête a roulé et elle a laissé échapper un faible gronement.

Je tendais la main vers le flacon de médicaments, quand un bras m'a soudain ceinturée par-derrière.

S'enroulant autour de mon cou, comprimant ma trachée, me privant d'air. Une main s'est plaquée sur m[a] bouche.

À grands coups de pied, d'ongles, j'ai tenté de m[e] libérer. Réussissant je ne sais comment à saisir le po[i]gnet de mon agresseur, j'ai écarté sa main de m[a] bouche. Le temps qu'il parvienne à la rabaisser, j'[ai] entrevu la bague. Un rectangle noir avec une cro[ix] ansée et une bordure crénelée. Une marque dans un[e] chair blanche et délicate. J'ai compris que les main[s] qui me tenaient n'auraient aucune pitié.

J'ai voulu crier, mais l'agresseur de Malachy m[e] tenait à la gorge et bâillonnait ma bouche. Puis ma tête [a] été tournée de côté pour se trouver pressée contre un[e] poitrine maigre. Dans la lumière glauque, j'ai vu un œ[il] pâle, une mèche blanche. Je me suis débattue penda[nt] des siècles. Mes poumons me brûlaient, mon cœur ba[t]tait contre mes côtes, je perdais connaissance par bribe[s].

Un bruit de voix. Le monde s'éloignait de plus e[n] plus. La douleur dans mon genou diminuait avec l'e[n]gourdissement qui m'envahissait. J'ai senti qu'on m[e] traînait. Mon épaule a heurté quelque chose. Une su[r]face molle sous mon pied. Puis dure. Nous avons pass[é] une autre porte, ma trachée maintenue dans un étau.

Des mains m'ont agrippée. Un contact rêche auto[ur] de mes poignets. Mes bras ont été tirés vers le haut, ma[is] la prise sur ma tête et ma gorge s'est relâchée, et de nou[ ]veau j'ai pu respirer ! J'ai entendu un grognement ém[is] par ma propre gorge, tandis que mes poumons aspiraie[nt] avec avidité une précieuse bouffée d'air.

En reprenant conscience, mon corps retrouvait [la] douleur.

Ma gorge meurtrie rendait ma respiration laborieus[e]. J'avais les épaules et les coudes élongés par la tractio[n], et mes mains devenaient froides et s'engourdissaient.

Oublie ton corps. Fais fonctionner ta cervelle !

C'était une vaste pièce, telle qu'on en voit dans l[es] auberges et les chalets. Plancher de bois, murs [e] grosses poutres, avec une bougie pour seul éclairage. J'étais attachée à la plus haute solive, et mon ombre se projetait comme une sculpture de Giacometti, bras tendus au-dessus de la tête.

J'ai regardé sur le côté et l'ombre ovoïde de mon crâne s'est allongée dans la lumière vacillante. Une double porte plus loin. Une cheminée en pierre sur la gauche. Fenêtre panoramique à ma droite. La disposition des lieux s'est inscrite dans mon cerveau.

Percevant des voix derrière moi, j'ai projeté une épaule vers l'avant, rentré l'autre, en me donnant une légère poussée du bout des pieds. Mon corps a pivoté et, pendant une fraction de seconde, je les ai vus avant que les cordes me ramènent à ma position initiale. J'ai reconnu l'homme à la mèche et à l'œil décolorés. Qui était l'autre ?

Il y a eu un silence, puis les voix ont repris, étouffées. J'ai entendu des bruits de pas, puis plus rien. Je n'étais pas seule. Retenant mon souffle, j'ai attendu.

Quand elle est venue se placer devant moi, j'ai eu un moment de surprise mais sans plus. Ce jour-là, elle avait les cheveux enroulés en chignon au-dessus de la tête, et non plus relâchés comme dans les rues de Beaufort avec Catherine et Carlie.

Elle a tendu la main et essuyé une larme sur ma joue.

— Tu as peur ?

Son regard était froid et dur.

Ta peur va l'exciter, comme un chien errant !

— Non, Ellie. Ni de toi ni de ta bande de fanatiques.

J'avais du mal à parler avec ma gorge douloureuse.

Elle a glissé son doigt sur mon nez, mes lèvres. Le contact en était rugueux.

— Pas Ellie. El. La force féminine.

J'ai reconnu la voix basse et voilée.

— La grande prêtresse de la mort ! ai-je craché.

— Tu aurais dû nous laisser tranquilles.

— Vous auriez dû laisser ma sœur tranquille.

— Nous avions besoin d'elle.

— Les autres ne vous suffisaient pas ? Ou bie chaque nouveau crime vous excite toujours plus ?

Laisse-la parler. Gagne du temps.

— Celui qui nous résiste doit être puni.

— C'est pour ça que vous avez tué Daisy Jeannotte

— Jeannotte... — Sa voix s'est faite brutale et mépri sante. — Cette vieille folle vicieuse, toujours à s mêler de tout. Enfin, elle l'a payé de sa vie.

Était-ce la bonne chose à dire pour forcer la conver sation ?

— Elle ne voulait pas voir mourir son frère.

— Daniel vivra pour l'éternité.

— Comme Jennifer et Amalie ?

— Leurs faiblesses nous ralentissaient.

— Alors, vous vous emparez des faibles et vous le regardez se faire mettre en pièces ?

Ses yeux se sont rétrécis en une expression que je n saurais définir. Amertume ? Regret ? Plaisir de l'antici pation ?

— Je les ai sauvés de la famine, je leur ai montr comment survivre. Ils ont choisi le cataclysme.

— Quel péché avait commis Heidi Schneider D'aimer son mari et ses enfants ?

Son regard s'est durci.

— Je lui ai révélé la voie et elle a introduit so venin dans le monde. Le diable en double !

— L'antéchrist.

— Oui ! a-t-elle sifflé entre ses dents.

Réfléchis ! Qu'avait-elle dit à Beaufort ?

— Vous avez dit que la mort n'était qu'un passag dans le processus de croissance. Vous nourrissez-vou du massacre de bébés et de vieilles femmes ?

— Le corrompu ne peut venir polluer l'ordre nouvea

— Les bébés de Heidi avaient quatre mois !

Ma voix se brisait de peur et de colère.

— Ils étaient la perversion !

— C'étaient des bébés !

Me débattant, j'ai essayé de la frapper du pied, mais es cordes tenaient bon.

De l'autre côté de la porte, j'entendais des allées et enues. La pensée des enfants de Saint Helena m'est assée dans la tête et j'ai senti ma poitrine se soulever.

Mais où était Daniel Jeannotte !

— Combien d'enfants, vous et votre acolyte, allez-ous tuer ?

Le coin de ses yeux a tressailli imperceptiblement.

Continue à la faire parler.

— Allez-vous demander à tous vos disciples de 1ourir ?

Elle persistait dans son silence.

— Pourquoi avez-vous besoin de ma sœur ? Avez-ous perdu votre pouvoir de persuasion sur vos fidèles ?

Ma voix manquait de fermeté et me semblait de eux octaves trop aiguë.

— Elle va prendre la place d'un autre.

— Elle ne croit pas à votre apocalypse.

— Votre monde s'achève.

— Pour ce que j'en ai vu dernièrement, il paraissait ien aller.

— Vous tuez les érables pour en faire du papier toi-ette, vous empoisonnez les rivières et les mers. C'est ela, bien aller ?

Elle a approché vivement son visage du mien si près ue je pouvais voir les veines battre sur ses tempes.

— Tuez-vous si vous vous en sentez le devoir, mais aissez les autres en décider pour eux-mêmes.

— L'équilibre doit être atteint. Le chiffre a été révélé.

— Vraiment ? Et tout le monde est là ?

Elle a reculé la tête, n'a rien dit. J'ai vu briller uelque chose dans ses yeux, comme une lueur étince-nt sur des éclats de verre.

— Ils ne viendront pas, El.

Son regard n'a pas fléchi.

— Catherine ne mourra pas pour vous. Elle est à es kilomètres d'ici, en sécurité avec son bébé.

453

— Tu mens !

— Vous n'atteindrez pas votre quota cosmique.

— Les signes se sont fait voir. L'apocalypse es
pour maintenant et nous allons renaître de nos cendres

Ses yeux étaient comme des trous noirs dans l
lumière vacillante. J'en ai reconnu l'éclat pour ce qu'
était. Folie.

J'allais répondre quand j'ai entendu des jappement
et des aboiements. Le bruit venait du fond de la maison

Désespérément, j'ai tiré sur les cordes qui se so
tendues davantage. Ma respiration s'est muée en u
halètement affolé. Réaction réflexe de défense, hors d
toute réflexion.

Impossible ! Je ne pouvais pas me libérer ! Et mêm
si je le pouvais ? Ils m'entouraient de toutes parts.

— Je vous en prie, ai-je supplié.

Son regard était vide de tout sentiment.

Un sanglot m'a échappé tandis que les aboiement
se rapprochaient. Je continuais à me débattre. Je n
succomberais pas sans combattre, même si ma résis
tance devait être sans espoir.

Qu'avaient fait les autres ? Je revoyais les chai
déchirées, les crânes perforés. Les aboiements se trans
formaient en grognements furieux. Les chiens étaie
tout près. La peur a déferlé sur moi, incontrôlable.

Je me suis tortillée pour voir et mon regard a balay
la baie vitrée. Mon cœur s'est arrêté de battre. Avais-j
bien vu des silhouettes au-dehors ?

N'attire pas son attention vers la fenêtre.

J'ai détourné les yeux et les cordes m'ont ramené
face à El. Je continuais à lutter, mes pensées mainte
nant tendues vers l'extérieur. Y avait-il encore u
espoir d'être secourue ?

El me regardait sans prononcer un mot. Une second
a passé. Deux. Cinq. J'ai pivoté sur la droite et lanc
un nouveau coup d'œil à son insu.

À travers la glace et la condensation, j'ai aperçu ur
ombre glisser de la gauche vers la droite.

Distrais son attention !

Je me suis laissée revenir à ma position initiale et j'ai xé mon regard sur El. La fenêtre était sur sa gauche.

Les aboiements étaient de plus en plus forts. De plus plus proches.

Dis n'importe quoi !

— Harry ne croit pas à...

La porte a volé en éclats, et j'ai entendu des voix aves.

— Police !

Un martèlement de bottes sur le plancher.

— Haut les mains !

Des grondements, des jappements. Des cris. Un hurment.

Sa bouche s'est ouverte en O, puis s'est refermée en ie ligne mince et sombre. Sortant un pistolet d'un pli de sa robe, elle l'a pointé vers quelque chose der-re moi.

Au moment où ses yeux se détachaient de moi, j'ai rippé la corde des mains et, lançant mes hanches rs l'avant avec un coup de pied au sol, j'ai balancé ut mon corps vers elle. La douleur a fusé dans mes aules et mes poignets tandis que je m'élançais de utes mes forces, les bras en pleine extension. J'ai plié s jambes, levé mes bottes, et heurté son bras de tout on poids. Le pistolet a volé à travers la pièce, hors de on champ de vision.

Mes pieds sont retombés brutalement et j'ai battu s jambes vers l'arrière pour soulager la tension de es membres supérieurs. Quand j'ai relevé les yeux, était debout, figée, un chien de la Sûreté poussant n museau contre sa poitrine. Une mèche noire s'était happée de son chignon et pendait sur son front mme une écharpe de brocart.

Des mains dans mon dos, des voix qui me parlaient. ut à coup, j'étais libre, des bras puissants me aient, me portaient vers un canapé. Une odeur hiver-le, un parfum de laine mouillée. De cuir anglais.

— Tout va bien, madame. Détendez-vous.

Mes bras étaient de plomb, mes genoux en coton. n'avais qu'une envie, me laisser sombrer et dorm pour l'éternité. Mais je luttais pour me redresser.

— Ma sœur ! Je dois trouver ma sœur !

— Tout va bien, madame.

Des mains me rabattaient contre les coussins.

Encore des bruits de bottes. Des portes. Des cris commandement. El et Daniel menottés, qu'on emm nait.

— Où est Ryan ? Vous connaissez Andrew Ryan ?

— Détendez-vous, tout va bien aller.

J'essayais de me dégager.

— Ryan, comment va-t-il ?

— Du calme.

Puis Harry a été là, penchée au-dessus de moi, yeux immenses dans l'éclairage fantomatique.

— J'ai peur, j'ai tellement peur, a-t-elle dit d'u voix rauque et empâtée.

— Ça va aller.

Je l'ai prise dans mes bras engourdis.

— Je te ramène à la maison.

Sa tête est tombée sur mon épaule, et j'ai laissé mienne s'y appuyer. Je l'ai tenue un moment cont moi, puis je l'ai relâchée. Rappelant à moi des brib de l'éducation religieuse de mon enfance, j'ai ferr les yeux, joint les mains sur ma poitrine, et, sans p retenir mes larmes, j'ai prié Dieu pour la vie de Ryan

35.

Une semaine plus tard, j'étais assise dans mon patio
Charlotte, avec trente-six livrets d'examen en pile sur
la droite, le trente-septième étant posé devant moi sur
ne table pliante. Le ciel était d'un bleu Caroline, le
azon d'un vert sombre et dense. Dans le magnolia
oisin, un moqueur y allait de son mieux.

— Travail superbement moyen, ai-je dit en inscri-
ant un C+ sur la couverture, entouré de plusieurs
aits de stylo.

Birdie a levé la tête, s'est étiré et s'est laissé glisser
e la chaise.

Mon genou était en bonne voie de guérison. La
etite ligne de fracture de ma rotule gauche n'était rien
n comparaison des traumatismes infligés à mon psy-
hisme. Après les moments de terreur à l'Ange-
ardien, j'avais passé deux jours au Québec où le
oindre bruit, la moindre ombre me faisait me recro-
ueviller sur moi-même, notamment les aboiements de
hiens. J'étais ensuite retournée à Charlotte pour assu-
er cahin-caha ce qui restait du trimestre. J'étais d'un
ctivisme débordant, en revanche les nuits restaient
ifficiles. Une fois dans le noir, mon esprit se relâ-
hait, et les visions que je réussissais à bien enfermer à
lé la journée remontaient. Certaines nuits, je dormais
 lumière allumée.

Le téléphone a sonné et j'ai tendu la main vers l|
combiné. C'était l'appel que j'attendais.

— Bonjour, docteur Brennan, comment allez-vous

— Ça va bien, sœur Julienne. Mais surtout, com
ment va Anna ?

— Je pense que son traitement lui fait du bien.
— Sa voix est devenue plus grave. — Je ne connai
rien à la psychose maniaco-dépressive. Le médeci
m'a donné beaucoup de documentation et j'apprends
Je n'avais jamais compris ses états dépressifs. Je per
sais qu'Anna avait des sautes d'humeur, car c'était c
que sa mère disait. Parfois, elle était pleine d'énergie
bien dans sa peau, et puis d'un seul coup elle pouva
être complètement à plat. Je ne savais pas que c'était.
comment appelle-t-on cela ?

— Des phases de mélancolie ?

— C'est ça. Ses humeurs montaient et descendaier
à une telle vitesse.

— Je suis contente qu'elle aille mieux.

— Oui. Que le Seigneur en soit remercié. La mor
du docteur Jeannotte l'a profondément ébranlée. J
vous en prie, docteur Brennan, pour le bien d'Anna,
me faut connaître l'histoire de cette femme.

J'ai pris une grande inspiration. Que dire ?

— Les problèmes du professeur Jeannotte son
venus de l'amour qu'elle portait à son frère. Danie
Jeannotte passait sa vie à former une secte aprè
l'autre. Daisy pensait que cela partait de bonnes inter
tions et que le courant dominant de la société ne l|
reconnaissait pas à sa juste valeur. Sa carrière univers
taire aux États-Unis s'est vue compromise à u
moment donné, à cause de plaintes que des paren
avaient déposées auprès de sa faculté, parce qu'ell
avait orienté des élèves vers les conférences et les ate
liers de Daniel. Elle s'est alors retirée de l'enseigne
ment pour se consacrer à la recherche et à l'écriture, e
a refait surface au Canada. Pendant des années, elle
continué à soutenir son frère.

« Quand Daniel s'est embarqué avec El, elle a commencé à perdre confiance. Pour Daisy, El était une psychopathe et la lutte s'est engagée entre les deux femmes pour qui aurait l'allégeance de Daniel. Daisy voulait protéger son frère, mais craignait une catastrophe.

« Elle savait que Daniel et la secte d'El étaient actifs sur le campus, malgré les efforts de l'université pour les exclure. Si bien que, quand Anna est entrée en contact avec eux, Daisy a voulu se servir d'elle pour les surveiller.

« Daisy n'a jamais fait de recrutement direct pour la secte. Elle a appris que des membres avaient infiltré le centre social dans l'idée de repérer des étudiants à approcher. Ma sœur a été recrutée de cette manière dans un collège communal au Texas. Ce qui a encore plus inquiété Daisy, qui craignait que le blâme ne retombe à nouveau sur elle à cause de ce qui s'était passé quelques années plus tôt.

— Mais qui est cette El ?

— Sylvie Boudrais, de son vrai nom. Nous n'avons que des informations fragmentaires. Elle a quarante-quatre ans, est originaire de Baie Comeau, d'une mère indienne et d'un père blanc. Sa mère est morte quand elle avait quatorze ans, et le père était alcoolique. Il la battait régulièrement, et l'a forcée à se prostituer dès l'adolescence. Sylvie n'a jamais fini ses études secondaires, mais, pour ce qui est des tests de QI, elle plane dans la stratosphère.

« Elle s'est évanouie dans la nature après avoir lâché l'école. On la retrouve à Québec, aux alentours de 1975, où elle propose des ateliers de guérison psychique à des prix modestes. Cela lui permet de se constituer une petite cour de disciples et, finalement, elle prend la tête d'un groupe qui va s'installer dans un camp de chasse près de Sainte-Anne-de-Beaupré. Puis il y a un manque d'argent chronique, et les choses se compliquent pour des histoires de mineurs. Une fille

de quatorze ans étant tombée enceinte, les parents son
allés voir les autorités.

« Le groupe se disperse et Boudrais déménage. E
participe brièvement à une secte du nom de Passag
céleste à Montréal, mais finit par se retirer. Tou
comme Daniel Jeannotte, elle passe d'un groupe
l'autre, se retrouve en Belgique dans les années quatre
vingt où elle se met à prêcher un mélange de chama
nisme et de spiritualité New Age. Elle constitue un ras
semblement de fidèles, dont un homme très riche
Jacques Guillion.

« Boudrais avait déjà rencontré Guillion par l'inter
médiaire de Passage céleste, et l'avait vu comme l
réponse à ses problèmes de liquidités. Guillion tomb
sous sa coupe et finit par se laisser persuader de céde
ses propriétés et de lui faire don de ses revenus.

— Personne ne fait opposition ?

— Les impôts sont payés, Guillion n'a pas d
famille, cela ne soulève donc aucune question.

— Mon Dieu !

— Vers 1985, le groupe quitte la Belgique pour le
États-Unis. Ils s'établissent en communauté à Fo
Bend, au Texas, et pendant plusieurs années Guillio
fait la navette depuis l'Europe, en effectuant sans dout
des transferts d'argent. Son dernier passage de fron
tière pour les États-Unis remonte à deux ans.

— Et qu'est-ce qu'il est devenu ?

Sa voix était ténue et tremblante.

— La police pense qu'il est enterré quelque pa
dans le ranch.

J'ai entendu un froissement de tissu.

— Le frère de Jeannotte a fait la connaissance d
Boudrais au Texas et il est tombé sous le charme. À c
moment-là, elle commence à se faire appeler El. C'es
aussi à ce moment-là que Dom Owens est apparu dan
le décor.

— Celui de Caroline du Sud ?

— Oui. Owens jouait en amateur dans le champ d

460

nysticisme et de la guérison organique. Lors d'une
isite au ranch de Fort Bend, il s'est entiché d'El. Il
'invite dans sa communauté de Saint Helena, en
Caroline du Sud, et là elle prend totalement le contrôle
e son groupe.

— Mais tout cela a l'air si inoffensif. Des herbes,
es incantations, des traitements holistiques. Comment
n est-on arrivé à la violence et au crime ?

Comment peut-on expliquer la folie ? Je n'avais pas
nvie d'entrer dans les détails du rapport psychiatrique
osé sur mon bureau ni des élucubrations autour de
'idée de suicide qu'on avait retrouvées à l'Ange-
Gardien.

— Boudrais lisait énormément, notamment sur la
hilosophie et l'écologie. Elle avait l'intime conviction
ue la terre courait à sa destruction et qu'avant le
rand clash elle entraînerait ses fidèles vers un autre
nonde. Elle se voyait comme la protectrice de ceux
ui étaient à sa dévotion et le chalet de l'Ange-Gardien
tait le lieu où devait s'effectuer le grand saut.

Il y a eu un long silence. Puis :

— Ils y croyaient vraiment ?

— Je ne sais pas. Je ne pense pas qu'El ait eu l'in-
ntion de ne se fier qu'à ses talents oratoires. Elle
'appuyait aussi en partie sur le pouvoir des drogues.

Nouveau silence.

— Vous estimez que leur foi était assez forte pour
ouloir mourir ?

J'ai songé à Catherine. À Harry.

— Pas tous.

— C'est un péché mortel d'orchestrer la perte de la
ie. Et même de retenir captive l'âme d'un être vivant.

Le glissement de sujet arrivait à point.

— Ma sœur, avez-vous lu ce que je vous ai envoyé
ır Élisabeth Nicolet ?

Le silence s'est prolongé de son côté. Pour prendre
n sur un long soupir.

— Oui.

461

— J'ai fait de nombreuses recherches sur Ab
Gabassa. C'était un philosophe de grande renommée
un conférencier connu dans toute l'Europe, l'Afriqu
et l'Amérique du Nord pour son combat pour l'abol
tion de l'esclavage.

— Je comprends.

— Il s'est rendu en France par le même batea
qu'Eugénie Nicolet. Et elle est revenue au Canada ave
un bébé, une petite fille... — J'ai marqué une pause. –
Les os ne mentent pas, sœur Julienne. Et ils ne porte
pas de jugements moraux. Dès que j'ai commencé
examiner le crâne d'Élisabeth, j'ai vu qu'il s'agissa
d'une métisse.

— Ce qui ne veut pas dire qu'elle ait été tenue pr
sonnière.

— Non, ça ne veut pas dire cela.

Elle a laissé passer un nouveau silence, puis elle
dit lentement :

— Je suis d'accord qu'un enfant illégitime n'aura
pas été bien accueilli dans le milieu des Nicolet. Et,
cette époque, un bébé métissé de race noire pouva
être considéré comme impossible à assumer. Peut-êt
que, pour Eugénie, le couvent a paru être la meilleu
solution.

— Peut-être. Il est possible qu'Élisabeth n'ait pa
décidé de son destin, mais cela n'enlève rien à c
qu'elle a fait. Tous les rapports concordent pour di
qu'elle a accompli un travail héroïque durant l'épid
mie. Des milliers de gens ont sans doute été sauvé
grâce à elle.

« Ma sœur, y a-t-il seulement un saint, une sain
d'Amérique du Nord ayant des ascendants africains c
asiatiques ?

— Pourquoi ? Je n'en suis pas sûre.

Il y avait une nouvelle intonation dans sa voix.

— Quel impact extraordinaire pourrait avoir u
modèle comme Élisabeth pour des fidèles qui souffre
d'injustice parce qu'ils ne sont pas nés blancs !

— Oui. Oui, il faut que j'en parle au père Ménard.

— Puis-je vous poser une question, ma sœur ?

— Bien sûr.

— Élisabeth m'est apparue en rêve et elle a dit une phrase que je ne sais comment interpréter. Quand je lui ai demandé qui elle était, elle a répondu : *Toutes en robe de la plus sombre bure.*

— *Ainsi viennent les nonnes pensives et pures,*
  Mine retenue, œil baissé,
  Toutes en robe de la plus sombre bure,
  Fleurs de majesté. John Milton, *Il Penseroso*.

— Le cerveau est un centre d'archives étonnant, ai-je dit en riant. J'ai dû lire cela il y a des années.

— Aimeriez-vous entendre ma citation préférée ?

— Bien sûr.

C'était une très belle image.

En raccrochant, j'ai regardé ma montre. Il était temps d'y aller.

Durant le trajet, j'ai allumé et éteint la radio, tenté d'identifier ce que pouvait être ce bruit dans le tableau de bord et pianoté sur mon volant.

À Woodlawn et sur l'avenue Billy-Graham, les feux de circulation duraient une éternité.

C'est toi qui as eu l'idée, Brennan.

C'est vrai. Mais est-elle bonne pour autant ?

Une fois à l'aéroport, je suis allée droit au comptoir de livraison des bagages.

Ryan passait la sangle de sa valise sur son épaule gauche. Son bras droit était en écharpe et ses mouvements avaient une raideur inhabituelle. Mais il avait belle allure. Vraiment belle allure.

Il est ici pour récupérer. Un point, c'est tout.

J'ai agité les bras et crié son nom. Il a souri et m'a désigné un grand sac de sport qui venait vers lui sur le tapis roulant.

J'ai hoché la tête et trié dans mes clés celles qu'il allait mettre sur l'autre trousseau.

— Bonjour, vous.

Je lui ai donné l'accolade minimale, celle qu'on accorde à un proche de la famille quand on va l'accueillir. Il a reculé d'un pas et ses maudits yeux trop bleus m'ont examinée des pieds à la tête.

— Quelle élégance !

Je portais une chemise et un jean qui, à cause des béquilles, ne tombait pas de manière harmonieuse.

— Ton voyage s'est bien passé ?

— L'hôtesse a eu pitié de moi et m'a placé devant.

Je voulais bien le croire.

Sur la route du retour, je lui ai demandé des nouvelles de ses blessures.

— Trois côtes cassées et un poumon perforé. L'autre balle a préféré se loger dans la masse musculaire. Du coup, pas grand-chose, à part la perte de sang.

Le pas-grand-chose avait quand même pris quatre heures au bloc chirurgical.

— Tu as mal ?

— Seulement quand je respire.

Arrivés à l'Annexe, je lui ai montré la chambre d'ami, puis je suis allée dans la cuisine nous préparer un thé glacé.

Il m'a rejointe quelques minutes plus tard dans le patio. Le soleil filtrait à travers le magnolia et une bande de moineaux avait remplacé le moqueur.

— Quelle élégance ! lui ai-je dit en lui tendant un verre.

Il avait passé un short et un tee-shirt. Il avait les jambes couleur morue fraîche et ses chaussettes de sport godillaient sur ses chevilles.

— Tu as passé l'hiver à Terre-Neuve ?

— Le bronzage est cause de cancer de la peau.

— C'est éblouissant, je vais avoir besoin de mes lunettes de soleil.

Nous avions déjà reparlé de ce qui s'était passé l'Ange-Gardien. D'abord à l'hôpital, puis, plus tard, au téléphone, lorsque tout a commencé à remonter à la surface.

Pendant que je grattais le panneau de signalisation, Ryan s'était servi de son téléphone cellulaire pour appeler le poste de la Sûreté du district de Rouville. Ne nous voyant pas arriver, ils avaient envoyé un camion dégager la route, pour qu'une patrouille puisse aller voir ce qui se passait. Les policiers avaient trouvé Ryan inconscient et avaient rameuté renforts et ambulance.

— Et ta sœur, elle a eu sa dose de guérison cosmique ?

— Ouais.

J'ai secoué la tête en souriant.

— Elle est venue passer quelques jours ici, avant de repartir pour le Texas. Elle ne tardera pas à se passionner pour je ne sais quel autre modèle alternatif.

Nous buvions lentement notre thé.

— Tu as lu la paperasse psychiatrique ?

— Troubles délirants de la personnalité avec composantes marquées de mégalomanie et de paranoïa. Ça veut dire quoi, ce charabia ?

La même question m'avait déjà renvoyée à mes précis de psychiatrie.

— Le délire de l'antéchrist. Les gens se voient eux-mêmes ou voient les autres comme représentants du diable. Dans le cas d'El, sa psychose s'est focalisée sur les bébés de Heidi. Elle avait lu des trucs sur matière et antimatière, et pensait qu'à toute chose il fallait un pendant. D'après elle, un des bébés était l'antéchrist, l'autre une sorte de copie cosmique. Elle continue à parler ?

— Comme un DJ après sa ligne de coke. Elle reconnaît avoir envoyé à Saint-Jovite une équipe de choc pour tuer les bébés. Simonnet a essayé de s'interposer, si bien qu'ils l'ont abattue. Ils leur ont ensuite administré la drogue et ont foutu le feu.

J'ai repensé à la vieille femme dont j'avais examiné les restes.

— Simonnet a dû essayer de protéger Heidi et Brian. Il y a eu tous ces appels à Saint Helena, puis son expédition pour aller les récupérer au Texas, après le passage de Daniel Jeannotte chez les Schneider... — Mes doigts laissaient des empreintes ovales sur la condensation de mon verre. — Pourquoi penses-tu qu'elle a continué à téléphoner alors que Heidi et Brian étaient partis de Saint Helena ?

— Heidi restait liée à Jennifer Cannon et Simonnet appelait pour avoir des nouvelles. Quand El s'en est aperçue, elle a fait exécuter Cannon.

— Même exorcisme avec chiens, couteaux et liquide bouillant que pour Carole Comptois quand elle s'est retrouvée enceinte.

L'image me faisait encore frissonner.

— Carole Comptois travaillait toujours comme prostituée ?

— Non, elle avait laissé tomber. Ironie du sort, c'est un ancien client qui l'avait présentée à El. Même si Comptois vivait plus ou moins avec le groupe, elle avait apparemment gardé des intérêts à l'extérieur puisque le père de l'enfant n'était pas un membre. Donc pas un donneur de sperme approuvé. C'est pour cela qu'El a ordonné l'exorcisme.

— Et pourquoi Amalie Provencher ?

— Ce n'est pas très clair. Amalie a pu interférer d'une manière ou d'une autre dans l'élimination de Jennifer.

— Elle était persuadée qu'il fallait une force psychique de cinquante-six âmes humaines pour rassembler l'énergie nécessaire au passage final. Elle n'avait pas prévu la perte de Comptois. C'est pour cela qu'elle avait besoin de Harry.

— Pourquoi cinquante-six ?

— Cela a un rapport avec les cinquante-six trous d'Aubrey à Stonehenge.

— C'est quoi, les trous d'Aubrey ?

— Des petits puits qui étaient creusés et ensuite immédiatement remplis. On les utilisait vraisemblablement pour prédire les éclipses de lune. La psychose d'El était tissée de tout un matériel ésotérique.

J'ai repris une gorgée de thé.

— El était obsédée par cette notion d'équilibre. Matière et antimatière. Couples contrôlés. Cinquante-six personnes exactement. Si elle a choisi l'Ange-Gardien, ce n'est pas seulement à cause du nom, mais parce que c'était situé à égale distance des communautés du Texas et de Caroline. C'est une drôle de coïncidence, non ?

— Quoi ?

— Ma sœur vit au Texas. Je travaille au Québec et j'ai toujours eu des attaches en Caroline. Où que j'aie pu me tourner, elle y avait une influence. Le périmètre de son champ d'action est impressionnant. Combien de personnes ces sectes peuvent-elles toucher ?

— On n'a aucune évaluation officielle.

Une musique de Vivaldi nous est parvenue de la terrasse de mon voisin.

— Comment ton copain Sam a-t-il pris cela quand on lui a dit qu'un de ses employés apportait des cadavres sur Murtry ?

— Cela ne l'a pas bouleversé.

Me revenait en mémoire la nervosité de Joey près du camion d'eau quand nous étions sortis de l'endroit où avaient été enterrés les corps.

— Joey Espinoza travaillait pour lui depuis presque deux ans.

— C'est juste. Il était un disciple d'Owens mais il vivait dans la maison de sa mère. Celle qui avait appelé les services sociaux. Et on a su depuis qu'il est aussi le père de Carlie. D'où le fait que Catherine soit venue se réfugier chez lui quand les choses ont commencé à se gâter. Apparemment, elle ne savait rien des meurtres.

— Et ils sont où maintenant ?

— Elle est chez des cousins, avec le petit. Joey discute des récents événements avec le shérif Baker.

— Quelqu'un a-t-il été inculpé ?

— Daniel et El font face à trois chefs d'accusation de meurtre au premier degré, pour l'assassinat de Jennifer Cannon, d'Amalie Provencher et de Carole Comptois.

Il a pris une feuille de magnolia et s'en est effleuré la cuisse.

— Et quoi d'autre dans le rapport ?

— Selon le psy désigné par la Cour, El souffre d'une psychose complexe à délires multiples. Elle est convaincue que l'apocalypse est pour bientôt, sous la forme d'une gigantesque catastrophe écologique, et qu'elle a pour mission de préserver l'humanité en permettant à ses disciples d'échapper à la fin du monde.

— Et ils allaient où ?

— Elle ne le dit pas. En tout cas, tu n'étais pas sur sa liste de passagers.

— Comment des gens peuvent-ils s'embarquer dans un truc pareil ?

Ryan se faisait l'écho de la question que j'avais moi-même posée à Red Skyler.

— La secte recrutait des gens déçus, attirés par le sentiment d'appartenance à un groupe, le fait de se sentir valorisés, importants, de recevoir des réponses simples à toutes leurs questions. Avec, mêlé à tout ça, un petit traitement chimique.

La brise a agité les branches de magnolia et soufflé vers nous un parfum d'herbe mouillée. Ryan se taisait.

— Qu'El soit folle, c'est une chose, mais son intelligence et sa force de persuasion sont indéniables. Encore maintenant, ses fidèles restent loyaux à son égard. Pendant qu'elle pontifie, ils ne lâchent pas un mot.

— Ouais.

Il s'est étiré, a soulevé son bras bandé pour le replacer sur sa poitrine.

— C'est vrai qu'elle est habile. Elle n'a jamais cherché à rassembler une énorme masse de fidèles.

Elle voulait un groupe petit, sûr. Cela et l'argent de Guillion lui ont permis de garder un profil bas. Avant que les choses ne commencent à se déliter, elle a commis très peu d'erreurs.

— Et le chat ? C'était brutal et idiot.

— Ça, c'était Dom Owens. Elle avait ordonné qu'on mette fin à tes intrusions. Il proclame qu'il était hors de question pour lui de faire du mal à des êtres humains. Il a donc envoyé certains de ses membres étudiants à Charlotte pour te faire peur une fois pour toutes. Ils ont monté le plan du chat. Ils ont ramassé la pauvre bête à la fourrière.

— Et ils m'ont trouvée comment ?

— Quelqu'un a piqué une facture ou je ne sais plus quoi dans ton bureau. Dessus, il y avait ton adresse personnelle.

Il s'est tu, le temps de prendre une gorgée.

— À propos, ta petite aventure de la Saint-Patrick à Montréal était aussi une idée d'étudiant.

— Comment es-tu au courant de cela ?

Il a souri et a secoué son verre où se sont entrechoqués les glaçons.

— Il semble que l'attitude protectrice ait été à double sens entre Jeannotte et ses étudiants. Il y en a un qui a trouvé qu'elle était en colère et en a conclu que c'était à cause de ta visite. Il a décidé de jouer solo et de te délivrer un petit message personnel.

J'ai changé de sujet.

— Tu penses qu'Owens est impliqué dans le meurtre de Jennifer et d'Amalie ?

— Il dit que non. Il jure qu'après sa discussion avec Jennifer à propos des coups de téléphone il en avait parlé à El et que celle-ci lui aurait dit qu'avec Daniel ils allaient raccompagner les deux filles au Canada.

— Pourquoi n'était-il pas à l'Ange-Gardien ?

— Il avait pris la décision de laisser tomber. Soit il avait peur de la réaction d'El du fait qu'il avait perdu la trace de Joey, de Catherine et de Carlie, soit le passage

469

cosmique ne lui inspirait pas confiance. De toute manière, il lui restait encore deux cent mille dollars de Guillion, si bien qu'il a ramassé le paquet et pris vers l'ouest quand tout le monde allait au nord. Les fédéraux américains l'ont arrêté dans une communauté écologique en Arizona. Même en comptant Harry, El n'aurait pas eu ses cinquante-six âmes.

— Tu as faim ?

— On peut manger quelque chose.

Nous avons préparé une salade, puis le poulet et les légumes pour les brochettes. Dehors, le soleil basculait derrière l'horizon et les ombres du crépuscule envahissaient le sol et les arbres. Nous avons dîné dans le patio en continuant à discuter, pendant que la nuit tombait. Inévitablement, nous en revenions toujours à El et aux meurtres.

— J'imagine que Daisy Jeannotte pensait pouvoir mettre son frère devant ses responsabilités et le forcer à arrêter cette folie.

— Ouais, mais comme c'est El qui l'a vue arriver en premier, elle a poussé Daniel à la tuer et à se débarrasser de son corps dans le réduit où ils t'ont flanquée par la suite. On t'a perçue comme une moindre menace, d'où le fait qu'ils se sont contentés de t'assommer et de te jeter dans le trou. Quand tu as réagi en te libérant et en suscitant d'autres problèmes, El a ressenti cela comme un outrage personnel et t'a condamnée au même meurtre rituel que Jennifer et Amalie.

— Daniel a aidé El à tuer Jennifer et Amalie, et il est le suspect numéro un dans le meurtre de Carole Comptois. Sait-on qui étaient les deux autres victimes de Saint-Jovite et qui les a tuées ?

— On ne le saura peut-être jamais. Personne n'a encore craché le morceau.

Ryan a fini son thé et s'est carré dans son fauteuil. Les grillons avaient pris le relais des oiseaux. Une sirène a retenti au loin. Pendant un long moment, nous avons gardé le silence.

470

— Tu te rappelles l'exhumation que j'avais faite à Memphrémagog ?

— La sainte.

— L'une des religieuses était la tante d'Anna Goyette.

— Grâce aux sœurs, mes phalanges manquent encore aujourd'hui de souplesse.

J'ai souri. Autre inégalité entre les sexes.

Je lui ai raconté l'histoire d'Élisabeth Nicolet.

— Elles étaient toutes retenues captives d'une manière ou d'une autre. Harry. Catherine. Élisabeth.

— El. Anna. L'emprisonnement peut prendre bien des formes.

— Sœur Julienne m'a fait part d'une citation. Dans *Les Misérables*, Victor Hugo parle du couvent comme d'un système optique par lequel l'être gagne un éclat d'éternité.

Chant des grillons.

— Ce n'est peut-être pas l'éternité, Ryan, mais nous fonçons vers la fin d'un millénaire. Penses-tu qu'il y en a d'autres, ailleurs, prêchant l'apocalypse et préparant des suicides collectifs ?

Il a mis du temps à répondre. Les magnolias bruissaient au-dessus de nos têtes.

— Il y aura toujours des faux prophètes pour jouer avec les déceptions des gens, leur désespérance, leur manque d'estime d'eux-mêmes, ou leurs peurs, afin d'avancer leurs propres cartes. Si un de ces charlatans cinglés s'avise de débarquer de l'autobus dans ma ville, la réaction sera immédiate et sans appel. Parole de Ryan.

J'ai suivi des yeux la chute d'une feuille vers le sol.

— Et toi, Brennan ? Est-ce que je pourrai compter sur toi ?

Sa silhouette se découpait en noir contre le ciel. Je ne voyais pas ses yeux, mais je savais qu'ils étaient plantés dans les miens.

J'ai tendu le bras vers lui et lui ai pris la main.

Remerciements

Je tiens tout particulièrement à remercier ici pour avoir partagé leurs connaissances avec moi le Dr Ronald Coulombe, spécialiste en incendies, Mme Carole Péclet, chimiste, le Dr Robert Dorion, responsable d'odontologie au laboratoire de sciences judiciaires et de médecine légale, et M. Louis Metivier, du bureau du coroner de la province de Québec.

Le docteur Walter Birkby, anthropologue judiciaire à l'*Office of Medical Examiner* du comté de Pima (Arizona), m'a expliqué comment il procédait avec des corps carbonisés, et le docteur Robert Brouillette, chef de service des départements de médecine néo-natale et de médecine respiratoire du Montreal Children's Hospital, a pu me montrer ce qui relève des étapes de la croissance infantile.

L'aide de M. Curt Copeland et de M. Carl McCleod, respectivement coroner et shérif du comté de Beaufort, ainsi que celle de M. Neal Player, enquêteur attaché au bureau du shérif, m'ont été hautement profitables. M. Mike Mannix, enquêteur de la police provinciale de l'Illinois, a également répondu à de nombreuses questions sur le déroulement des enquêtes criminelles. Le Dr James Tabor, professeur d'études religieuses à l'université de Caroline du Nord, de Charlotte, fut quant à lui un précieux informateur pour ce qui concerne les pratiques et les formations religieuses.

MM. Léon Simon et Paul Reichs apportèrent leurs sources sur Charlotte et son histoire. Je dois également beaucoup à ce dernier pour les remarques qu'il a bien voulu faire sur mon manuscrit. Et, durant toute la rédaction de ce livre, le Dr James Woodward, président de l'université de Caroline du Nord, m'a apporté son soutien inconditionnel.

Que trois personnes soient ici tout spécialement remerciées : le docteur David Taub, maire de Beaufort et primatologue extraordinaire, qui a tenu bon sous le feu nourri de mes questions ; le docteur Lee Goff, titulaire de la chaire d'entomologie de l'université de Hawaï à Manoa, qui n'a pas été avare de conseils alors que je ne cessais de l'importuner à propos des larves ; quant au docteur Michael Bisson, titulaire de la chaire d'anthropologie à l'université McGill, il a été mon informateur privilégié pour McGill, Montréal, et, à vrai dire, pour tout ce que j'avais besoin de savoir.

Deux livres m'ont été particulièrement utiles dans la rédaction de ce roman : *Plague : a Story of Smallpox in Montreal*, de Michael Bliss (Harper Collins, Toronto, 1991), et *Cults in Our Midst : The Hidden Menace in Our Everyday Lives*, de Margaret Thaler Singer et Janja Lalich (Jossey-Bass Publishers, San Francisco).

Sans l'affection et le travail de mon agent, Jennifer Rudolph Walsh, et de mes éditeurs, Suzanne Kirk et Maria Rejt, Tempe n'aurait pas été en mesure de raconter ses aventures. Qu'elles reçoivent ici l'expression de toute ma reconnaissance.

L'éditeur français tient à remercier le sergent Robert Gravel de la Sûreté du Québec, poste Québec Autoroutier, ainsi que feu le docteur Michel Évenot, expert judiciaire près la cour d'appel de Paris. En tant que spécialiste, le docteur Évenot était impliqué dans des affaires criminelles assez proches de celles décrites dans ce livre. Il a vérifié techniquement et scientifiquement les passages relevant de sa compétence. Comme Kathy Reichs, il était *fellow* de l'Académie américaine des sciences légales, mais est aussi *Diplomate of the American board of forensic odontology*. Il dirigeait le laboratoire d'odontologie et d'anthropologie craniofaciale au sein du département de Médecine légale de l'université Paris-Ouest — hôpital Raymond-Poincaré de Garches.

Sur la piste d'un
tueur en série

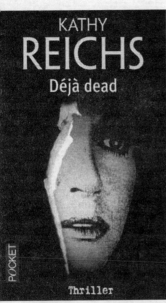

KATHY
REICHS
Déjà dead

POCKET

Thriller

(Pocket n° 10602)

Temperance Brennan, divorcée, travaille dans le laboratoire de médecine légale de Montréal. Quand on découvre un cadavre de femme en morceaux dans l'ancien parc du Grand Séminaire, Tempe est immédiatement chargée de l'autopsier. L'expertise la conduit sur les traces d'un tueur en série. Face à l'hostilité de ses collègues mais grâce au soutien de son amie Gabby, ethnologue, elle va avancer dans son enquête au péril de sa vie. Sera-t-elle la prochaine victime ?

Il y a toujours un Pocket à découvrir

"Retour dans le passé"

Laurie King
Un talent mortel

Il faisait encore nuit à San Francisco quand le téléphone sonna, à trente centimètres de l'oreille de Katharina Cecilia Martinelli, Casey pour

(Pocket n° 10297)

Eva Vaughn a toujours peint les hommes tels qu'ils se voyaient eux-mêmes. Andy Lewis, son amant arrogant et instable, ne l'a pas supporté. Pour se venger, il a tué la petite fille qu'Eva allait adopter. Emprisonnée à tort pendant neuf ans, elle réussit à surmonter son épreuve avec l'aide du docteur Bruckner. Dix-huit ans plus tard, devenue une artiste reconnue, Eva coule des jours paisibles dans une communauté new-age près de San Francisco, jusqu'au jour où la mort de trois fillettes la replonge subitement dans son passé…

Il y a toujours un Pocket à découvrir

"Un assassin chez les clochards"

Laurie King
Le jeu du fou

Le brouillard recouvrait San Francisco le matin où les sans-abri se réunirent dans le parc pour la crémation de Théophile. Frère Erasme avait choisi

(Pocket n° 10391)

À San Francisco, le corps d'un clochard à moitié calciné a été retrouvé dans le Golden Gate Park. L'autopsie démontre que l'homme était mort avant la crémation. Kate Martinelli, une jeune détective lesbienne, et Al Hawkin, un policier bougon, sont chargés d'enquêter. Très vite, ils orientent leurs soupçons vers " frère Érasme ", sorte de chef officieux des SDF, qui a la particularité de ne s'exprimer que par des citations de la Bible ou de Shakespeare.

Il y a toujours un Pocket à découvrir

La photocomposition de cet ouvrage a été réalisée par
GRAPHIC HAINAUT - 59163 Condé-sur-l'Escaut

Impression réalisée sur Presse Offset par

BRODARD & TAUPIN

GROUPE CPI

29792– La Flèche (Sarthe), le 13-05-2005
Dépôt légal : mars 2002
Suite du premier tirage : mai 2005

POCKET – 12, avenue d'Italie - 75627 Paris cedex 13
Tél. : 01.44.16.05.00

Imprimé en France